)|(

Introduction à

LA POÉSIE FRANÇAISE

HENRY A. GRUBBS *et* J. W. KNELLER

Oberlin College

GINN AND COMPANY

Boston   New York   Chicago   Atlanta   Dallas   Palo Alto   Toronto

Preface

This book has been planned primarily for an introductory course in French literature which makes a study of genres. It is a course taken by students who have had two to three years of college French or their equivalent. The book is also well adapted to advanced, specialized courses in French poetry.

Introduction à la Poésie française is not a history of French poetry. Its primary purpose is to convey to the students an appreciation of the best of French poetry irrespective of date or period. But the genuine appreciation of poetry in a foreign language is a delicate and difficult process, and the student can hardly reach a complete appreciative understanding of the different types of French poetry without familiarity with the fundamentals: versification, the technical side of poetry, and imagery, the language of poetry.

The book opens with the study of versification. The melody of French poetry (rhyme, rhythm and harmony) is entirely different from that of poetry in English, and the English-speaking student cannot appreciate French poetry until he has learned the technical methods by which that melody is produced. Throughout the book examples chosen to illustrate special points are more than mere technical illustrations; they have poetic beauty which makes them worthy of study in themselves. Thus, after having his students count the syllables and determine the rhythmic units of *L'Expiation* (Poem No. 1) or *L'Illusion suprême* (Poem No. 2), the instructor should pause to call attention to the dramatic power of the one and to the exotic color and the wistful sentiment of the other.

Explanatory notes at the bottom of the poems provide help in the case of difficult words and expressions. Literary, historical, and other allusions not easily found in the *Quillet-Flammarion Dictionnaire Usuel* or in the historical portion of the *Petit Larousse* are also explained.

iii

The authors, in preparing this text, have profited by the criticisms of their colleagues, especially those of Professor John C. Lapp and Madame Bernhard Ragner, and they wish to thank Professor René Galand, who read the manuscript, contributed many constructive criticisms, and corrected many errors and improprieties in the French. For those that remain we assume entire responsibility.

H. A. G.
J. W. K.

Acknowledgments

The authors wish to thank the following publishers for permission to reprint works of the poets listed:

Éditions Émile-Paul Frères: *Paul-Jean Toulet.*
Librairie Fasquelle: *André Breton, Tristan Tzara.*
Librairie Ernest Flammarion: *Paul Fort.*
Éditions Gallimard: *Guillaume Apollinaire, Louis Aragon, Paul Claudel, Robert Desnos, Paul Eluard, Henri Michaux, Charles Péguy, Saint-John Perse, Jacques Prévert, Pierre Reverdy, Paul Valéry.*
Librairie Alphonse Lemerre: *José-Maria de Heredia.*
Mercure de France: *Francis Jammes, Alfred Jarry.*
Éditions Messein: *Stuart Merrill.*

Table des Matières

CHAPITRE TROIS

Les images pour embellir   88

CHAPITRE QUATRE

Le triomphe de l'image   106

CHAPITRE DEUX

CHAPITRE TROIS

PREMIÈRE PARTIE

Le vers français:
sa structure, son harmonie

CHAPITRE PREMIER

La structure du vers français

1. Note préliminaire

Quand on parle de la *structure* du vers français, il s'agit d'ordinaire du vers de douze syllabes, dit *alexandrin:* ce n'est pas seulement le vers le plus usité, c'est aussi le seul dont la structure rythmique soit nettement déterminée. La structure de ce vers, dont le rythme ne fut clairement étudié qu'au dix-neuvième siècle, fut déterminée dès avant 1610 par des règles assez précises. A part certaines modifications apportées pendant l'époque romantique, ces règles continuent à être observées par beaucoup de poètes français, bien que depuis la période symboliste (vers 1885) toutes les libertés soient permises dans la forme. Ajoutons que tous les poètes modernes français ont d'abord appris à manier l'alexandrin, même s'ils l'ont rejeté plus tard.

2. Qu'est-ce qu'un vers français?

Un vers français est un assemblage de mots qui contient un nombre défini de syllabes * et qui rime avec un autre assemblage de mots. La longueur d'un vers français est déterminée par le nombre des *syllabes* plutôt que par le nombre des pieds. (On rencontre quelquefois le mot *pied,* mais c'est surtout un souvenir de la

---

* L'astérisque indique un mot technique expliqué dans le GLOSSAIRE (Appendice I).

prosodie latine étudiée par la plupart des Français; le terme s'applique mal aux vers français.) Comme nous l'avons dit, le vers français le plus répandu est celui de douze syllabes, *l'alexandrin.* D'autres vers, cités dans l'ordre de leur importance, sont le décasyllabe (dix syllabes), l'octosyllabe (huit syllabes), et le vers de six syllabes. Les vers de sept et de neuf syllabes sont moins employés, et les vers de onze, cinq, quatre, trois, deux et une syllabes sont rares. On appelle les vers de six, huit, dix et douze syllabes des *vers pairs,* les vers de sept ou neuf syllabes, etc., des *vers impairs.* Les vers impairs sont moins fréquents que les vers pairs.

3. *Le compte des syllabes*

Pour déterminer le rythme d'un vers, il faut pouvoir compter les syllabes. L'étudiant éprouvera des difficultés à compter (1) l'*e* dit «muet», et (2) deux voyelles consécutives.

En ce qui concerne ces deux problèmes il faut tenir compte d'une différence importante entre la prose française et la poésie française. En prose, la question de l'*e* muet est compliquée, mais on admet généralement que la prononciation de cette voyelle dépend de la «loi des trois consonnes». On prononce l'*e* muet pour éviter la rencontre de trois consonnes consécutives. On dit donc: *sa-m(e)di* (deux syllabes), mais *ven-dre-di* (trois syllabes).[1] En poésie, au contraire, tous les *e* muets se prononcent et comptent pour des syllabes, à deux exceptions près: (1) quand l'*e* muet se trouve à la fin d'un mot et que le mot suivant commence par une voyelle ou par un *h* muet; (2) quand l'*e* muet se trouve à la fin d'un vers. Le vers suivant fait ressortir ces distinctions; en prose il aurait dix syllabes:

U-n(e) at-mos-phè-r(e) ob-scu-r(e) en-v(e)lo-pp(e) la - vill(e),

tandis qu'en poésie il en a douze:

U-n(e) at-mos-phè-r(e) ob-scu-r(e) en-ve-lo-ppe - la - vill(e).

Les deux syllabes supplémentaires ralentissent la lecture du vers, et suggèrent la lente tombée de la nuit.

Deux autres règles gouvernent l'emploi des syllabes muettes:

---

[1] Dans cet exemple et dans les suivants la parenthèse indique que la voyelle ne se prononce pas.

(1) A la fin d'un vers, comme on l'a déjà fait remarquer, l'*e* muet n'est pas compté, mais il donne au vers une terminaison féminine. Quand la dernière syllabe d'un vers n'est pas un *e* muet, la terminaison est dite masculine. (2) La terminaison -*ent* de la troisième personne du pluriel des verbes compte pour une syllabe dans un vers: portent, chantent se prononcent: por-te, chan-te.

Exceptions: La terminaison -*aient* de l'imparfait et du conditionnel, et les subjonctifs *aient* et *soient* ne comptent que pour une syllabe.

Quand deux voyelles se suivent, il est quelquefois difficile de savoir s'il faut compter deux syllabes ou une seule. Certaines combinaisons (*ai, ei, oi, eu, ou*, par exemple) sont évidemment monosyllabiques.* Voici quelques indications pour les cas les plus difficiles:

ia—est en général dissyllabique:* *pri-a, étudi-ais, fi-ancé.*

ie—est d'habitude monosyllabique: *pied, ciel, por-tier, ai-miez;* mais dissyllabique quand ce groupe suit deux consonnes, dont la seconde est une liquide:* *cli-ent, entri-ez.*

io—est le plus souvent dissyllabique: *idi-ot, acti-on.*

Exception: La terminaison verbale -*ions* (sauf quand elle suit deux consonnes dont la seconde est liquide): *ai-mions, rompri-ons.*

Il faut encore signaler une différence importante entre la prononciation de la prose et du vers: *ion* est toujours monosyllabique en prose (sauf après deux consonnes dont la seconde est une liquide); *ion* est dissyllabique en vers (sauf dans la terminaison verbale *ions*): *imagination* a cinq syllabes en prose, six en vers.

oé, oua, oué—sont dissyllabiques.

ui—est parfois monosyllabique (*aujourd'hui, lui, celui, bruit*), parfois dissyllabique (*flu-ide, ru-ine, bru-it*—verbe).

4. *La structure du vers: règles classiques*

Les règles classiques gouvernant la structure de l'alexandrin étaient très simples: (1) il devait constituer en lui-même une unité; (2) un repos ou un arrêt appelé *césure* * devait marquer le milieu du vers. Expliquons un peu ces deux règles.

La première prescrivait un arrêt à la fin de chaque vers. L'enjambement * ou le rejet *—c'est-à-dire une absence d'arrêt entre deux vers—était interdit. Il n'était pas toujours possible d'avoir un arrêt complet entre les deux vers et une certaine licence était tolérée, mais on ne permettait jamais de véritables enjambements, tels qu'on les trouve depuis Victor Hugo, où le premier mot du second vers est étroitement lié au dernier mot du premier vers et où ce premier mot du second vers est séparé du reste de ce même vers. Comparez l'enjambement très mitigé permis à l'époque classique à l'enjambement frappant qui se trouve aux deux premiers vers d'*Hernani* de Victor Hugo:

> Il voit plus que jamais ses campagnes couvertes
> De Romains que la guerre enrichit de nos pertes.
> —Racine

> Serait-ce déjà lui? C'est bien à l'escalier
> Dérobé. Vite, ouvrons. Bonjour, beau cavalier.
> —Hugo

A partir de 1830, les poètes se servirent d'enjambements, mais ils n'abusèrent pas du privilège; la proportion des enjambements resta faible, et l'unité fondamentale du vers fut respectée.

La seconde règle classique prescrivait la division de l'alexandrin en deux *hémistiches* * par un arrêt après la sixième syllabe. On appelle cet arrêt la *césure* ou la *coupe*. (Dans le décasyllabe, la césure se trouve après la quatrième syllabe. Les vers plus courts n'ont pas de césure.) Cette pause devait être naturelle; la sixième syllabe devait donc être un temps fort ou accentué, mais ne pouvait jamais être un *e* muet ou un mot non accentué, comme *à, de, le,* etc., ou une syllabe à l'intérieur d'un mot de plusieurs syllabes. Exemples:

Dans mes jaloux transports   je le veux implorer . . . (Racine)
J'ai pour aïeul le pèr(e)   et le maître des dieux . . . (Racine)

5. *Les accents rythmiques du vers français*

On a pensé et répété pendant longtemps que la langue française est une langue presque entièrement dépourvue d'accents toniques. Les vers sans rimes (ou vers blancs *) si fréquents dans la poésie anglaise semblaient impossibles en français, car la rime (à défaut d'accent) était le seul moyen que l'on connut de marquer le rythme de la poésie. Voilà pourquoi on trouve dans la poésie française classique tant de vers rendus flasques par une insuffisance d'accents. Dans les vers suivants, tirés du *Tartuffe* de Molière, Mme Pernelle s'exprime très prosaïquement, et les accents, par une coïncidence naturelle, sont peu nombreux:

> Ce sont *tou*tes fa*çons* dont je n'aı pas be*soin* . . .
> C'est que· je ne puis *voir* tout ce ménage-*ci,*
> Et que de me com*plaire* on ne *prend* nul sou*ci* . . .

Si à cette époque les meilleurs artisans du vers (Racine, par exemple) écrivaient des vers «pleins», c'est-à-dire des vers possédant un nombre suffisant d'accents, ils le faisaient à cause de leur sens inné du rythme, plutôt que par système.

a. *Quelques règles phonétiques pour les accents en français.*[2] Nous ne prétendons pas donner ici un cours de phonétique; nous nous contenterons de résumer la question de l'accent dans la poésie. En anglais, l'accent est déterminé par le mot lui-même (on dit toujours: *the professor,* quelle que soit la place de ce mot); en français, par contre, l'accent tombe toujours sur la dernière syllabe d'un groupe rythmique (on dit, dans la conversation: le pro-fes-seur, mais le pro-fes-seur sa-vant). Ce qui caractérise l'accent anglais, c'est la force, l'intensité; ce qui distingue l'accent français, c'est la durée, la longueur. Dans le vers français, un groupe rythmique (ou *mesure* *) peut avoir de une à six syllabes, dont la dernière seule est accentuée. Dans le groupe rythmique chaque syllabe a la même durée, sauf la dernière syllabe, qui est plus longue.

Étant donné que seule la dernière syllabe porte l'accent, il convient de préciser que certaines syllabes finales ne sont jamais accentuées: (1) l'*e* muet, dans n'importe quelle situation; (2) les petites prépositions (*à, de, dans, en, sur, sous,* etc.); (3) les pronoms personnels atones (*je, tu, il* et *ils,* sauf dans les cas d'inversion du sujet; *le, les,* etc., sauf quand ils sont placés après le verbe).

D'autre part, il faut remarquer qu'en poésie les groupes rythmiques sont plus courts qu'en prose, et puisque chaque groupe, par sa définition même, a une syllabe accentuée, on met souvent un accent sur un mot qui n'en prendrait pas en prose. (Si l'exemple

---

[2] Dans cette section nous suivons les explications de M. Pierre Delattre, dans ses *Principes de phonétique française à l'usage des étudiants anglo-américains.*

7

cité plus haut se trouvait dans un vers, on le lirait: le pro-fes-seur
sa-vant.) Ainsi les adjectifs, les longues prépositions et les longues
conjonctions portent quelquefois un accent qui serait interdit dans
la langue parlée. Enfin il faut se rappeler qu'en poésie comme en
prose, c'est la dernière syllabe d'un substantif ou d'un adjectif accentué qui prend l'accent. Toutes ces distinctions deviendront
claires à l'usage.

    b. *Le tétramètre classique, le vers français par excellence.*
Au dix-neuvième siècle il était admis que l'alexandrin typique était
un tétramètre possédant quatre accents rythmiques, deux dans
chaque hémistiche. Il y avait d'abord un accent fixe, sur la dernière
syllabe de l'hémistiche, ensuite un second accent qui pouvait se
placer sur n'importe quelle autre syllabe de l'hémistiche. On peut
représenter toutes les combinaisons rythmiques possibles dans
l'hémistiche de la façon suivante:[3] $1+5$, $2+4$, $3+3$, $4+2$, $5+1$, 6.
Dans la poésie classique, les hémistiches $3+3$, $2+4$ et $4+2$ sont les
plus fréquents. Quelques vers de Racine montreront comment le
poète combine ces différentes sortes d'hémistiches:

J'attendais le moment où j'allais expirer:	$3+3=3+3$
Me nourrissant de fiel, de larmes abreuvée,	$4+2=2+4$
Encor, dans mon malheur de trop près observée,	$2+4=3+3$
Je n'osais dans mes pleurs me noyer à loisir,	$3+3=3+3$
Je goûtais en tremblant ce funeste plaisir;	$3+3=3+3$
Et, sous un front serein déguisant mes alarmes,	$4+2$ ou $1+5$ ou $1+3+2=3+3$
Il fallait bien souvent me priver de mes larmes . . .	$3+3=3+3$

    c. *Les alexandrins de plus de quatre accents.* Les alexandrins
classiques, c'est-à-dire les vers divisés par une césure à la sixième
syllabe, ne sont pas tous des tétramètres. On trouve de temps en
temps des *pentamètres* et des *hexamètres,* c'est-à-dire des vers où

---

[3] On emploiera dans ce livre—et on recommande cette méthode aux
étudiants—des chiffres pour indiquer la division rythmique des vers. Chaque
chiffre indique une division rythmique ou *mesure* (nous évitons le mot *pied*
qui peut prêter à confusion) et le nombre de syllabes dans chaque mesure,
l'accent se trouvant toujours sur la dernière syllabe de la mesure. Le chiffre 6
tout seul indique qu'il n'y a qu'une mesure dans l'hémistiche. Le signe $(+)$
indique la division entre les mesures. La césure ou coupe est indiquée par le
signe $(=)$. Ainsi, un vers accentué sur la troisième, la sixième, la neuvième et
la douzième syllabe, avec césure au milieu, serait indiqué de cette façon:
$3+3=3+3$.

l'un des hémistiches, ou les deux hémistiches à la fois, auront plus de deux accents. Ces vers servent le plus souvent à des énumérations. Voici, par exemple, un pentamètre:

Et pas à pas, Roland, sanglant, terrible, las . . . $4+2=2+2+2$

Et voici deux hexamètres:

Fuyards, blessés, mourants, caissons, brancards, civières . . .
$$2+2+2=2+2+2$$
Il pense, il règle, il mène, il pèse, il juge, il aime . . .
$$2+2+2=2+2+2$$

Nous avons tiré tous ces exemples de Victor Hugo, chez qui les vers de ce genre sont assez fréquents, mais on les trouve également avant le dix-neuvième siècle.

   d. *Le trimètre romantique.* L'innovation rythmique la plus importante des poètes romantiques est le développement (car il existait déjà) et l'emploi assez fréquent du vers qu'on appelle le trimètre romantique. C'est un vers dans lequel une division en deux parties, même si elle est possible, paraît moins souhaitable qu'une division tripartite, avec deux coupes. Le trimètre parfait, symétrique, se divise de cette façon: $4=4=4$. On trouve aussi des trimètres divisés ainsi: $3=5=4$, $4=5=3$, etc. Chez les poètes romantiques, dans ces trimètres, la césure médiane n'est pas tout à fait abolie; il reste encore la possibilité d'un petit arrêt après la sixième syllabe; mais vers la fin du dix-neuvième siècle on fit des trimètres où aucun arrêt n'était possible à l'hémistiche (voir le cinquième exemple). Exemples de trimètres:

Il est cynique, il est infâme, il est horrible! $4=4=4$
                    —Hugo
Tantôt légers, tantôt boiteux, toujours pieds nus! $4=4=4$
                    —Musset
Et l'on sent bien qu'on est emporté vers l'azur . . . $4=5=3$
                    —Hugo
Le cheval galopait toujours à perdre haleine . . . $3=5=4$
                    —Hugo
Serait-ce point quelque jugement sans merci? . . . $4=5=3$
                    —Leconte de Lisle

e. *Rejet à l'hémistiche.* Tout alexandrin à césure faible n'est pas un trimètre. Un trimètre exige un rythme vraiment *ternaire.** On trouve parfois un alexandrin qui se divise en deux parties, deux hémistiches, mais où il y a une sorte de rejet (ou enjambement) à la césure, et où l'accent de la septième ou de la huitième syllabe est plus fort que celui de la sixième. Exemples:

Une reine n'est pas reine sans la beauté . . . $3+\overset{\frown}{3=1}+5$
—Hugo

C'est dans une lueur mystérieuse, faite $\overset{\frown}{6=4}+2$
D'aube et de soir . . .
—Hugo

6. *Comment analyser le rythme d'un vers français?*

Si on sait bien lire à haute voix un vers français, on peut analyser son rythme; il suffit d'indiquer les syllabes qu'on a accentuées en lisant. Mais certains étudiants ne savent pas d'instinct bien lire les vers français et sont obligés d'en analyser préalablement le rythme. Nous leur recommandons la méthode suivante:

a) Comptez bien les syllabes. Il faut toujours trouver douze syllabes dans un alexandrin.

b) Examinez la sixième syllabe. Si une pause paraît naturelle, ou simplement possible, après la sixième syllabe, et si la sixième syllabe porte un accent, vous avez un alexandrin du genre classique.

c) Il faut ensuite déterminer sur quelle autre syllabe de l'hémistiche doit tomber le deuxième accent. Cela est souvent facile. Quelquefois un doute est permis, comme dans le vers suivant:

Mais quand il s'en ira dans le muet mystère . . .
—Leconte de Lisle

En prose, le premier hémistiche aurait un seul accent, sur la seconde syllabe d'*ira.* En vers, trois possibilités existent: (1) accent sur *quand,* (2) accent sur *mais,* (3) hémistiche avec un seul accent. Évitez surtout de mettre un accent sur une syllabe qui ne peut pas en avoir un.

10

d) Si l'hémistiche contient un mot de quatre, cinq, ou même six syllabes, ne mettez pas d'accent sur une des premières syllabes du mot pour faire un bon vers d'un vers qui n'est pas bon.

e) Si l'hémistiche contient plus de deux mots qui prennent normalement un accent, vous avez un pentamètre ou un hexamètre.

f) Si la forme du vers vous paraît ternaire plutôt que binaire,* ou si une césure au milieu est impossible, mettez les accents là où le rythme l'exige, et indiquez les divisions naturelles, les coupes. (Vous trouverez quelquefois des vers sans césure médiane, qu'il faudra classer comme trimètres romantiques, mais qui ne seront le plus souvent que des vers mauvais et boiteux.)

g) Enfin appuyez bien sur les syllabes accentuées; n'accentuez surtout pas, comme en anglais, les premières syllabes. Il faut, bien entendu, éviter l'exagération, mais il vaut mieux exagérer que de lire les vers comme de la prose. Tout bien considéré l'alexandrin le plus symétrique aurait le rythme suivant: $\smile\smile\_/\smile\smile\_//\smile\smile\_/\smile\smile\_$, et l'étudiant fera bien de s'en souvenir.

EXERCICE

Analysez le rythme des poèmes qui suivent. Indiquez, par des chiffres, les divisions rythmiques et les coupes de chaque vers. Ces poèmes furent tous écrits après les réformes romantiques; vous y trouverez donc des enjambements, des trimètres romantiques, etc. Pour chaque extrait, indiquez la proportion relative des trimètres romantiques et des alexandrins classiques. Si vous trouvez des vers flasques (trop peu rythmés) ou des vers où le rythme vous paraît mauvais, notez-les.

✤ 1 ✤   L'EXPIATION
(extrait)

Victor Hugo (1802-1885)

Il neigeait. On était vaincu par sa conquête.
Pour la première fois l'aigle baissait la tête.
Sombres jours! L'empereur revenait lentement,
Laissant derrière lui brûler Moscou fumant.
Il neigeait. L'âpre hiver fondait en avalanche.   5
Après la plaine blanche une autre plaine blanche.
On ne connaissait plus les chefs ni le drapeau.
Hier la grande armée, et maintenant troupeau.

11

On ne distinguait plus les ailes ni le centre.
Il neigeait. Les blessés s'abritaient dans le ventre   10
Des chevaux morts; au seuil des bivouacs désolés
On voyait des clairons à leur poste gelés,
Restés debout, en selle et muets, blancs de givre,
Collant leur bouche en pierre aux trompettes de cuivre.
Boulets, mitraille, obus, mêlés aux flocons blancs,   15
Pleuvaient; les grenadiers, surpris d'être tremblants,
Marchaient pensifs, la glace à leur moustache grise.
Il neigeait, il neigeait toujours! La froide bise
Sifflait; sur le verglas, dans des lieux inconnus,
On n'avait pas de pain et l'on allait pieds nus.   20
Ce n'étaient plus des cœurs vivants, des gens de guerre:
C'était un rêve errant dans la brume, un mystère,
Une procession d'ombres sous le ciel noir.
La solitude vaste, épouvantable à voir,
Partout apparaissait, muette vengeresse.   25
Le ciel faisait sans bruit avec la neige épaisse
Pour cette immense armée un immense linceul.
Et chacun se sentant mourir, on était seul . . .   (1852)

Ces vers décrivent la retraite de Moscou de Napoléon (1812).
v. 2. *l'aigle.* Symbole des succès militaires de Napoléon.

✖ 2 ✖   L'ILLUSION SUPRÊME
                     Leconte de Lisle (1818-1894)

Quand l'homme approche enfin des sommets où la vie
Va plonger dans votre ombre inerte, ô mornes cieux!
Debout sur la hauteur aveuglément gravie,
Les premiers jours vécus éblouissent ses yeux.

Tandis que la nuit monte et déborde les grèves,   5
Il revoit, au-delà de l'horizon lointain,
Tourbillonner le vol des désirs et des rêves
Dans la rose clarté de son heureux matin.

Monde lugubre, où nul ne voudrait redescendre
Par le même chemin solitaire, âpre et lent,   10
Vous, stériles soleils, qui n'êtes plus que cendre,
Et vous, ô pleurs muets, tombés d'un cœur sanglant!

Celui qui va goûter le sommeil sans aurore
Dont l'homme ni le Dieu n'ont pu rompre le sceau,
Chair qui va disparaître, âme qui s'évapore,   15
S'emplit des visions qui hantaient son berceau.

Rien du passé perdu qui soudain ne renaisse:
La montagne natale et les vieux tamarins,
Les chers morts qui l'aimaient au temps de sa jeunesse
Et qui dorment là-bas dans les sables marins.   20

Sous les lilas géants où vibrent les abeilles,
Voici le vert coteau, la tranquille maison,
Les grappes de letchis et les mangues vermeilles
Et l'oiseau bleu dans le maïs en floraison;

Aux pentes des pitons, parmi les cannes grêles   25
Dont la peau d'ambre mûr s'ouvre au jus attiédi,
Le vol vif et strident des roses sauterelles
Qui s'enivrent de la lumière de midi;

Les cascades, en un brouillard de pierreries,
Versant du haut des rocs leur neige en éventail;   30
Et la brise embaumée autour des sucreries,
Et le fourmillement des Hindous au travail;

Le café rouge, par monceaux, sur l'aire sèche;
Dans les mortiers massifs le son des calaous;
Les grands-parents assis sous la varangue fraîche   35
Et les rires d'enfants à l'ombre des bambous;

Le ciel vaste où le mont dentelé se profile,
Lorsque ta pourpre, ô soir, le revêt tout entier!
Et le chant triste et doux des Bandes à la file
Qui s'en viennent des hauts et s'en vont au quartier.   40

Voici les bassins clairs entre les blocs de lave;
Par les sentiers de la savane, vers l'enclos,
Le beuglement des bœufs bossus de Tamatave
Mêlé dans l'air sonore au murmure des flots,

Et sur la côte, au pied des dunes de Saint-Gilles,   45
Le long de son corail merveilleux et changeant,

13

Comme un essaim d'oiseaux les pirogues agiles
Trempant leur aile aiguë aux écumes d'argent.

Puis, tout s'apaise et dort. La lune se balance,
Perle éclatante, au fond des cieux d'astres emplis;   50
La mer soupire et semble accroître le silence
Et berce le reflet des mondes dans ses plis.

Mille arômes légers émanent des feuillages
Où la mouche d'or rôde, étincelle et bruit;
Et les feux des chasseurs, sur les mornes sauvages,   55
Jaillissent dans le bleu splendide de la nuit.

Et tu renais aussi, fantôme diaphane,
Qui fis battre son cœur pour la première fois,
Et, fleur cueillie avant que le soleil te fane,
Ne parfumas qu'un jour l'ombre calme des bois!   60

O chère Vision, toi qui répands encore,
De la plage lointaine où tu dors à jamais,
Comme un mélancolique et doux reflet d'aurore
Au fond d'un cœur obscur et glacé désormais!

Les ans n'ont pas pesé sur ta grâce immortelle,   65
La tombe bienheureuse a sauvé ta beauté:
Il te revoit, avec tes yeux divins, et telle
Que tu lui souriais en un monde enchanté!

Mais quand il s'en ira dans le muet mystère
Où tout ce qui vécut demeure enseveli,   70
Qui saura que ton âme a fleuri sur la terre,
O doux rêve, promis à l'infaillible oubli?

Et vous, joyeux soleils des naïves années,
Vous, éclatantes nuits de l'infini béant,
Qui versiez votre gloire aux mers illuminées,   75
L'esprit qui vous songea vous entraîne au néant.

Ah! tout cela, jeunesse, amour, joie et pensée,
Chants de la mer et des forêts, souffles du ciel
Emportant à plein vol l'Espérance insensée,
Qu'est-ce que tout cela, qui n'est pas éternel?   80

14

Soit! la poussière humaine, en proie au temps rapide,
Ses voluptés, ses pleurs, ses combats, ses remords,
Les Dieux qu'elle a conçus et l'univers stupide
Ne valent pas le paix impassible des morts.   (1884)

Le poète s'inspire des souvenirs de sa jeunesse, passée dans l'île de la Réunion,
dans l'Océan Indien.
v. 34. *calaous.* Pilons des indigènes.
v. 39. *Bandes.* Équipes d'ouvriers indigènes.
v. 45. *Saint-Gilles.* Village sur le littoral de l'île de la Réunion.
v. 55. *mornes.* Nom qu'on donne dans les pays tropicaux de langue française
aux montagnes rondes isolées.

� 3 ✗   LE POT CASSÉ

Victor Hugo (1802-1885)

O ciel! toute la Chine est par terre en morceaux!
Ce vase, pâle et doux comme un reflet des eaux,
Couvert d'oiseaux, de fleurs, de fruits et des mensonges
De ce vague idéal qui sort du bleu des songes,
Ce vase unique, étrange, impossible, engourdi,   5
Gardant sur lui le clair de lune en plein midi,
Qui paraissait vivant, où luisait une flamme,
Qui semblait presque un monstre et semblait presque une âme,
Mariette, en faisant la chambre, l'a poussé
Du coude par mégarde, et le voilà brisé!   10
Beau vase! Sa rondeur était de rêves pleine,
Des bœufs d'or y broutaient des prés de porcelaine.
Je l'aimais, je l'avais acheté sur les quais,
Et parfois aux marmots pensifs je l'expliquais.
Voici l'yak; voici le singe quadrumane;   15
Ceci c'est un docteur peut-être, ou bien un âne;
Il dit la messe, à moins qu'il ne dise hi-han;
Ça c'est un mandarin qu'on nomme aussi kohan:
Il faut qu'il soit savant, puisqu'il a ce gros ventre.
Attention! ceci, c'est le tigre en son antre,   20
Le hibou dans son trou, le roi dans son palais,
Le diable en son enfer; voyez comme ils sont laids!
Les monstres, c'est charmant, et les enfants le sentent.
Des merveilles qui sont des bêtes les enchantent.
Donc je tenais beaucoup à ce vase. Il est mort.   25

J'arrivai furieux, terrible, et tout d'abord:
—Qui donc a fait cela? criai-je. Sombre entrée!
Jeanne alors, remarquant Mariette effarée,
Et voyant ma colère et voyant son effroi,
M'a regardé d'un air d'ange, et m'a dit:—C'est moi.   30

Et Jeanne à Mariette a dit:—Je savais bien
Qu'en répondant: c'est moi, papa ne dirait rien.
Je n'ai pas peur de lui puisqu'il est mon grand-père,
Vois-tu, papa n'a pas le temps d'être en colère,
Il n'est jamais beaucoup fâché, parce qu'il faut   35
Qu'il regarde les fleurs, et quand il fait bien chaud,
Il nous dit: N'allez pas au grand soleil nu-tête,
Et ne vous laissez pas piquer par une bête,
Courez, ne tirez pas le chien par son collier,
Prenez garde aux faux pas dans le grand escalier,   40
Et ne vous cognez pas contre les coins des marbres.
Jouez. Et puis après il s'en va dans les arbres.   (1877)

✶ 4 ✶   LE RAVISSEMENT D'ANDROMÈDE

José-Maria de Heredia (1842-1905)

D'un vol silencieux, le grand Cheval ailé
Soufflant de ses naseaux élargis l'air qui fume,
Les emporte avec un frémissement de plume
A travers la nuit bleue et l'éther étoilé.

Ils vont. L'Afrique plonge au gouffre flagellé,   5
Puis l'Asie . . . un désert . . . le Liban ceint de brume . . .
Et voici qu'apparaît, toute blanche d'écume,
La mer mystérieuse où vint sombrer Hellé.

Et le vent gonfle ainsi que deux immenses voiles
Les ailes qui, volant d'étoiles en étoiles,   10
Aux amants enlacés font un tiède berceau;

Tandis que, l'œil au ciel où palpite leur ombre,
Ils voient, irradiant du Bélier au Verseau,
Leurs Constellations poindre dans l'azur sombre.   (1885)

v. 1. *le grand Cheval ailé.* Pégase.

16

7. Les strophes

La plupart des poèmes lyriques sont divisés en groupes réguliers qu'on appelle *strophes*.[4] La strophe de quatre vers ou *quatrain* * est la plus utilisée. Viennent ensuite la strophe de six vers ou *sixain*,* celle de dix vers ou *dizain*.* On trouve beaucoup moins souvent les strophes de trois, cinq, sept, huit ou neuf vers. Les strophes de plus de dix vers sont rares. Le quatrain est en général constitué par des alexandrins dans la poésie élégiaque * (les *Méditations* de Lamartine) ou par des octosyllabes dans la poésie légère (les *Lapins* de Banville, No. 8). Pour les quatrains on emploie des rimes croisées ou embrassées (voir au Chapitre II). On ne trouve jamais en français de ces quatrains lâches permis dans la poésie anglaise, où deux vers seulement sont rimés. Le dizain est la strophe habituelle de l'ode classique (avec des vers de huit ou de sept syllabes, rimes *ababccdeed*), mais c'est aussi une forme favorite de Victor Hugo et, plus récemment, de Paul Valéry. Il n'y a pas de dizains en alexandrins; cela ferait une strophe trop lourde.

Les strophes peuvent être *isométriques* * (tous les vers ont la même longueur) ou *hétérométriques* * (la longueur des vers varie). Les strophes hétérométriques peuvent être *symétriques* (une moitié des vers a une certaine longueur, l'autre moitié en a une autre) ou *asymétriques*. Parmi les quatrains hétérométriques on trouve surtout les quatrains *à clausule* (asymétriques: trois alexandrins, suivis d'un vers plus court, de quatre ou de six syllabes) et les quatrains où deux alexandrins alternent avec deux vers plus courts, de six ou huit syllabes.[5]

EXERCICE

Trouvez, soit dans ce livre, soit dans n'importe quel recueil de poésie française: (a) une ode en dizains, *ababccdeed;* (b) un poème en sixains hétérométriques, *aabccb;* (c) un poème en quatrains à clausule; (d) un poème en strophes de sept vers.

---

[4] Le mot stance est plus ou moins synonyme de strophe, mais il a rarement ce sens. Au pluriel il désigne un poème en strophes, moins grave qu'une ode, moins léger qu'une chanson.

[5] Pour une étude complète des strophes, de leur valeur respective, et pour une liste de toutes les strophes qu'on trouve dans la poésie française jusqu'à notre époque, voir Ph. Martinon, *Les Strophes* (Paris, Champion, 1912).

CHAPITRE DEUX

La rime

1. Définition de la rime

Dans la poésie française, les règles gouvernant la rime sont un peu différentes de celles de la poésie anglaise. En français, pour qu'il y ait rime, il faut qu'il y ait homophonie * (similitude exacte des sons) de la voyelle finale (c'est-à-dire de la voyelle finale prononcée—l'*e* muet, *es* ou *ent* à la fin du vers ne comptant pas) et des éléments sonores qui la suivent. Au lieu de nuire à la rime, comme en anglais, l'homophonie de la consonne qui précède cette voyelle finale améliore la rime. Remarquez que l'homophonie ne concerne que les sons; il faut donc tenir compte uniquement des sons et ne pas se laisser tromper par l'orthographe. Un mot ne peut pas rimer avec lui-même, mais deux mots de sens différent écrits de la même façon peuvent rimer ensemble. Exemples de rimes: *borne-morne, rang-sang, bonté-vérité, vie-ravie, craint-peint, un bois-je bois.*

Quand il y a homophonie des voyelles finales, sans homophonie des autres éléments sonores qui suivent, on a *assonance* au lieu de rime: *sente-pense, terne-ferme.*

2. Les rimes pour l'œil

Dans toute définition rationnelle de la rime, seul le son devrait compter, pourtant les poètes français ont pendant longtemps rimé pour l'œil aussi bien que pour l'oreille. C'est ainsi qu'ils interdisaient, d'une part, certaines rimes où l'homophonie était parfaite, parce que l'orthographe des mots était différente, et toléraient, d'autre part, certaines rimes qui étaient parfaites pour l'œil, mais où une consonne finale était prononcée dans un des mots et muette dans l'autre. Ces exceptions s'expliquent quelquefois mais pas toujours par des changements de prononciation; certaines lettres, muettes maintenant, étaient prononcées autrefois. Voici certaines rimes évitées par tous les poètes jusqu'en 1885 environ:

Un singulier ne pouvait pas rimer avec un pluriel. Rimes interdites: *arme-larmes, dard-étendards.*

En général, un mot qui se termine en *s* ne pouvait pas rimer avec un mot qui ne se termine pas en *s*. Rimes interdites: *témoin-moins, vers-ouvert.*

On interdisait les rimes entre mots qui se terminent par des consonnes muettes différentes, mais si les deux mots étaient au pluriel, on permettait la rime. Rimes interdites: *fer-ouvert, sentiment-roman.* Rimes permises: *fers-ouverts, sentiments-romans.*

On trouve des rimes pour l'œil à homophonie défectueuse chez beaucoup de poètes, et on les trouve le plus souvent chez des poètes connus pour la beauté et la richesse de leurs rimes. L'explication est simple: ces poètes aiment se servir de noms propres à la rime, et il est difficile de trouver des rimes parfaites pour des noms propres, dont beaucoup se terminent par une consonne prononcée. Ainsi, quand un poète parle de Thémis (déesse de la justice), on la trouve fréquemment rimée avec *ennemis,* et Vénus appelle souvent la rime *nus.* (*Les seins nus / de Vénus.*)

3. *Classement des rimes*

On a longtemps caractérisé les bonnes rimes par l'adjectif *riches,* les rimes ordinaires ou médiocres par l'adjectif *suffisantes.* On distinguait les rimes riches par l'homophonie de ce qu'on appelait la consonne d'appui,* la consonne qui précède la voyelle rimée. On interdisait certaines rimes considérées comme trop faciles ou trop faibles:

Rimer ensemble un simple et un composé était défendu, du moins aux poètes scrupuleux. Rime interdite: *venir-revenir.*

Les terminaisons *-on* et *-ant* étant très répandues en français, pour avoir une bonne rime avec ces terminaisons il fallait l'homophonie d'un élément de plus que le minimum. Rimes interdites: *bon-nation, charmant-traitant.* Bonnes rimes: *nation-passion, charmant-amant.*

Il y a environ cinquante ans, Maurice Grammont,[1] dont les ouvrages sur la versification font autorité, proposa un classement *rationnel* des rimes en rimes *faibles, suffisantes* et *riches,* selon la qualité de leur homophonie. Nous suivons ce classement et nous le recommandons aux étudiants qui doivent analyser les rimes d'un poème français. Remarquons que ce classement est fondé uniquement sur les *sons.* Pour l'appliquer à un poème l'étudiant qui connaît l'alphabet phonétique international fera bien de transcrire les mots en caractères phonétiques.

a. *Rime faible.* Quand il y a homophonie de la voyelle finale et quand il n'y a homophonie d'*aucun autre* élément sonore, soit précédent, soit suivant, on a une rime faible. Exemples (notez que parfois l'orthographe suggère que la rime est bonne, malgré sa faiblesse réelle): *dédain-pain, dieux-aveux, ébahi-suivi, repos-pavots, soldats-bras.*

b. *Rime suffisante.* Quand il y a homophonie de la voyelle finale et d'*un seul autre* élément sonore, soit précédent, soit suivant, on a une rime suffisante. Exemples: *daim-dédain, mort-port, vie-envie, moi-toi* [mwa-twa].

c. *Rime riche.* Quand il y a homophonie de la voyelle finale et de *deux* ou de plus de deux autres éléments sonores, on a une rime riche. Exemples: *morne-borne, tour-vautour, héréditaire-terre, mêle-femelle, pistes-tristes, charrois-étroits.*

Un système commode pour représenter par des symboles les principales rimes faibles, suffisantes et riches est le suivant: faible: *v-v;* suffisante: *cv-cv, vc-vc;* riche, *cvc-cvc, vcc-vcc, ccv-ccv.* (*v*- voyelle, *c*- consonne.)

4. *Détails à noter sur le classement des rimes*

a. Il n'y a que la dernière syllabe qui compte. Le classement qu'on vient de donner ne tient pas compte des rimes qui continuent jusqu'aux syllabes pénultièmes, antépénultièmes, etc.

[1] Maurice Grammont, *Le Vers français* (Paris, Delagrave, 1937), Deuxième Partie, Chapitre Cinq.

b. Méfiez-vous de l'orthographe. Remarquez que dans certains vers une ou deux consonnes à la fin d'un mot qui précède le dernier mot font partie phonétiquement de ce dernier mot. Ainsi *heureux-entre eux* est une rime súffisante (*cv-cv*). Les lettres *oi* et *ui* contiennent deux éléments sonores: phonétiquement [wa] et [ɥi]; *moi-toi* est une rime suffisante.

5. *Quelques autres observations sur les rimes*

a. Les rimes où la dernière voyelle est accentuée sont masculines, celles où la dernière voyelle est un *e* muet sont féminines: *tour-vautour* (masc.), *pistes-tristes* (fem.). Avant l'époque symboliste tous les poètes suivaient la règle qui exige l'alternance des rimes masculines et féminines.

b. Pour indiquer la disposition des rimes dans un poème, on emploie les lettres minuscules, *a, b, c, d*, etc. Dans la poésie narrative et dramatique on se sert de rimes *plates: aa, bb, cc, dd*, etc. Les rimes qui alternent *abab* s'appellent des rimes *croisées,* tandis qu'on appelle rimes *embrassées* les rimes *abba,* comme dans les quatrains des sonnets réguliers.

Exercices

1) Classez les rimes des poèmes suivants selon le classement de Grammont, donné ci-dessus.

2) Indiquez aussi (a) s'il y a des vers qui ne riment pas alors qu'ils le devraient, (b) s'il y a des rimes meilleures pour l'œil que pour l'oreille.

✷ 5 ✷   LE TRIOMPHE DE LA LIGUE
(extrait de la HENRIADE)

Voltaire (1694-1778)

Muse, redites-moi ces noms chers à la France:
Consacrez ces héros qu'opprima la licence,
Le vertueux de Thou, Molé, Scarron, Bailleul.
Potier, cet homme juste, et vous jeune Longueil,
Vous en qui, pour hâter vos belles destinées,   5
L'esprit et la vertu devançaient les années.
Tout le Sénat enfin, par les Seize enchaîné,

A travers un vil peuple en triomphe est mené,
Dans cet affreux château, palais de la vengeance,
Qui renferme souvent le crime et l'innocence.   10
Ainsi ces factieux ont changé tout l'état;
La Sorbonne est tombée, il n'est plus de Sénat . . .
Mais pourquoi ce concours et ces cris lamentables?
Pourquoi ces instruments de la mort des coupables?
Qui sont ces magistrats que la main d'un bourreau,   15
Par l'ordre des tyrans précipite au tombeau?
Les vertus dans Paris ont le destin des crimes.
Brisson, Larcher, Tardif, honorables victimes,
Vous n'êtes point flétris par ce honteux trépas:
Mânes trop généreux, vous n'en rougissez pas;   20
Vos noms toujours fameux vivront dans la mémoire;
Et qui meurt pour son roi meurt toujours avec gloire.
Cependant la Discorde, au milieu des mutins,
S'applaudit du succès de ses affreux desseins:
D'un air fier et content, sa cruauté tranquille   25
Contemple les effets de la guerre civile;
Dans ces murs tout sanglants, des peuples malheureux
Unis contre leur prince, et divisés entre eux,
Jouets infortunés des fureurs intestines,
De leur triste patrie avançant les ruines;   30
Le tumulte au-dedans, le péril au-dehors,
Et partout le débris, le carnage, et les morts.   (1728)

La Ligue. Confédération du parti catholique, fondée par le duc de Guise en
1576. Elle avait pour objectif avoué la défense de la religion catholique
contre les calvinistes. Son but réel était de placer les Guises sur le trône
de France. La Ligue domina Paris de 1580 à 1593 environ, mais Henri
IV parvint à l'écraser en 1594. Voltaire, partisan de la tolérance et
ennemi de toute discorde civile, abhorrait la Ligue.

✻ 6 ✻   RATBERT
                                (extrait)

                        Victor Hugo (1802-1885)

Ratbert, fils de Rodolphe et petit-fils de Charles,
Qui se dit empereur et qui n'est que roi d'Arles,
Vêtu de son habit de patrice romain,
Et la lance du grand saint Maurice à la main,

Est assis au milieu de la place d'Ancône.   5
Sa couronne est l'armet de Didier, et son trône
Est le fauteuil de fer de Henri l'Oiseleur.
Sont présents cent barons et chevaliers, la fleur
Du grand arbre héraldique et généalogique
Que ce sol noir nourrit de sa sève tragique.   10
Spinola, qui prit Suse et qui la ruina,
Jean de Carrara, Pons, Sixte Malaspina
Au lieu de pique ayant la longue épine noire;
Ugo, qui noyer ses sœurs dans leur baignoire,
Regardant dans leurs rangs entrer avec dédain   15
Guy, sieur de Pardiac et de l'Ile-en-Jourdain;
Guy, parmi tous ces gens de lustre et de naissance,
N'ayant encor pour lui que le sac de Vicence,
Et, du reste, n'étant qu'un batteur de pavé,
D'origine quelconque et de sang peu prouvé.   20
L'exarque Sapaudus que le Saint-Siège envoie,
Sénèque, marquis d'Ast; Bos, comte de Savoie;
Le tyran de Massa, le sombre Albert Cibo
Que le marbre aujourd'hui fait blanc sur son tombeau;
Ranuce, caporal de la ville d'Anduze;   25
Foulque, ayant pour cimier la tête de Méduse;
Marc, ayant pour devise: IMPERIUM FIT JUS;
Entourent Afranus, évêque de Fréjus.
Là sont Farnèse, Ursin, Cosme à l'âme avilie;
Puis les quatre marquis souverains d'Italie;   30
L'archevêque d'Urbin, Jean, bâtard de Rodez,
Alonze de Silva, ce duc dont les cadets
Sont rois, ayant conquis l'Algarve portugaise,
Et Visconti, seigneur de Milan, et Borghèse,
Et l'homme, entre tous faux, glissant, habile, ingrat,   35
Avellan, duc de Tyr et sieur de Montferrat;
Près d'eux Prendiparte, capitaine de Sienne;
Pic, fils d'un astrologue et d'une égyptienne;
Alde Aldobrandini; Guiscard, sieur de Beaujeu,
Et le gonfalonier du Saint-Siège et de Dieu,   40
Gandolfe, à qui, plus tard, le pape Urbain fit faire
Une statue équestre en l'église Saint-Pierre,
Complimentent Martin de la Scala, le roi
De Vérone, et le roi de Tarente, Geoffroy;
A quelques pas se tient Falco, comte d'Athène,   45
Fils du vieux Muzzufer, le rude capitaine

23

Dont les clairons semblaient des bouches d'aquilon;
De plus, deux petits rois, Agrippin et Gilon. (1857)

Il faudrait plusieurs pages de notes pour expliquer l'identité de tous ces personnages. La fantaisie du poète et sa manie pour l'antithèse ont joué un plus grand rôle dans leur réunion que l'exactitude historique. L'étudiant qui s'y intéresse trouvera les précisions nécessaires dans l'édition de Paul Berret de *La Légende des Siècles*, 6 vols. (Paris, Hachette, 1920-1926).

v. 19. *batteur de pavé.* Oisif, vaurien.

v. 27. *IMPERIUM FIT JUS. La puissance souveraine fait le droit.* (Cf. l'anglais *Might makes right.*)

6. *L'importance des rimes: la rime souveraine*

Malgré toute l'importance accordée à la rime, les critiques classiques ne voulaient pas qu'elle régnât en tyran: «la rime est une esclave et ne doit qu'obéir», écrivait Boileau déjà au dix-septième siècle. Avant le dix-neuvième siècle on considérait que les rimes rares et recherchées étaient de mauvais goût; quelques poètes (Racine, par exemple) rimaient assez bien, d'autres, très mal; les ennemis de Voltaire l'accusaient de produire des vers «d'une moitié de rime habillés au hasard». Mais les poètes romantiques (Hugo surtout) lancèrent la vogue des rimes riches et, peu après le milieu du siècle, Théodore de Banville prétendit qu'en poésie la rime était non seulement un élément essentiel, mais encore l'élément le plus important, tant et si bien qu'il conseilla de composer des poèmes en prenant les rimes comme point de départ.[2] Examinons un petit poème de Banville, qui a l'air d'avoir été fait selon cette méthode, pour en voir les effets:

⁂ 7 ⁂ A CATULLE MENDÈS

Théodore de Banville (1823-1891)

Très souvent, las des Philistins
Et les yeux brouillés, cher Catulle,
Par les cheveux de Philis teints,
Je voudrais aller jusqu'à Tulle.

[2] Depuis le dix-septième siècle on a joué au jeu de salon des *Bouts-Rimés.* On propose quatorze rimes pour un sonnet—souvent des rimes très inattendues—et quelquefois un sujet aussi, et les habitués du salon doivent essayer de faire un sonnet sur ces rimes.

Car, ami Catulle Mendès,
Peut-être qu'on est encore aise
D'oublier notre noir Hadès,
Bien loin d'ici, dans la Corrèze.

5

Et de ne plus voir sur des seins
Blanchir des poudres de riz mates,
Et de suivre en leurs fiers dessins
Tous les beaux vers que vous rimâtes.

10

Si je fuyais nos singes laids,
Et le macadam où va Lise,
Il est bien certain que je les
Emporterais dans ma valise.

15

Même je voudrais en crier,
De vos chansons que l'écho cite,
Quand penché sur mon encrier,
Je puise dans ce noir Cocyte.   (1888)

20

Le *sujet* ou fond de ce poème, adressé par Banville à son ami, le poète mineur Catulle Mendès, est des plus minces. C'est un petit compliment où le poète exprime, sur un ton si léger qu'on ne le prend pas au sérieux, le thème de l'évasion; il voudrait s'échapper de la ville, aller très loin en province; mais s'il y va il aura grand soin d'emporter avec lui les poésies de son ami, car il les aime beaucoup. Il est facile de démontrer que la rime domine tout dans le poème. Si nous admettons tout d'abord que le poète commence par indiquer une intention (un compliment à Mendès) et un thème (l'évasion), nous voyons ensuite que les rimes ont dicté le chemin à suivre. C'est l'intention qui fournit la rime *Catulle*. Il n'était même pas nécessaire de regarder dans le dictionnaire des rimes pour trouver la ville de *Tulle*, une rime riche, un endroit où on pourrait aller, un endroit assez éloigné. L'idée de l'évasion suggère la foule vulgaire qu'on voudrait fuir—les *Philistins*; tout de suite l'esprit alerte de Banville, toujours à l'affût d'une rime inattendue et qui ferait calembour, lui propose de dire qu'il a les yeux brouillés par les *cheveux de Philis teints*. Tulle, où il décide d'aller, se trouve dans le département de la *Corrèze*, qui fournit une rime sonore et qui suggère une autre rime-calembour, *encore aise,* facile à placer n'importe où. Et ainsi de suite.

Quel est l'effet produit par cette méthode? C'est surtout un étonnement amusé; on s'étonne que Banville ait aussi bien réussi son tour de force. Le poème nous fait penser à un *numéro* sensationnel où un équilibriste sur une corde jongle avec toutes sortes d'objets. La difficulté est très évidente; à un certain moment l'équilibriste feint la maladresse, tout menace de tomber. Puis les tambours roulent, l'équilibre se rétablit, le tour se termine triomphalement, l'acteur s'incline, fier mais impassible, et les spectateurs font trembler la salle de leurs applaudissements. Il y a pourtant une différence. Le jeu de l'acteur nous amuse plus que celui de Banville. Nous admirons l'habileté de l'équilibriste, nous savons qu'il accomplit quelque chose dont nous serions absolument incapables, et qu'il fait admirablement son métier. Mais nous avons une idée un peu différente du métier du poète; nous voulons qu'il fasse autre chose que des jongleries.

Il ne faut pas cependant rejeter tout à fait la méthode de Banville, cette rime souveraine qui dicte le poème au poète. Cela a du mérite, si on n'en abuse pas. Le poème de Banville que nous venons de lire présente, poussé à l'extrême, l'exemple d'un poème dominé par des rimes ingénieuses et où le sujet fait presque totalement défaut. Banville lui-même, et d'autres poètes après lui, ont composé des vers de plus de valeur en prenant les rimes comme point de départ ou en leur accordant une importance essentielle. Cette méthode se prête évidemment à des effets légers et comiques, mais elle peut produire également l'effet d'exorcisme cherché par certains poètes contemporains. Pour permettre une étude un peu plus approfondie de cette question, voici quelques poèmes créés autour des rimes, ou dominés par les rimes: [3]

[3] Par jeu certains poètes ont fait des vers *olorimes*—le vers entier rime avec le vers suivant. En voici un exemple fameux:

> Gal, amant de la Reine, alla, tour magnanime,
> Galamment de l'Arène à la Tour Magne, à Nîmes.

Et un autre, plus poétique, de Charles Cros:

> Dans ces meubles laqués, rideaux et dais moroses,
> Danse, aime, bleu laquais, ris d'oser des mots roses.

8

LAPINS

Théodore de Banville (1823-1891)

Les petits Lapins, dans le bois,
Folâtrent sur l'herbe arrosée
Et, comme nous le vin d'Arbois,
Ils boivent la douce rosée.

Gris foncé, gris clair, soupe au lait,   5
Ces vagabonds, dont se dégage
Comme une odeur de serpolet,
Tiennent à peu près ce langage:

Nous sommes les petits Lapins,
Gens étrangers à l'écriture   10
Et chaussés des seuls escarpins
Que nous a donnés la Nature.

Près du chêne pyramidal
Nous menons les épithalames,
Et nous ne suivons pas Stendhal   15
Sur le terrain des vieilles dames.

N'ayant pas lu Dostoïewski,
Nous conservons des airs peu rogues
Et certes, ce n'est pas nous qui
Nous piquons d'être psychologues.   20

Exempts de fiel, mais non d'humour
Et fuyant les ennuis moroses,
Tout le temps nous faisons l'amour,
Comme un rosier fleurit ses roses.

Nous sommes les petits Lapins,   25
C'est le poil qui forme nos bottes,
Et, n'ayant pas de calepins,
Nous ne prenons jamais de notes.

Nous ne cultivons guère Kant;
Son idéale turlutaine   30
Rarement nous attire. Quant
Au fabuliste La Fontaine,

Il faut qu'on l'adore à genoux;
Mais nous préférons qu'on se taise,
Lorsque méchamment on veut nous   35
Raconter une pièce à thèse.

Étant des guerriers du vieux jeu,
Prêts à combattre pour Hélène,
Chez nous on fredonne assez peu
Les airs venus de Mitylène.   40

Préférant les simples chansons
Qui ravissent les violettes,
Sans plus d'affaire, nous laissons
Les raffinements aux belettes.

Ce ne sont pas les gazons verts   45
Ni les fleurs, dont jamais nous rîmes
Et, qui pis est, au bout des vers
Nous ne dédaignons pas les rimes.

En dépit de Schopenhauer,
Ce cruel malade qui tousse,   50
Vivre et savourer le doux air
Nous semble une chose fort douce,

Et dans la bonne odeur des pins
Qu'on voit ombrageant ces clairières,
Nous sommes les tendres Lapins   55
Assis sur leurs petits derrières.   (1888)

v. 15. *Stendhal; v.* 17. *Dostoïewski; v.* 20. *psychologues; v.* 27. *calepins;*
  v. 28. *notes; v.* 29. *Kant; v.* 36. *pièce à thèse.* Banville se moque (assez
  gentiment) du snobisme intellectuel des années 1880. On commençait
  à lire Stendhal et aussi les romanciers russes; on parlait beaucoup de
  philosophie allemande; Paul Bourget avait publié des études littéraires
  sous le titre d'*Essais de Psychologie contemporaine;* les romanciers de
  l'École Naturaliste se documentaient en prenant des *notes* dans des
  calepins; les dramaturges sérieux écrivaient des *pièces à thèse.*
v. 30. *turlutaine.* Lubie, manie.
v. 36-40. Le penchant amoureux des lapins est connu (Cf. Ogden Nash).
  Mitylène, dont la capitale est Lesbos, symbolise ici l'amour lesbien.
v. 49-50. *Schopenhauer.* Maupassant avait publié en 1883 un conte qui rapporte une anecdote sur la mort du philosophe Schopenhauer racontée
  par *un disciple qui toussait.* La cruauté de la philosophie de Schopenhauer est mentionnée dans ce conte.

1) Trouvez-vous des rimes inattendues dans ce poème? Faites-en une liste.

2) Y a-t-il des *chevilles?* *

3) L'emploi des rimes rares a produit quelques effets de rythme peu réguliers, des enjambements, etc. Trouvez-les.

4) Portez un jugement général sur l'accord entre le sujet du poème et la technique que le poète a employée.

✕ 9 ✕

LE GNOU

Robert Desnos (1900-1945)

—Pan! Pan! Pan!
Qui frappe à ma porte?
Pan! Pan! Pan!
C'est un jeune faon
Pan! Pan! Pan!   5
Ouvre-moi ta porte
Pan! Pan! Pan!
Je t'apporte un paon
Pan! Pan! Pan!
Ouvre-moi ta porte   10
Pan! Pan! Pan!
J'arrive de Laon
Pan! Pan! Pan!
Mon père est un gnou
Né on se sait où,   15
Un gnou à queue blanche
Qui demain dimanche,
Te fera les cornes
Sur les bords de l'Orne.   (1944)

La rime régnait dans la poésie de Banville, mais elle n'était pas une reine absolue, elle devait subir les exigences d'une forme très régulière: poèmes en strophes, rythmes fixes, alternance des rimes dans l'ordre prescrit. Le sujet était souvent sans importance, mais ce sujet devait s'exprimer par une suite d'idées toujours parfaitement logique, bien que parfois fantaisiste. A l'opposé les poètes contemporains, tels que Desnos, refusent toute contrainte soit quant à la forme, soit quant à la suite des idées. Dans ce poème, c'est la rime qui règne en reine absolue; elle dicte la forme, elle nous mène d'une idée, d'une image, à une autre avec la licence la plus déchaînée. Le sujet est insignifiant peut-être, enfantin certainement, mais le poème lui-même n'en est pas moins charmant, d'un charme que échappe à toute analyse.

× 10 ×   DANS LA NUIT
                   Henri Michaux (1899-   )

Dans la nuit
Dans la nuit
Je me suis uni à la nuit
A la nuit sans limites
A la nuit.   5

Mienne, belle, mienne.

Nuit
Nuit de naissance
Qui m'emplis de mon cri
De mes épis   10
Toi qui m'envahis
Qui fais houle houle
Qui fais houle tout autour
Et fume, es fort dense
Et mugis   15
Es la nuit.
Nuit qui gît, Nuit implacable.
Et sa fanfare, et sa plage
Sa plage en haut, sa plage partout,
Sa plage boit, son poids est roi, et tout ploie sous lui   20

Sous lui, sous plus ténu qu'un fil
Sous la nuit
La Nuit.   (1937)

Pour Henri Michaux un poème est souvent un *exorcisme*, c'est-à-dire un assemblage de mots ou de sons qui n'ont pas nécessairement un sens mais qui ont un pouvoir magique. Quand on récite l'exorcisme, on se délivre du sort que le sorcier ennemi vous a jeté. Des sons qui riment sont fréquents dans les exorcismes. Un exemple très connu est la comptine des enfants (pour choisir qui *sera dedans,* l'équivalent français de *to be it*)—c'est une sorte d'exorcisme, ou du moins une formule magique:

> Am, stram, gram,
> Pic et pic et colégram,
> Bourre et bourre et ratatam,
> Am, stram, gram.

Mais un exorcisme peut servir aussi à implorer l'aide d'un pouvoir magique ami. Le beau poème de Michaux, cité ci-dessus, est moitié exorcisme à la nuit—certains éléments qui riment sont introduits pour la rime plutôt que pour le sens (vers 20, par exemple)—et moitié poème dans le sens ordinaire: une série d'impressions de la beauté envoûtante et envahissante de la nuit.

EXERCICES

1) Lisez *Dans la nuit* plusieurs fois à haute voix, en essayant de bien prononcer et de souligner les effets voulus par le poète.

2) Traduisez le poème en anglais, littéralement, mais en suivant autant que possible la forme de l'original. Est-il possible d'obtenir un résultat satisfaisant?

CHAPITRE TROIS

L'harmonie du vers français

En examinant la structure du vers français, nous n'avons rien dit des *effets* produits par les différents rythmes. Il nous semblait plus commode de discuter en même temps les effets rythmiques et les effets harmoniques, autrement dit, toute l'esthétique de la forme des vers. On peut évidemment faire une distinction entre les effets rythmiques, où il s'agit de la durée et de l'accentuation, et les effets harmoniques, où il s'agit du ton et de la *couleur* des sons. Mais ces effets sont en somme concourants, et il est difficile de les séparer. Toute cette question est du reste presque impossible à considérer du point de vue abstrait, parce qu'on ne peut pas séparer les effets rythmiques ou harmoniques du sens, et parce qu'on a tendance à trouver des effets rythmiques ou harmoniques selon le sens.[1] Nous allons étudier d'abord les effets rythmiques; ensuite nous ferons quelques remarques générales; enfin nous présenterons quelques exemples concrets.

1. *Les effets rythmiques: principes généraux*

a. *Un principe sûr.* La diversité des rythmes que produisent la mobilité des accents dans les hémistiches de l'alexandrin classique et la possibilité de faire alterner les trimètres romantiques

---

[1] Ainsi on trouve une belle sonorité dans *l'airain résonne,* mais on n'en trouve pas dans *Perrin raisonne.* Si *cocorico* représente le chant du coq, que représentent *coquelicot* et *Puerto Rico?*

avec les tétramètres est une sauvegarde puissante contre la monotonie du rythme dans les vers français. Les enjambements, les coupes irrégulières, employés avec discrétion, ajoutent encore à la variété du vers. En somme, l'alexandrin, du moins depuis l'époque romantique, est un vers très souple et qui peut vraiment chanter.

b. *Les théories de Grammont sur le rythme.*[2] Selon Maurice Grammont et ses disciples, dans un tétramètre chaque mesure a la même durée, quel que soit le nombre des syllabes. Ainsi, dans un tétramètre parfaitement symétrique $(3+3=3+3)$, chaque syllabe aurait la même durée; dans une mesure de quatre syllabes, chaque syllabe serait prononcée deux fois plus vite que chaque syllabe d'une mesure de deux syllabes. Quand l'hémistiche serait divisé $5+1$, la différence de vitesse serait assez marquée; pour donner à une mesure de cinq syllabes la même durée qu'à une division d'une syllabe, il faudrait évidemment énoncer les cinq syllabes beaucoup plus vite. Si l'énonciation de chaque mesure se faisait dans le même durée, il est évident qu'un trimètre serait moins long qu'un tétramètre, qu'un pentamètre serait plus long qu'un tétramètre, et ainsi de suite.

Suivant son hypothèse, Grammont dit qu'une mesure rapide (par exemple, une mesure de cinq ou six syllabes) exprime un mouvement rapide ou un sentiment prosaïque, tandis qu'une mesure lente (d'une syllabe) exprime un mouvement lent ou un sentiment fort.

L'hypothèse de Grammont n'a jamais été prouvée en laboratoire, autant que nous sachions; il est du reste douteux que la majorité des lecteurs qui savent bien lire les vers français prononcent les différentes divisions de l'alexandrin dans la même durée. D'autre part, il est certain que cette variété de rythme offre au poète non seulement un moyen d'éviter la monotonie, mais des possibilités d'expression presque infinies.

2. *Les effets rythmiques: exemples concrets*

Ceux qui veulent étudier des exemples concrets des effets de vitesse et de lenteur produits par l'emploi de différentes mesures (selon le principe de Grammont) pourront consulter son livre,

[2] *Le Vers français*, Première Partie, Chapitre Premier.

Le Vers français. La plupart des études techniques sur la poésie n'ont traité des effets rythmiques dans les poèmes en alexandrins que dans leurs rapports avec ce qu'on appelle *l'harmonie imitative;* cette sorte d'étude ne sépare pas les effets harmoniques des effets rythmiques produits dans ce qu'on appelle *les vers libres,** et cela mérite quelques remarques.

Les vers libres [3] sont des suites de vers où les alexandrins alternent, sans dessein ni symétrie, avec des décasyllabes ou des octosyllabes (rarement avec d'autres vers). Les rimes n'obéissent à aucun système: chaque vers rime avec un autre vers peu éloigné, mais il n'y a aucune régularité dans la disposition des rimes, et il n'y a aucune correspondance entre les rimes et la longueur des vers.[4] Le vers libre s'employait pour toute espèce de poésie légère —fables, épîtres * familières, madrigaux *—et même quelquefois pour des élégies.* Le maître incontesté de la forme fut le grand poète et fabuliste Jean de La Fontaine. Prenons une des plus belles de ses fables comme exemple:

✱ 11 ✱   LE CHÊNE ET LE ROSEAU

Jean de La Fontaine (1621-1695)

Le chêne un jour dit au roseau:
«Vous avez bien sujet d'accuser la nature;
Un roitelet pour vous est un pesant fardeau;
Le moindre vent qui d'aventure
Fait rider la face de l'eau,   5
Vous oblige à baisser la tête;
Cependant que mon front, au Caucase pareil,
Non content d'arrêter les rayons du soleil,
Brave l'effort de la tempête.
Tout vous est aquilon, tout me semble zéphyr.   10
Encor si vous naissiez à l'abri du feuillage
Dont je couvre le voisinage,

---

[3] Le mot *vers libre* prit un autre sens à l'époque symboliste. On se mit à l'employer, vers 1885, pour indiquer un relâchement général du rythme et de la rime.

[4] Par exemple, dans une suite de quatre vers, le premier et le quatrième pourraient être des octosyllabes, le deuxième et le troisième des alexandrins. Mais les rimes pourraient aussi bien être *abab* que *abba.*

Vous n'auriez pas tant à souffrir:
Je vous défendrais de l'orage;
Mais vous naissez le plus souvent   15
Sur les humides bords des royaumes du vent.
La nature envers vous me semble bien injuste.
—Votre compassion, lui répondit l'arbuste,
Part d'un bon naturel; mais quittez ce souci:
Les vents me sont moins qu'à vous redoutables;   20
Je plie, et ne romps pas. Vous avez jusqu'ici
Contre leurs coups épouvantables
Résisté sans courber le dos;
Mais attendons la fin.» Comme il disait ces mots,
Du bout de l'horizon accourt avec furie   25
Le plus terrible des enfants
Que le Nord eût portés jusque-là dans ses flancs.
L'arbre tient bon; le roseau plie.
Le vent redouble ses efforts,
Et fait si bien qu'il déracine   30
Celui de qui la tête au ciel était voisine,
Et dont les pieds touchaient à l'empire des morts.   (1668)

La Fontaine préférait cette fable à toutes ses autres, dit-on.
Parmi ses qualités notables il faut mentionner les effets subtils et
variés produits par les savants changements de rythme, par l'alternance à intervalles irréguliers des alexandrins et des octosyllabes.[5]
Maurice Grammont, dans *Le Vers français,* et Ferdinand Gohin,
dans *L'Art de La Fontaine dans ses Fables,* ont fait des efforts
sérieux pour analyser les vers libres de La Fontaine. Ils ont pris
pour point de départ un fait: l'octosyllabe est plus rapide que
l'alexandrin. On a donc deux effets principaux: le passage de la
rapidité de l'octosyllabe à l'ampleur de l'alexandrin et vice-versa.
D'après Gohin, quand un octosyllabe est suivi de très près par un
ou deux alexandrins et que le sens du premier vers est complété
par les vers suivants, les alexandrins se dégagent avec plus de force
et d'ampleur. On a deux bons exemples de ce procédé aux vers
15-16 et 30-32. Notons aussi le début de la fable: une attaque
rapide menée par un ou plusieurs octosyllabes est caractéristique
de La Fontaine. Autre détail intéressant: dans les remarques du

[5] Le poème contient seize alexandrins, quinze octosyllabes et un décasyllabe.

roseau, personnage modeste et laconique, tous les alexandrins sont coupés par des césures très marquées, comme si le poète voulait éviter de longues phrases éloquentes.

Cependant, en précisant ces effets, il faut beaucoup de méfiance et de prudence. Une autre fable célèbre de La Fontaine, *Les Animaux malades de la Peste,* nous fournira un exemple des difficultés qu'on rencontre quand on essaie d'interpréter l'effet des changements dans la longueur des vers. Dans cette fable, chaque animal doit confesser ses crimes. Le lion termine sa confession par les vers suivants:

> Même il m'est arrivé quelquefois de manger
> Le berger . . .

Un critique du dix-huitième siècle, Chamfort, prétendit que le vers de trois syllabes venant après l'alexandrin, fait un effet d'atténuation, que le lion essaie d'escamoter son gros péché. Or, selon des critiques plus récents, tels que Gohin, cette interprétation est un contresens absolu; ils soutiennent qu'un vers très court à la suite d'un alexandrin est par cela même mis en relief. Loin de vouloir escamoter son crime, le lion montre, en l'exprimant ainsi, qu'il y attache beaucoup d'importance.

✷ 12 ✷ LES ANIMAUX MALADES DE LA PESTE
Jean de La Fontaine (1621-1695)

> Un mal qui répand la terreur,
> Mal que le ciel en sa fureur
> Inventa pour punir les crimes de la terre,
> La peste (puisqu'il faut l'appeler par son nom),
> Capable d'enrichir en un jour l'Achéron,   5
> Faisait aux animaux la guerre.
> Ils ne mouraient pas tous, mais tous étaient frappés:
> On n'en voyait pas d'occupés
> A chercher le soutien d'une mourante vie;
> Nul mets n'excitait leur envie;   10
> Ni loups ni renards n'épiaient
> La douce et l'innocente proie;
> Les tourterelles se fuyaient;

Plus d'amour, partant plus de joie.
Le lion tint conseil, et dit: «Mes chers amis,   15
    Je crois que le ciel a permis
    Pour nos péchés cette infortune.
    Que le plus coupable de nous
Se sacrifie aux traits du céleste courroux;
Peut-être il obtiendra la guérison commune.   20
L'histoire nous apprend qu'en de tels accidents
    On fait de pareils dévouements.
Ne nous flattons donc point; voyons sans indulgence
    L'état de notre conscience.
Pour moi, satisfaisant mes appétits gloutons,   25
    J'ai dévoré force moutons.
    Que m'avaient-ils fait? Nulle offense.
Même il m'est arrivé quelquefois de manger
            Le berger.
Je me dévouerai donc, s'il le faut; mais je pense   30
Qu'il est bon que chacun s'accuse ainsi que moi;
Car on doit souhaiter, selon toute justice,
    Que le plus coupable périsse.
—Sire, dit le renard, vous êtes trop bon roi;
Vos scrupules font voir trop de délicatesse.   35
Eh bien! manger moutons, canaille, sotte espèce,
Est-ce un péché? Non, non: vous leur fîtes, Seigneur,
    En les croquant, beaucoup d'honneur;
    Et quant au berger, l'on peut dire
    Qu'il était digne de tous maux,   40
Étant de ces gens-là qui sur les animaux
    Se font un chimérique empire.»
Ainsi dit le renard; et flatteurs d'applaudir.
    On n'osa trop approfondir
Du tigre, ni de l'ours, ni des autres puissances,   45
    Les moins pardonnables offenses:
Tous les gens querelleurs, jusqu'aux simples mâtins,
Au dire de chacun, étaient de petits saints.
L'âne vint à son tour, et dit: «J'ai souvenance
    Qu'en un pré de moines passant,   50
La faim, l'occasion, l'herbe tendre, et, je pense,
    Quelque diable aussi me poussant,
Je tondis de ce pré la largeur de ma langue.
Je n'en avais nul droit, puisqu'il faut parler net.»
A ces mots, on cria haro sur le baudet.   55

Un loup, quelque peu clerc, prouva par sa harangue
Qu'il fallait dévouer ce maudit animal,
Ce pelé, ce galeux, d'où venait tout leur mal.
Sa peccadille fut jugée un cas pendable.
Manger l'herbe d'autrui! quel crime abominable! 60
　　Rien que la mort n'était capable
D'expier son forfait: on le lui fit bien voir.

Selon que vous serez puissant ou misérable,
Les jugements de cour vous rendront blanc ou noir.　(1678)

EXERCICES

1) Dégagez le sens du poème, *Les Animaux malades de la Peste,*
depuis le commencement jusqu'à la fin.

2) Lisez le poème à haute voix, et essayez d'expliquer les effets
obtenus par l'alternance des alexandrins avec les octosyllabes. N'exagérez
pas.

3) A propos du vers 29, seriez-vous d'accord avec Chamfort, ou
avec les critiques récents?

3. *L'harmonie: principes généraux*

Une bonne partie de la poésie française avant le dix-neuvième
siècle semble à beaucoup de lecteurs modernes pâle, sèche, guindée,
dépourvue d'images concrètes, colorées, vivantes. Et pourtant les
Français du dix-septième et du dix-huitième siècle trouvaient que
les vers des meilleurs poètes de leur temps étaient très harmonieux.
Par *harmonieux* le public de cette époque entendait *doux, coulants,
qui évitent les rencontres de sons durs.* Boileau exprime cet idéal
quand il préconise:

　　　Il est un heureux choix de mots harmonieux;
　　　Fuyez des mauvais sons le concours odieux . . .
　　　　　　　　　(*Art poétique,* 1674)

Pour obtenir cette harmonie on avait formulé des règles assez
précises, des règles toutes négatives. Il fallait éviter (a) la succes-
sion de plusieurs consonnes rudes, (b) la répétition de la même
lettre dans une suite de mots, (c) une syllabe finale suivie d'une
syllabe initiale pareille («Ils ont nom*mé Mé*rope . . .»), (d) toutes

sortes de rimes internes, (e) les *hiatus* cachés,[6] (f) de mettre à la rime certaines terminaisons désagréables: *îmes, îtes, asses,* etc.

Il était pourtant permis de violer quelquefois ces règles pour produire un effet qu'on appelait l'*harmonie imitative.* L'harmonie imitative est un effort destiné à imiter ou à suggérer le sens par le son. Tout le monde connaît l'harmonie imitative dans sa forme la plus élémentaire: l'imitation des cris des animaux et des oiseaux— *miaou, cocorico,* etc. Les poètes ont toujours employé l'harmonie imitative, et le plus souvent, sans en avoir conscience. Ce n'est que vers la fin du dix-septième siècle que les poètes commencèrent à l'utiliser consciemment. Quand Racine, au dernier acte d'*Andromaque* (1667), fait demander à Oreste (qui croit voir les Furies):

Pour qui sont ces serpents qui sifflent sur vos têtes? . . .

il avait sûrement conscience de l'effet sifflant produit par les sibilantes répétées, et on commença bientôt à citer ce vers comme un exemple notable d'harmonie imitative. On trouvait également admirables, de ce point de vue, ces deux passages de Boileau:

J'aime mieux un ruisseau qui, sur la molle arène,
Dans un pré plein de fleurs lentement se promène,
Qu'un torrent débordé qui, d'un cours orageux,
Roule, plein de gravier, sur un terrain fangeux . . .
(*Art poétique,* 1674)

Dans sa bouche à ce mot sent sa langue glacée,
Soupire, étend les bras, ferme l'œil et s'endort . . .
(*Le Lutrin,* 1674)

On signalait que les liquides dans les deux premiers vers cités

[6] L'*hiatus* (rencontre sans élision de deux voyelles dont l'une finit un mot et l'autre commence le mot suivant—exemple: il va à Abbeville) est interdit dans la poésie classique française. Cette règle a presque toujours été respectée; pourtant elle n'est ni logique ni conforme à la prononciation. Ainsi Grammont (*Le Vers français,* pp. 273-291) réagit violemment contre un précepte qui permettait: *Seigneur, vous m'avez vue attachée à vous nuire* (Racine), tandis qu'il n'accepterait pas *Seigneur, vous m'avez vu attaché à vous nuire,* car les deux vers se prononcent exactement de la même façon. Grammont conclut (p. 287): «Il n'y a d'hiatus à éviter . . . que celui qui a lieu entre deux voyelles de même ouverture buccale.»

produisent admirablement l'effet d'un ruisseau qui coule doucement, et que le deuxième vers du second passage suggère, non seulement par les sons, mais aussi par le rythme, quelqu'un qui s'endort.

Au dix-huitième siècle on développa des théories compliquées
pour l'harmonie imitative et on élabora des règles.[7] Quelques-uns
allèrent jusqu'à attacher une valeur imitative définie à chaque
lettre de l'alphabet. Cette tendance fut érigée en système par le
Chevalier de Piis, qui écrivit un long poème didactique en quatre
chants, *L'Harmonie imitative de la langue française* (1785): l'auteur
démontre en vers les effets d'harmonie imitative que chaque lettre
peut produire. Ces vers sur la lettre F sont amusants, et moins bizarres que beaucoup d'autres:

> Fille d'un son fatal qu'enfante la menace,
> L'F en fureur frémit, frappe, fronde, fracasse;
> Elle exprime la fougue et la fuite du vent;
> Elle fournit la force au fer qui fouille et fend;
> Elle souffle le feu, la flamme et la fumée,
> Et ces frimas si froids dont la glace est formée,
> Avec le fouet vengeur l'F aime à fustiger,
> Et frémit quand on froisse un taffetas léger.

Les poètes anglais s'intéressèrent à l'harmonie imitative à la
même époque que les poètes français. Alexander Pope, dans son
Essay on Criticism (1711), se proposa d'en exposer les principes et
en même temps de les illustrer, dans des vers très admirés alors.
Vers la fin du siècle (environ 1785) le poète français, Jacques
Delille, fit une paraphrase française de ces vers (dans *l'Homme
des Champs*, IV). Nous donnons ici ces deux passages, parce qu'ils
rendent possible une comparaison intéressante des ressources des
deux langues en ce domaine:

> 'Tis not enough no harshness gives offense;
> The sound must seem an echo to the sense.
> Soft is the strain when zephyr gently blows,
> And the smooth stream in smoother numbers flows;
> But when loud surges lash the sounding shore,   5
> The hoarse rough verse should like the torrent roar.

[7] On touvera une analyse détaillée de l'harmonie imitative dans le *Petit
Traité de versification française* de Quicherat (Paris, Hachette, pp. 80-96),
écrit au dix-neuvième siècle, mais le point de vue est du dix-huitième siècle.

When Ajax strives some rock's vast weight to throw,
The line, too, labours, and the words move slow:
Not so when swift Camilla scours the plain,
Flies o'er th' unbending corn, and skims along the main. 10
                    Pope, *Essay on Criticism*, Part II

Quels qu'ils soient, aux objets conformez votre ton;
Ainsi que par les mots, exprimez par le son:
Peignez en vers légers l'amant léger de Flore;
Qu'un doux ruisseau murmure en vers plus doux encore:
Entend-on d'un torrent les ondes bouillonner,   5
Le vers tumultueux en roulant doit tonner;
Que d'un pas lent et lourd le bœuf fende la plaine,
Chaque syllabe pèse, et chaque mot se traîne;
Mais si le daim léger bondit, vole et fend l'air,
Le vers vole et le suit, aussi prompt que l'éclair.   10
                    Delille, *L'Homme des Champs*, IV

EXERCICES

1) Analysez les vers de Delille. Où reste-t-il proche de son modèle?
Où s'écarte-t-il de Pope? Est-ce qu'il a eu raison de substituer le bœuf
et le daim à Ajax et à Camilla?

2) Essayez d'analyser les effets d'harmonie imitative dans les vers
de Delille. Notez surtout les effets de rythme et de son dans les vers 6-10;
là on peut vraiment dire que le son et le sens s'accordent.

4. *L'harmonie: exemples d'effets harmoniques*

Les principes d'harmonie et d'harmonie imitative enseignés
par les critiques classiques sont trop arbitraires et trop rigides pour
les poètes modernes. Ces principes s'adaptaient assez bien aux
pauvres moyens d'expression possédés par les poètes français du
dix-huitième siècle, mais depuis les grands poètes romantiques, la
poésie française a une richesse de vocabulaire, une opulence et
une audace dans le langage imagé qui s'accommoderaient mal des
entraves imposées par les anciens principes.[8] Il est vrai que la
soumission à ces principes empêchait les poètes de talent secon-

[8] Dans *Le Vers français,* Grammont a formulé des principes très précis
mais très compliqués pour expliquer et juger l'harmonie des vers français. Son
système nous paraît un peu mécanique, mais, mécanique ou non, il est surtout
trop compliqué pour être enseigné à des étudiants qui débutent dans l'étude
de la poésie française.

daire, d'oreille ou de goût peu sûrs, de tomber dans les excès que l'on trouve chez certains poètes plus récents. Un des principes des critiques classiques ordonnait qu'il fallait éviter la répétition des sons à des intervalles trop rapprochés. Même pour les besoins de l'harmonie imitative, l'allitération était peu employée. Mais les poètes symbolistes (peut-être sous l'influence de Poe, qui s'en était beaucoup servi) l'aimaient et en abusaient.

✶ 13 ✶   NOCTURNE

Stuart Merrill (1863-1915)

La blême lune allume en la mare qui luit,
Miroir des gloires d'or, un émoi d'incendie.
Tout dort. Seul, à mi-mort, un rossignol de nuit
Module en mal d'amour sa molle mélodie.

Plus ne vibrent les vents en le mystère vert   5
Des ramures. La lune a tu leurs voix nocturnes:
Mais à travers le deuil du feuillage entr'ouvert
Pleuvent les bleus baisers des astres taciturnes.

La vieille volupté de rêver à la mort
A l'entour de la mare endort l'âme des choses.   10
A peine la forêt parfois fait-elle effort
Sous le frisson furtif de ses métamorphoses.

Chaque feuille s'efface en des brouillards subtils.
Du zénith de l'azur ruisselle la rosée
Dont le cristal s'incruste en perles aux pistils   15
Des nénufars flottant sur l'eau fleurdelisée.

Rien n'émane du noir, ni vol, ni vent, ni voix,
Sauf lorsqu'au loin des bois, par soudaines saccades,
Un ruisseau turbulent croule sur les gravois:
L'écho s'émeut alors de l'éclat des cascades. (1887)   20

EXERCICE

Trouvez dans ce poème des allitérations et des répétitions de sons qui choquent l'oreille, ou qui s'accordent mal avec le sens des vers où elles se trouvent.

A l'heure actuelle on appelle *sonorités* toute répétition de sons dans la poésie, soit au début, soit à l'intérieur des mots. Le terme s'applique aux voyelles aussi bien qu'aux consonnes. Le poème suivant fait ressortir les possibilités artistiques des sonorités mises en œuvre par un grand poète:

�><14 �><   HARMONIE DU SOIR
                         Charles Baudelaire (1821-1867)

> Voici venir les temps où vibrant sur sa tige
> Chaque fleur s'évapore ainsi qu'un encensoir;
> Les sons et les parfums tournent dans l'air du soir;
> Valse mélancolique et langoureux vertige!
>
> Chaque fleur s'évapore ainsi qu'un encensoir;   5
> Le violon frémit comme un cœur qu'on afflige;
> Valse mélancolique et langoureux vertige!
> Le ciel est triste et beau comme un grand reposoir.
>
> Le violon frémit comme un cœur qu'on afflige,
> Un cœur tendre, qui hait le néant vaste et noir!   10
> Le ciel est triste et beau comme un grand reposoir;
> Le soleil s'est noyé dans son sang qui se fige . . .
>
> Un cœur tendre, qui hait le néant vaste et noir,
> Du passé lumineux recueille tout vestige!
> Le soleil s'est noyé dans son sang qui se fige . . .   15
> Ton souvenir en moi luit comme un ostensoir!   (1857)

On observe aisément les sonorités dans ce poème: la répétition des rimes (toutes les rimes sont en -*ige* et en -*oir*), et même la répétition de vers entiers, selon un système déterminé (le poème est une modification d'une forme poétique fixe d'origine malaise appelée *pantoum*). Et pourtant toutes ces répétitions contribuent à créer une harmonie qui est mystérieuse, subtile, d'un charme puissant. Il n'y a rien d'exagéré: très évidentes au début (les vers 1-2: v-v-t-v-t-v, et les vers 4 et 7: v-lan-lan-v), les sonorités continuent discrètement à travers le poème.

Remarquons aussi que dans *Harmonie du Soir* Baudelaire a réalisé une fusion parfaite de différents éléments. L'idée d'*harmonie*

43

domine, et elle s'exprime non seulement dans les sons, mais encore dans le rythme des vers et dans les images qui s'accordent parfaitement aux sons.

1) Analysez en détail ce poème pour bien dégager les thèmes (la nature, la religion, l'amour, le souvenir, l'état d'âme d'un poète à l'arrivée de la nuit). Essayez de dire dans quelle mesure le rythme et les sonorités se mêlent à ces thèmes.

2) Pour vous faire comprendre jusqu'à quel point le rythme et l'harmonie sont intraduisibles, voici une traduction anglaise de ce poème:

> The evening comes, and swayed by every breeze,
> A living censer, swoons each fragrant bloom;
> Snatches of tunes and perfumes fill the room;
> Languorous waltz of swirling reveries!
>
> A living censer, swoons each fragrant bloom;   5
> The quivering violins cry out, decrease;
> Languorous waltz of swirling reveries!
> The far pale heavens like an altar loom.
>
> The quivering violins cry out, decrease,
> Like hearts of love that hate th'engulfing gloom!   10
> The far pale heavens like an altar loom;
> The sun drowns in his blood upon the seas.
>
> A heart of love that hates th'engulfing gloom,
> Seeks for a vanished Day's last vestiges!
> The sun has set in blood, the shades increase . . .   15
> Thy memory shines, a monstrance in a tomb!
>   (*trad. par* L. P. Shanks)

Lisez à haute voix les deux versions, et portez un jugement détaillé sur cette traduction.

44

CHAPITRE QUATRE

Tradition, liberté et anarchie dans la forme du vers

Après 1870 beaucoup de poètes français se révoltèrent contre les formes traditionnelles des vers. Rimbaud fut le premier de ces rebelles, mais ses vers aux rimes et aux rythmes irréguliers, ses poèmes imprimés comme des vers mais sans rythme ni rime, et ses poèmes en prose, tous écrits entre 1870 et 1872, restèrent inconnus jusqu'en 1885-1886. Un peu avant cette date plusieurs poètes du groupe symboliste * avaient écrit des vers libres *symbolistes:* des vers rythmés et qui rimaient, mais dans lesquels les règles, clas-siques aussi bien que romantiques, gouvernant la structure du vers et la rime, n'étaient plus suivies. Jules Laforgue et Gustave Kahn sont en général considérés comme les inventeurs du vers libre sym-boliste. Vers la fin du siècle et dans le premier quart du vingtième siècle les poètes allèrent plus loin. Quelques-uns écrivirent tout simplement des poèmes en prose; d'autres continuèrent à arranger leurs poèmes comme si c'étaient des vers, mais des vers où la rime et le rythme n'existaient pour ainsi dire plus.

A notre époque la question de la forme dans la poésie française est assez confuse. On trouve actuellement des poèmes de forme très variée, depuis la poésie la plus traditionnelle jusqu'à la poésie dénuée de tout vestige de versification. On peut donc classer la poésie contemporaine, d'après la forme, de la façon suivante: [1]

---

[1] Nous ne donnons pas de notes explicatives pour les extraits cités qui servent uniquement d'exemples de *forme.*

1. La poésie tout à fait conforme aux règles de la versification traditionnelle.

2. La poésie qui suit l'esprit des règles, mais qui n'en suit pas la lettre, comme ces vers de Louis Aragon, où il n'y a pas de ponctuation et où les singuliers riment avec les pluriels:

> Je n'oublierai jamais l'illusion tragique
> Le cortège les cris la foule et le soleil
> Les chars chargés d'amour les dons de la Belgique
> L'air qui tremble et la route à ce bourdon d'abeilles
> Le triomphe imprudent qui prime la querelle   5
> Le sang que préfigure en carmin le baiser
> Et ceux qui vont mourir debout dans les tourelles
> Entourés de lilas par un peuple grisé
>   (extrait de *Les Lilas et les Roses,* 1940)

3. Les vers libres du genre symboliste. En voici un exemple, de Jules Laforgue:

> O paria!—Et revoici les sympathies de mai.
> Mais tu ne peux que te répéter, ô honte!
> Et tu te gonfles et ne crèves jamais.
> Et tu sais fort bien, ô paria,
> Que ce n'est pas du tout ça.   5
> Oh! que
> Devinant l'instant le plus seul de la nature,
> Ma mélodie, toute et unique, monte,
> Dans le soir et redouble, et fasse tout ce qu'elle peut
> Et dise la chose qu'est la chose,   10
> Et retombe, et reprenne,
> Et fasse de la peine,
> O solo de sanglots,
>
> Et reprenne et retombe
> Selon la tâche qui lui incombe.   15
> Oh! que ma musique
> Se crucifie,
> Selon sa photographie
> Accoudée et mélancolique! . . .
>   (extrait de *Simple Agonie,* 1888)

4. La forme créée par Paul Fort, dans ses *Ballades françaises:*

de courts paragraphes disposés comme de la prose, mais qu'on pourrait le plus souvent diviser en alexandrins assez réguliers, avec des rimes plus ou moins conventionnelles:

Du coteau qu'illumine l'or tremblant des genêts, j'ai vu jusqu'au lointain le bercement du monde, j'ai vu ce peu de terre infiniment rythmée me donner le vertige des distances profondes.

L'azur moulait les monts. Leurs pentes alanguies s'animaient sous le vent du lent frisson des mers. J'ai vu, mêlant leurs lignes, les vallons rebondis trembler jusqu'au lointain de la fièvre de l'air.

(extrait du Bercement du monde, 1898)

5. Des poèmes alignés en paragraphes courts qu'on appelle quelquefois des *versets* (d'après leur ressemblance, plutôt superficielle, avec les versets de la Bible). C'est la forme employée par Paul Claudel et par Saint-John Perse, avec pourtant une grande différence rythmique entre les deux.

Après le long silence fumant,
Après le grand silence civil de maints jours tout fumant de rumeurs et de fumées,
Haleine de la terre en culture et ramage des grandes villes dorées,

Soudain l'Esprit de nouveau, soudain le souffle de nouveau,
Soudain le coup sourd au cœur, soudain le mot donné, soudain le souffle de l'Esprit, le rapt sec, soudain la possession de l'esprit!
Comme quand dans le ciel plein de nuit avant que ne claque le premier coup de foudre,
Soudain le vent de Zeus dans un tourbillon plein de pailles et de poussières avec la lessive de tout le village!

(Paul Claudel, extrait de L'Esprit et l'Eau, 1910)

Portes ouvertes sur les sables, portes ouvertes sur l'exil,
Les clés aux gens du phare, et l'astre roué vif sur la pierre du seuil:
Mon hôte, laissez-moi votre maison de verre dans les sables . . .
L'été de gypse aiguise ses fers de lance dans nos plaies,
J'élis un lieu flagrant et nul comme l'ossuaire des saisons,
Et, sur toutes grèves de ce monde, l'esprit du dieu fumant déserte sa couche d'amiante.
Les spasmes de l'éclair sont pour le ravissement des Princes en Tauride.

A nulles rives dédiée, à nulles pages confiée la pure amorce de ce chant . . .

D'autres saisissent dans les temples la corne peinte des autels:

Ma gloire est sur les sables! ma gloire est sur les sables! . . . Et ce n'est point errer, ô Pérégrin,

Que de convoiter l'aire la plus nue pour assembler aux syrtes de l'exil un grand poème né de rien, un grand poème fait de rien . . .

Sifflez, ô frondes par le monde, chantez, ô conques sur les eaux!

J'ai fondé sur l'abîme et l'embrun et la fumée des sables. Je me coucherai dans les citernes et dans les vaisseaux creux,

En tous lieux vains et fades où gît le goût de la grandeur.

(Saint-John Perse, extrait d'*Exil*, 1942)

6. Des poèmes arrangés comme des vers, mais sans rime et sans rythme régulier:

De tout ce que j'ai dit de moi que reste-t-il
J'ai conservé de faux trésors dans des armoires vides
Un navire inutile joint mon enfance à mon ennui
Mes jeux à la fatigue
Un départ à mes chimères   5
La tempête à l'arceau des nuits où je suis seul
Une île sans animaux aux animaux que j'aime
Une femme abandonnée à la femme toujours nouvelle
En veine de beauté
La seule femme réelle   10
Ici ailleurs
Donnant des rêves aux absents
Sa main tendue vers moi
Se reflète dans la mienne
Je dis bonjour en souriant   15
On ne pense pas à l'ignorance
Et l'ignorance règne
Oui j'ai tout espéré
Et j'ai désespéré de tout
De la vie de l'amour de l'oubli du sommeil   20
Des forces des faiblesses
On ne me connaît plus
Mon nom mon ombre sont des loups.

(Paul Eluard, extrait de
Comme deux gouttes d'eau, 1933)

7. Des poèmes en prose.

1) Examinez les rimes de l'extrait de Laforgue. Classez-les, et notez celles qui sont irrégulières. Essayez de compter les syllabes de chaque vers. Faut-il compter les *e* muets pour des syllabes?

2) Divisez les deux paragraphes de l'extrait des *Ballades françaises* de Paul Fort en alexandrins. Trouvez les détails qui violent les règles classiques de la structure du vers et de la rime. Comment Fort traite-t-il les *e* muets?

3) Comparez les extraits pris chez Claudel et chez Saint-John Perse au point de vue du rythme. Essayez d'abord d'indiquer des accents rythmiques pour chaque *verset*. (Peut-on diviser les versets parfois en deux ou en plusieurs vers?) Ensuite essayez de lire à haute voix chaque extrait comme si c'était de la poésie régulière, en accentuant les syllabes finales des divisions rythmiques que vous aurez trouvées. Les deux extraits se prêtent-ils également bien (ou également mal) à cette lecture, ou remarquez-vous une différence?

4) Écrivez l'extrait pris chez Paul Eluard comme si c'était de la prose, en ajoutant une ponctuation conventionnelle. Ensuite, lisez-le à haute voix sans tenir compte de la forme originale. Est-ce que l'arrangement en vers ajoute quelque chose?

DEUXIÈME PARTIE

L'image: langage de la poésie

Dans la première partie de ce livre, nous avons examiné en détail la *forme* de la poésie française. Il convient maintenant d'en étudier le *langage:* l'*image,* sa nature et son emploi. Ce n'est pas encore le moment d'aborder la question difficile de la véritable nature de la poésie; nous réservons cela pour les troisième et quatrième parties. Il suffira de dire ici que la poésie se distingue de la prose non seulement par la forme mais aussi par le fait que la vraie poésie s'exprime dans un langage imagé. La prose emploie souvent des images aussi, mais elle peut s'en passer; la poésie ne le peut pas.

La nature et la fonction des images peuvent varier considérablement. Quelquefois les images constituent une *description objective* qui est le sujet du poème. Quelquefois elles ne font qu'*embellir* le sujet du poème: ces embellissements peuvent être, d'une part, fades, conventionnels, superflus, ou d'autre part, si originaux qu'ils ajoutent une grande beauté au poème. Quelquefois enfin une seule image ou une suite d'images peut faire le sujet même du poème. Avant d'examiner et d'illustrer ces trois emplois de l'image, il faut préciser le sens des termes dont nous nous servirons.

CHAPITRE PREMIER

Définitions des termes:
image, métaphore, symbole

Une *image* est la représentation d'une expérience des sens. Les images sont très souvent visuelles; mais elles peuvent aussi provenir des autres sens; il existe des images auditives, olfactives, tactiles, etc. Une image peut décrire d'une façon directe et objective («le ciel est bleu»); si elle décrit d'une façon indirecte, nous avons affaire à une *figure* ou un *trope*. Les figures les plus usitées sont la *comparaison* (*simile* en anglais) et la *métaphore*. Ces deux figures comparent un objet à un autre: la *comparaison* exprime la comparaison directement («sa taille était comme celle d'une guêpe»), tandis que la *métaphore* l'exprime d'une façon indirecte, supprimant la préposition *comme* ou *ainsi que* («sa taille de guêpe»). Les figures se fatiguent et s'usent. Beaucoup de noms communs, qui dénomment des objets et qui n'ont plus aucune force métaphorique, étaient à l'origine des métaphores: par exemple, le *pied* d'une table. Désireux d'éviter les métaphores rebattues, les poètes sont toujours à la recherche de comparaisons fraîches, de rapprochements inattendus. Mais tant que les règles de la versification et de la rhétorique classiques dominèrent (1660-1830), les critiques furent très sévères pour toute métaphore qui n'était pas basée sur une comparaison réelle. Les poètes romantiques par contre découvrirent un nouveau monde d'images que les poètes symbolistes et surréalistes explorèrent et étendirent par la suite.

Il n'est pas nécessaire de définir toutes les figures contenues dans les manuels de rhétorique. La *métonymie* et la *synecdoque* (il est difficile de les distinguer) sont fréquentes, mais ne demandent pas à être étudiées. (Dire *la ville,* au lieu de dire *les habitants de la ville,* est une métonymie.) La *personnification* n'a guère besoin d'explication. Les termes *symbole* * et *allégorie* sont plus difficiles et exigent des définitions.

Un *symbole* est une sorte de métaphore dont le premier terme est omis. Il représente un objet (ou une idée, un sentiment), mais la comparaison avec l'objet ou l'idée représentés n'est pas indiquée, n'est pas toujours évidente. L'obscurité de certains poèmes vient de l'emploi de symboles non expliqués. Souvent un symbole devient habituel à un poète pour exprimer un objet ou une idée (certains symboles sont même devenus très conventionnels: par exemple, le lion pour l'Angleterre et le coq pour la France). On peut mieux comprendre certains poètes obscurs (Mallarmé, par exemple) si on étudie un grand nombre de leurs poèmes, car on trouve les mêmes symboles employés dans le même sens—par exemple, l'*azur* du ciel, qui représente dans plusieurs poèmes de Mallarmé l'idéal irréalisable de la beauté absolue.

L'*allégorie* est une sorte de métaphore étendue qui consiste à incarner des abstractions dans des figures vivantes et à les faire entrer dans une fiction susceptible d'une interprétation abstraite, artistique ou morale. Le *Roman de la Rose,* écrit au treizième siècle par Guillaume de Lorris et Jean de Meung, est l'œuvre allégorique française par excellence. Dans la première partie de cette œuvre, par exemple, Lorris a représenté, au moyen de personnages allégoriques—la Rose (l'amour), Danger (l'orgueil de la dame), Malebouche (médisance), etc.—les phases successives de l'amour. Ce procédé n'est pas très fréquent dans la poésie des trois derniers siècles, mais on en trouvera un exemple assez curieux dans le sonnet de Baudelaire *Recueillement* (No. 38).

CHAPITRE DEUX

La description

1. La «peinture» du paysage

Malgré la remarque si souvent citée d'Horace que la poésie doit peindre (*ut pictura poesis*), les poètes français, bien que disciples d'Horace, firent peu de poésie vraiment descriptive avant le dix-neuvième siècle. Rappelons-nous qu'à l'époque classique la peinture n'avait pas une fonction purement descriptive; les peintres peignaient plutôt des tableaux destinés à illustrer un événement légendaire, historique ou religieux. Dans la poésie française du seizième siècle et du dix-septième siècle nous ne trouvons que de rares traits descriptifs. Le sentiment de la nature et l'amour de son pays vendômois sont vifs chez Ronsard, mais ce sentiment et cet amour s'expriment par l'émotion plutôt que par la description. Les soixante-huit vers de la belle élégie *Contre les bûcherons de la forêt de Gastine* ne comptent que deux ou trois vers vraiment descriptifs. Cela s'explique en partie par le fait que les poètes apprirent le côté négatif de la description objective avant d'en apprendre le côté positif. Ils n'avaient pas encore appris le secret de la description objective,[1] mais ils savaient déjà comment il ne fal-

---

[1] Il faut noter que la description absolument et uniquement objective est impossible en poésie; du reste, aucun poète, fût-ce Ponge (Francis Ponge, 1899-   , poète contemporain connu pour des poèmes en prose qui décrivent des objets), n'a essayé de composer de poème qui ne serait qu'une description pure.

lait pas procéder. La recommandation de Boileau exprimait un sentiment général:

> Un auteur quelquefois trop plein de son objet
> Jamais sans l'épuiser n'abandonne un sujet.
> S'il rencontre un palais, il m'en dépeint la face;
> Il me promène après de terrasse en terrasse;
> Ici s'offre un perron; là règne un corridor;
> Là ce balcon s'enferme en un balustre d'or.
> Il compte des plafonds les ronds et les ovales;
> «Ce ne sont que festons, ce ne sont qu'astragales.»
> Je saute vingt feuillets pour en trouver la fin,
> Et je me sauve à peine au travers du jardin . . .
>
> (*Art poétique*, 1674)

Pendant la seconde moitié du dix-huitième siècle, tout un groupe de poètes écrivirent de longs poèmes didactiques qu'on appelait des poèmes *descriptifs*. Mais il est à remarquer que même là où la description s'imposait à un sujet, ces poètes décrivirent peu ou mal. Sachant bien comment *ne pas* décrire, ils bâclaient leurs descriptions avec des généralités vagues et des périphrases et aussi vite que possible passaient à la moralité et au sentiment. Examinons-en un exemple, pour le comparer ensuite à un poème du dix-neuvième siècle. Nous verrons que ce n'est qu'à partir de l'époque romantique que les poètes surent *peindre* de vrais paysages.

✻ 15 ✻   LES SAISONS: CHANT PREMIER:
LE PRINTEMPS
(extrait)

Jean-François de Saint-Lambert (1716-1803)

> Naissez, brillantes fleurs, sur ces vastes guérets,
> Couronnez ces vergers, égayez ces forêts,
> Réjouissez les sens, et parez la jeunesse;
> En donnant les plaisirs, promettez la richesse.
> Tempère, astre du jour, le feu de tes rayons,   5
> Ne brûle pas ces bords que tu rendis féconds;
> Sans dissiper leurs eaux échauffe les nuages,
> Et que la douce ondée arrose nos rivages.

Ah! Doris, c'est alors qu'il faut voir le printemps;
Hâtons-nous, quittons tout: les vieillards, les enfants,   10
Pour voir tomber des cieux la vapeur printanière,
Sont déjà rassemblés au seuil de leur chaumière.
Hélas! ils ont tremblé que l'excès des chaleurs
Ne consumât les fruits desséchés sous les fleurs,
Ne flétrît dans les prés l'herbe qui vient de naître,   15
Et ne retînt caché l'épi qui va paraître:
Mais ils ont vu pâlir le disque du soleil.

Cet astre, en s'élevant de l'orient vermeil,
Paraît environné d'une vapeur légère,
Qui monte dans les cieux, s'étend sur l'hémisphère,   20
Et sans troubler les airs, répand l'obscurité.
Le feuillage du saule est à peine agité,
Et les faibles roseaux ne courbent point leurs têtes.
On n'entend point ces bruits précurseurs des tempêtes;
Les troupeaux sans effroi s'écartent des hameaux,   25
L'oiseau dans les vergers chante sous les rameaux.

La nue enfin s'abaisse, et sur les champs paisibles
Distille sa rosée en gouttes insensibles:
Je ne vois point les flots de sa chute ébranlés,
Ni leur sein sillonné de cercles redoublés: 30
A peine je l'entends, dans le bois solitaire,
Tomber de feuille en feuille, et couler sur la terre.
Jusqu'à la fin du jour, la tranquille vapeur
Sur les champs ranimés dépose la fraîcheur.
Le soleil au couchant dore enfin nos rivages!   35
Il sème de rubis le contour des nuages.
La campagne étincelle; un cercle radieux,
Tracé dans l'air humide, unit la terre aux cieux.
Les nuages légers où brillait la lumière,
Suivent le globe ardent qui finit sa carrière.   40
La nuit, qui sur son char, s'élève au firmament,
Amène le repos, suspend le mouvement,
Et le bruit faible et doux du zéphyr et de l'onde
Se fait entendre seul dans ce calme du monde.
Ce murmure assoupit les sens du laboureur;   45
Les spectacles du jour ont réjoui son cœur;
Il a vu sur ses champs descendre l'abondance,
Et des songes flatteurs, enfants de l'espérance,

Lui rendent les plaisirs qu'interrompt son sommeil.
Mais quels brillants tableaux étonnent son réveil!   50
Quel éclat! quels parfums! quels changements rapides!
L'épi s'est élancé de ses tuyaux humides:
Les arbustes des champs, tous les arbres féconds,
Opposent leurs couleurs aux couleurs des gazons,
Et leur tige, à travers la blancheur la plus pure,   55
Laisse de son feuillage échapper la verdure.   (1769)

Les poètes descriptifs français du dix-huitième siècle trouvaient leurs principales sources d'inspiration dans un long poème didactique de Virgile, très admiré à cette époque, *Les Géorgiques* (*Georgicon*), et dans les *Seasons* de James Thomson, poète écossais du début du siècle. Le poème de Saint-Lambert, une imitation très libre (ni traduction ni paraphrase) de l'œuvre de Thomson, fut l'un des premiers poèmes descriptifs français, et l'un des plus admirés. Dans sa préface, Saint-Lambert déclare qu'une *suite de descriptions champêtres lasserait l'attention du lecteur le plus amoureux de la campagne:* il va donc faire des tableaux (c'est-à-dire des scènes qui racontent une histoire) plutôt que des descriptions, et il va *placer dans les paysages et dans les intervalles, l'homme champêtre, ses mœurs, ses travaux, ses peines et ses plaisirs* . . .

L'extrait cité ci-dessus décrit une pluie de printemps et l'effet qu'elle produit sur les champs desséchés. Suivant les principes qu'il annonce dans sa préface, le poète ne manque pas de mettre au premier plan le fermier et sa famille. Il présente l'épisode entier du point de vue du fermier: les champs ont besoin de pluie; quand elle vient, c'est un spectacle qui réjouit le cœur de ce dernier. Voilà un sujet qui exige de la description, mais c'est justement dans cette description que nous trouvons la plus grande faiblesse du poème.

Et pourtant ces vers ne sont pas sans mérite: ils ont un rythme varié, une certaine harmonie, et nous en recevons une impression générale, assez vague il est vrai, de la joie du printemps et de la fraîche beauté d'une pluie printanière. Saint-Lambert était, d'après les critères de l'époque, un versificateur compétent. Mais si on examine les détails descriptifs, comme ils nous paraissent sans couleur, sans intérêt! Aujourd'hui on ne considère plus les *Seasons* de Thomson comme un exemple de grande poésie anglaise, mais comparé à l'œuvre de Saint-Lambert, le poème anglais paraît bien supérieur. Même quand Saint-Lambert essaie de nous montrer une scène bien définie (vers 35-44), sa description reste conventionnelle et surtout *généralisée*. Les vers 41 à 44 ne manquent ni d'ampleur ni de majesté, mais ils auraient dû être précédés par la description détaillée d'un paysage reconnaissable et défini. Saint-Lambert semble, dans tout ce passage, s'évertuer à éviter le détail pittoresque et concret et à le remplacer par des généralisations, des abstractions et des périphrases: *les troupeaux, les hameaux, les vergers, les champs, le bois solitaire* (il n'y a jamais *des vaches noires et blanches, le hameau de Saint-Léonard-des-Bois, le bois de Clancy, les abricotiers*); *cercle radieux* (l'arc-en-ciel), *globe ardent* (le soleil), *la nuit, qui sur son char* (la lune, sans doute). Parfois l'effet d'une périphrase est simplement grotesque: *L'épi s'est élancé de ses tuyaux humides* (le blé a poussé dans la nuit, et les épis sont déjà visibles).

Il est vrai qu'à l'époque de Saint-Lambert les poètes se croyaient obligés de se limiter au vocabulaire dit *noble* (bien que dès 1758 un poète obscur, Gouge de Cessières, eût proclamé le droit du poète à se servir de termes réalistes), mais on aurait pu, en employant ce vocabulaire noble, faire quand même attention au sens des mots qu'on choisissait. Par exemple, si les mots *bords* et *rivages* (vers 6, 8, 35) avaient un sens concret pour Saint-Lambert, s'en servirait-il comme il le fait? Est-ce que ce sont des mots justes quand on parle des champs d'un fermier? Est-ce que *flots* est le mot qu'il faut employer quand on parle d'une pluie très douce qui tombe dans une petite mare de ferme? L'impropriété des termes s'explique par le fait qu'on s'était tellement habitué à employer *bords* et *rivages* comme simples synonymes de *pays*, et *flots* comme synonyme d'*eau*, qu'on ne pensait plus à la signification originale de ces mots.

Nous ne savons pas (et ce n'est pas très important) si Saint-Lambert avait une vraie connaissance de la nature, un vrai sentiment de la nature. Son poème montre qu'il ne sait pas décrire la nature. La faiblesse de ses descriptions vient en partie de ce vocabulaire noble dont il se sert, et en partie du fait qu'il ne peut pas ou ne veut pas peindre en détail des paysages définis et reconnaissables. Le sujet exigeait un talent descriptif que Saint-Lambert ne possédait point; il échoua lamentablement.

JOCELYN
(extrait)

Alphonse de Lamartine (1790-1869)

Sur un des verts plateaux des Alpes de Savoie,
Oasis dont la roche a fermé toute voie,
Où l'homme n'aperçoit, sous ses yeux effrayés,
Qu'abîme sur sa tête et qu'abîme à ses pieds,
La nature étendit quelques étroites pentes   5
Où le granit retient la terre entre ses fentes
Et ne permet qu'à peine à l'arbre d'y germer,
A l'homme de gratter la terre et d'y semer.
D'immenses châtaigniers aux branches étendues
Y cramponnent leurs pieds dans les roches fendues,   10
Et pendent en dehors sur des gouffres obscurs,
Comme la giroflée aux parois des vieux murs;
On voit, à mille pieds au-dessous de leurs branches,
La grande plaine bleue avec ses routes blanches,
Les moissons jaunes d'or, les bois comme un point noir,   15
Et les lacs renvoyant le ciel comme un miroir;
La toise de pelouse, à leur ombre abritée,
Par la dent des chevreaux et des ânes broutée,
Épaissit sous leurs troncs ses duvets fins et courts,
Dont mille filets d'onde humectent le velours,   20
Et pendant le printemps, qui n'est qu'un court sourire,
Enivre de ses fleurs le vent qui les respire.
Des monts tout blancs de neige encadrent l'horizon,
Comme un mur de cristal de ma haute prison,
Et, quand leurs pics sereins sont sortis des tempêtes,   25
Laissent voir un pan bleu de ciel pur sur nos têtes.
On n'entend d'autre bruit, dans cet isolement,
Que quelques voix d'enfants, ou quelque bêlement
De génisse ou de chèvre au ravin descendues,
Dont le pas fait tinter les cloches suspendues;   30
Les sons entrecoupés du nocturne angélus,
Que le père et l'enfant écoutent les fronts nus,
Et le sourd ronflement des cascades d'écume,
Auquel, en l'oubliant, l'oreille s'accoutume,
Et qui semble, fondu dans ces bruits du désert,   35
La basse sans repos d'un éternel concert . . .

Ma demeure est auprès; ma maison isolée
Par l'ombre de l'église est au midi voilée,

Et les troncs des noyers qui la couvrent du nord
Aux regards des passants en dérobent l'abord.   40
Des quartiers de granit que nul ciseau ne taille,
Tels que l'onde les roule, en forment la muraille:
Ces blocs irréguliers, noircis par les hivers,
De leur mousse natale y sont encor couverts;
La joubarbe, la menthe, et ces fleurs parasites   45
Que la pluie enracine aux parois décrépites,
Y suspendent partout leurs panaches flottants,
Et les font comme un pré reverdir au printemps.
Trois fenêtres d'en haut, par le toit recouvertes,
Deux au jour du matin, l'autre au couchant, ouvertes,   50
Se creusant dans le mur comme des nids pareils,
Reçoivent les premiers et les derniers soleils;
Le toit, qui sur les murs déborde d'une toise,
A pour tuiles des blocs et des pavés d'ardoise,
Que d'un rebord vivant le pigeon bleu garnit,   55
Et sous les soliveaux l'hirondelle a son nid.
Pour défendre ce toit des coups de la tempête,
Des quartiers de granit sont posés sur le faîte;
Et, faisant ondoyer les tuiles et les bois,
Au vol de l'ouragan ils opposent leur poids.   60

Bien que si haut assise au sommet d'une chaîne,
Son horizon borné n'a ni grand ciel ni plaine:
Adossé aux parois d'un étroit mamelon,
Elle n'a pour aspect qu'un oblique vallon
Qui se creuse un moment comme un lac de verdure,   65
Pour donner au verger espace et nourriture;
Puis, reprenant sa pente et s'y rétrécissant,
De ravins en ravins avec les monts descend.
Les troncs noirs des noyers, un pan de roche grise,
L'herbe de mon verger, les murs nus de l'église,   70
Le cimetière avec ses sillons et ses croix,
Et puis un peu de ciel, c'est tout ce que je vois.

Mais combien, aux regards du peintre et du poète,
En vie, en mouvement, la nature rachète
Ce qu'elle a refusé d'espace à l'horizon!   75
Une cascade tombe au pied de la maison,
Et le long d'une roche, en nappe blanche et fine,
Y joue avec le vent, dont un souffle l'incline;
Y joue avec le jour, dont le rayon changeant

Semble s'y dérouler dans ses réseaux d'argent,   80
Et, par des rocs aigus dans sa chute brisée,
Aux feuilles du jardin se suspend en rosée.
Légère, elle n'a pas ce bruit tonnant et sourd
Qu'en se précipitant roule un torrent plus lourd;
Elle n'a qu'une plainte intermittente et douce,   85
Selon qu'elle rencontre ou la pierre ou la mousse,
Que le vent faible ou fort la fouette à ses parois,
Lui prête ou lui retire ou lui rend plus de voix;
Dans les sons inégaux que son onde module
Chaque soupir de l'âme en note s'articule;   90
Harpe toujours tendue, où le vent et les eaux
Rendent dans leurs accords des chants toujours nouveaux,
Et qui semble la nuit, en ces notes étranges,
L'air sonore des cieux froissé du vol des anges.   (1836)

De tous les poètes romantiques, Lamartine est le plus proche
du dix-huitième siècle. Il en garde, dans ses premières œuvres
surtout, le vocabulaire noble et les descriptions de paysages gé-
néralisées. Cependant, à l'époque où il écrit son long poème nar-
ratif, *Jocelyn*, il a appris à décrire. L'extrait qu'on vient de lire
le démontre bien. Le village imaginaire qui sert de décor à une
bonne portion du poème ne représente peut-être aucun village
réel, mais Lamartine nous le fait voir, le fait exister pour nous. Il
en tire aussi une grande beauté poétique.

Le narrateur de l'histoire est un jeune prêtre qui est devenu
curé du village de Valneige, très haut dans les Alpes de Savoie.
C'est un homme cultivé, imaginatif, chez qui la grande et simple
beauté de la nature sauvage éveille le sentiment de l'infini—tout
cela se manifeste dans la description. Elle est composée de façon
à donner au lecteur une idée claire du paysage: d'abord vient la
situation du village, puis son apparence générale, puis la maison
du narrateur, et enfin la vue qu'il a de ses fenêtres. S'il développe
surtout ce dernier aspect de la description, c'est assez naturel; à
cause de sa vocation et de son caractère, on peut s'attendre à le
voir passer beaucoup d'heures en contemplation à sa fenêtre.

Même dans ce poème de la maturité on trouve quelques traces
du vocabulaire noble du dix-huitième siècle: *génisse* (vers 29) pour
vache; *onde* (vers 42 et 89), mais il faut remarquer que ce mot
avait la vie dure; Victor Hugo l'employait souvent. En revanche,
si l'on compare ce poème à celui de Saint-Lambert, combien de

mots précis ne trouve-t-on pas? Au lieu d'utiliser des termes vagues
ou généraux comme *fleurs, plantes, animaux,* Lamartine nomme
ce qu'il décrit: *châtaigniers, giroflée, noyers, joubarbe, menthe,
chevreaux, âne, pigeon, hirondelle.*

Pour juger de la valeur d'une description il ne suffit pas
d'énumérer les mots ou les images employés, il faut considérer
l'impression générale. Si nous examinons le passage de ce point de
vue, nous remarquons que Lamartine n'a pas essayé de faire con-
currence aux romanciers réalistes; il n'a pas imité la méthode de
Balzac dans ses descriptions de la maison Grandet ou de la Pension
Vauquer. Il est resté poète. Son objet était de créer un beau
paysage, un paysage dont la beauté ferait rêver. Dans ce but, il a
ajouté aux détails réalistes des images qui excitent l'imagination
des lecteurs. Quelques-unes sont très belles, par exemple:

> . . . le printemps, qui n'est qu'un court sourire . . .

Pour conclure: ce passage de Lamartine résout admirablement le
problème de la description et de son emploi dans un long poème.
Il nous présente une scène définie et précise, avec assez de détails
réalistes pour faire un tableau net, mais il nous la présente par les
yeux d'un individu dont l'imagination poétique est très développée,
qui sent et qui voit la beauté et la grandeur de la nature. Et il
réussit à nous communiquer le sentiment de cette beauté et de
cette grandeur.

EXERCICE

Analysez les 36 premiers vers de cet extrait, commentant la composition du tableau, les images visuelles, auditives, olfactives, les comparaisons, les métaphores. Montrez comment le poète oppose continuel-
lement le petit détail tout proche aux vues panoramiques, comment il
introduit dans son œuvre le sentiment religieux et le sens de l'infini.

✕ 17 ✕   MASFERRER
                  (extrait)
              Victor Hugo (1802-1885)

N'importe, loin des forts dont l'aspect seul oppresse,
Quand on peut s'enfoncer entre deux pans de rocs,
Et, comme l'ours, l'isard et les puissants aurochs,
Entrer dans l'âpreté des hautes solitudes,

Le monde primitif reprend ses attitudes,   5
Et, l'homme étant absent, dans l'arbre et le rocher
On croit voir les profils d'infini s'ébaucher.
Tout est sauvage, inculte, âpre, rauque; on retrouve
La montagne, meilleure avec son air de louve
Qu'avec l'air scélérat et pensif qu'elle prend   10
Quand elle prête au mal son gouffre et son torrent,
S'associe aux fureurs que la guerre combine,
Et devient des forfaits de l'homme concubine.

Grands asiles! le gave erre à plis écumants;
La sapinière pend dans les escarpements;   15
Les églises n'ont pas d'obscurité qui vaille
Ce mystère où le temps, dur bûcheron, travaille;
Le pied humain n'entrant point là, ce charpentier
Est à l'aise, et choisit dans le taillis entier;
On entend l'eau qui roule et la chute éloignée   20
Des mélèzes qu'abat l'invisible cognée.
L'homme est de trop; souillé, triste, il est importun
A la fleur, à l'azur, au rayon, au parfum;
C'est dans les monts, ceux-ci glaciers; ceux-là fournaises,
Qu'est le grand sanctuaire effrayant des genèses;   25
On sent que nul vivant ne doit voir à l'œil nu,
Et de près, la façon dont s'y prend l'Inconnu,
Et comment l'être fait de l'atome la chose;
La nuée entre l'ombre et l'homme s'interpose;
Si l'on prête l'oreille, on entend le tourment   30
Des tempêtes, des rocs, des feux, de l'élément,
La clameur du prodige en gésine, derrière
Le brouillard, redoutable et tremblante barrière;
L'éclair à chaque instant déchire ce rideau.
L'air gronde. Et l'on ne voit pas une goutte d'eau   35
Qui dans ces lieux profonds et rudes s'assoupisse,
Ayant, après l'orage, affaire au précipice;
Selon le plus ou moins de paresse du vent,
Les nuages tardifs s'en vont comme en rêvant,
Ou prennent le galop ainsi que des cavales;   40
Tout bourdonne, frémit, rugit; par intervalles
Un aigle, dans le bruit des écumes, des cieux,
Des vents, des bois, des flots, passe silencieux.

L'aigle est le magnanime et sombre solitaire;
Il laisse les vautours s'entendre sur la terre,   45

66

Les chouettes en cercle autour des morts s'asseoir,
Les corbeaux se parler dans les plaines le soir;
Il se loge tout seul et songe dans son aire,
S'approchant le plus près possible du tonnerre,
Dédaigneux des complots et des rassemblements.   50
Il plane immense et libre au seuil des firmaments,
Dans les azurs, parmi les profondes nuées,
Et ne fait rien à deux que ses petits. Huées
De l'abîme, fracas des rocs, cris des torrents,
Hurlements convulsifs des grands arbres souffrants,   55
Chocs d'avalanches, l'aigle ignore ces murmures.   (1859)

EXERCICE

Comparez cette description des montagnes avec l'extrait de *Jocelyn*. Y a-t-il une différence dans le point de vue? dans le ton général? Essayez de préciser cette différence et d'en expliquer la raison. (Remarquez que, tandis que *Jocelyn* est l'histoire d'un jeune prêtre, une histoire de renoncement et d'humbles peines, *Masferrer* est l'histoire d'un bandit romanesque et chevaleresque qui vivait dans les Pyrénées pendant le Moyen Age.) Que pensez-vous de l'image de l'aigle dans les derniers vers? Contribue-t-elle à l'unité du tableau, ou ajoute-t-elle un élément qui détonne? A votre avis, quelle description est la meilleure, celle de Lamartine ou celle de Hugo?

2. *Description objective ou description subjective?*

On peut dire que la description dans *les Saisons* de Saint-Lambert (si description il y a) et dans *Jocelyn* de Lamartine est surtout *objective*. Le poète voit, entend, sent, touche; il nous relate ses impressions sensorielles telles qu'il les a reçues. N'importe qui aurait pu voir le paysage de la même façon. Ni Saint-Lambert, ni Lamartine ne peuvent s'empêcher de nous communiquer leurs réactions devant le paysage qu'ils décrivent, mais nous n'avons pas l'impression que la réaction de l'un ou l'autre poète ait changé ou déformé ce paysage; chacun l'a présenté tel qu'il pourrait apparaître sur une photographie. Leur description est objective plutôt que subjective.

Les possibilités qu'offrait la description objective furent presque épuisées par certains poètes français de la seconde moitié du dix-neuvième siècle. On les appelle *Parnassiens:*[*] ils doivent ce nom au *Parnasse contemporain,* titre du recueil collectif où ils publièrent leurs poèmes. Ces poètes, dont Leconte de Lisle et Heredia sont les représentants les plus typiques et les plus importants, se piquaient d'être parfaitement objectifs et impassibles. Leurs poésies les plus objectives n'imitent pas la peinture, mais plutôt la dureté et l'immobilité de la sculpture, comme, par exemple, le poème suivant:

✶ 18 ✶   HÉRAKLÈS AU TAUREAU
                    Leconte de Lisle (1818-1894)

Le soleil déclinait vers l'écume des flots,
Et les grasses brebis revenaient aux enclos;
Et les vaches suivaient, semblables aux nuées
Qui roulent sans relâche, à la file entraînées,
Lorsque le vent d'automne, au travers du ciel noir   5
Les chasse à grands coups d'aile, et qu'elles vont pleuvoir;
Derrière les brebis, toutes lourdes de laine,
Telles s'amoncelaient les vaches dans la plaine.
La campagne n'était qu'un seul mugissement,
Et les grands chiens d'Élis aboyaient bruyamment.   10
Puis succédaient trois cents taureaux aux larges cuisses,
Puis deux cents au poil rouge, inquiets des génisses,
Puis douze, les plus beaux et parfaitement blancs,
Qui de leurs fouets velus rafraîchissaient leurs flancs,
Hauts de taille, vêtus de force et de courage,   15
Et paissant d'habitude au meilleur pâturage.
Plus noble encor, plus fier, plus brave, plus grand qu'eux,
En avant, isolé comme un chef belliqueux,
Phaéton les guidait, lui, l'orgueil de l'étable,
Que les anciens bouviers disaient à Zeus semblable,   20
Quand le Dieu triomphant, ceint d'écume et de fleurs,
Nageait dans la mer glauque avec Europe en pleurs.
Or, dardant ses yeux prompts sur la peau léonine
Dont Héraklès couvrait son épaule divine,
Irritable, il voulut heurter d'un brusque choc   25
Contre cet étranger son front dur comme un roc.
Mais, ferme sur ses pieds, tel qu'une antique borne,
Le héros d'une main le saisit par la corne,
Et, sans rompre d'un pas, il lui ploya le col,
Meurtrissant ses naseaux furieux dans le sol.   30
Et les bergers en foule, autour du fils d'Alkmène,
Stupéfaits, admiraient sa vigueur surhumaine,

Tandis que, blancs dompteurs de ce soudain péril,
De grands muscles roidis gonflaient son bras viril.   (1852)

v. 10. *Élis* (ou *Élide*). Région de la Grèce ancienne.
v. 19. *Phaéton*. Chef des taureaux.
v. 31. *Alkmène* (ou *Alcmène*). Mère d'Héraklès.

La force de ce poème est due surtout à la beauté plastique
de la description; du reste, il ne contient guère autre chose. Il y a
évidemment une narration, une action (les troupeaux passent, le
taureau attaque Héraklès, Héraklès l'arrête), mais cette narration,
cette action, sont nécessaires seulement parce qu'un poème n'est
pas un bas-relief; il ne peut pas tout présenter simultanément à
l'œil. Le poète doit énumérer les objets que le lecteur voit successivement; il est plus intéressant de les intégrer dans une action que
de les présenter sans organisation. Et le poème se termine sur un
passage où l'action violente mais momentanée fait place à l'immobilité, comme si les deux personnages principaux eussent été
changés en marbre.

Leconte de Lisle a voulu recréer l'effet que produirait, par
exemple, un bas-relief antique. Cette intention a déterminé le choix
des mots et des images. Grand admirateur d'Homère (quelques
années plus tard il publia des traductions de l'*Iliade* et de
l'*Odyssée*), il présente ici une scène de la vie grecque primitive,
telle qu'Homère nous la dépeint.

Les images et les figures rappellent celles d'Homère. Chez
Homère, en effet, on observe fréquemment des comparaisons très
étendues, si étendues que pendant un moment le poète semble
oublier le fil de son discours. On donne aux comparaisons de ce
genre le nom d'*homériques*. Il en existe deux dans *Héraklès au
taureau* (vers 3-8 et 20-22). L'influence d'Homère se manifeste par
d'autres détails: (1) quelques comparaisons et quelques épithètes
qui paraissent conventionnelles et même habituelles (les comparaisons et les épithètes habituelles et familières sont fréquentes
chez Homère): *taureaux aux larges cuisses, son épaule divine, son
front dur comme un roc, tel qu'une antique borne, la mer glauque;*
(2) quelques précisions, naïves en apparence: *trois cents, deux
cents, douze,* mais destinées à produire un effet de puissance et
de masse.

Mais en dépit de ces emprunts peut-être conventionnels,
Héraklès au taureau est un beau poème descriptif *français*. Avec

habileté, le poète guide notre regard d'un objet à l'autre, et le fixe enfin sur le tableau final. Les ressources du rythme et de l'harmonie imitative (vers 4, 7, 9, 26, 33-34) s'ajoutent à celles des images simples et grandioses.

L'étudiant peut demander: est-ce qu'une belle description suffit, à elle seule, à faire un beau poème, un grand poème? La réponse est qu'en poésie on ne saurait avoir une belle description qui ne serait que description; il y a *toujours* autre chose. Le précepte d'Horace cité plus haut, *ut pictura poesis,* ne peut pas être vraiment suivi, parce que la poésie ne peut pas peindre sans faire autre chose. La description la plus objective se sert de mots, et dès qu'il y a des mots, il y a des idées, il y a des attitudes: l'attitude du poète devant son sujet, devant la société, devant la vie. Ces attitudes se révèlent dans tout poème, mais ici elles se réduisent au minimum. Une sympathie pour les temps héroïques de la Grèce homérique est implicite dans *Héraklès au taureau.* Il est évident que le poète trouve belle la scène qu'il nous présente; il trouve que l'homme, l'animal et la nature sont pleins de force et d'énergie, ils ont quelque chose d'opulent et de grandiose, ils transcendent les limites imposées normalement aux êtres et aux choses.

Exercices

1) Étudiez les images du poème selon les impressions sensorielles représentées. Quelles sortes d'impressions visuelles en reçoit-on? Ce poème a-t-il beaucoup de couleur? Contient-il des impressions auditives? olfactives? tactiles?

2) Commentez les images des vers 15 et 21.

❊ 19 ❊   LA PANTHÈRE NOIRE
              Leconte de Lisle (1818-1894)

Une rose lueur s'épand par les nuées;
L'horizon se dentelle, à l'Est, d'un vif éclair;
Et le collier nocturne, en perles dénouées,
        S'égrène et tombe dans la mer.

Toute une part du ciel se vêt de molles flammes
Qu'il agrafe à son faîte étincelant et bleu.
Un pan traîne et rougit l'émeraude des lames
        D'une pluie aux gouttes de feu.

Des bambous éveillés où le vent bat des ailes,
Des letchis au fruit pourpre et des canneliers   10
Pétille la rosée en gerbes d'étincelles,
    Montent des bruits frais, par milliers.

Et des monts et des bois, des fleurs, des hautes mousses,
Dans l'air tiède et subtil, brusquement dilaté,
S'épanouit un flot d'odeurs fortes et douces,   15
    Plein de fièvre et de volupté.

Par les sentiers perdus au creux des forêts vierges
Où l'herbe épaisse fume au soleil du matin;
Le long des cours d'eau vive encaissés dans leurs berges,
    Sous de verts arceaux de rotin;   20

La reine de Java, la noire chasseresse,
Avec l'aube, revient au gîte où ses petits
Parmi les os luisants miaulent de détresse,
    Les uns sous les autres blottis.

Inquiète, les yeux aigus comme des flèches,   25
Elle ondule, épiant l'ombre des rameaux lourds.
Quelques taches de sang, éparses, toutes fraîches,
    Mouillent sa robe de velours.

Elle traîne après elle un reste de sa chasse,
Un quartier du beau cerf qu'elle a mangé la nuit;   30
Et sur la mousse en fleur une effroyable trace
    Rouge, et chaude encore, la suit.

Autour, les papillons et les fauves abeilles
Effleurent à l'envi son dos souple au vol;
Les feuillages joyeux de leurs mille corbeilles   35
    Sur ses pas parfument le sol.

Le python, du milieu d'un cactus écarlate,
Déroule son écaille, et, curieux témoin,
Par-dessus les buissons dressant sa tête plate,
    La regarde passer de loin.   40

Sous la haute fougère elle glisse en silence,
Parmi les troncs moussus s'enfonce et disparaît.
Les bruits cessent, l'air brûle, et la lumière immense
    Endort le ciel et la forêt.   (1862)

Ici encore, l'effet du poème vient surtout de la beauté de la description. Il est vrai que l'auteur essaie d'y introduire un élément dynamique, en indiquant, dans les deux derniers vers, le passage du mouvement à l'immobilité:

> Les bruits cessent, l'air brûle, et la lumière immense
> Endort le ciel et la forêt.

Si, de façon générale, les lecteurs trouvent que cet élément dynamique enrichit le poème, tous ne goûtent pas autant l'effet introduit aux vers 31-32:

> Et sur la mousse en fleur une effroyable trace
> Rouge, et chaude encore, la suit . . .

Certains pensent que l'adjectif *effroyable* ajoute un élément sentimental, presque mélodramatique, impropre au ton général du poème.

Mais ce qui nous intéresse surtout ici c'est la description objective. Examinons-la. Le plan en est simple. D'abord vient une suite de croquis de l'aube sous les tropiques (vers 1-16); le fait que la scène se passe dans un pays tropical est suggéré par la mention de certains arbres exotiques: *bambous, letchis, canneliers* (vers 9-10); ensuite le poète dirige notre attention sur l'aube dans la jungle (vers 17-20) à travers laquelle passe la panthère noire qui revient au gîte (vers 21-32); deux strophes (vers 33-40) décrivent les bruits et les mouvements autour du passage de la panthère; dans la dernière strophe l'animal disparaît et la jungle retombe dans l'immobilité et le silence sous la lumière immense et brûlante du soleil.

Dans cette description le poète se sert de moyens très simples, mais il ne peut pas, même ici, se passer de figures; il y a dans ce poème de nombreuses métaphores et une ou deux comparaisons. Dans les quatre premières strophes, dans cette description générale qui commence le poème, le poète se sert successivement d'images visuelles, auditives et olfactives. Des images visuelles remplissent les vers 1-8, et on en trouve plusieurs autres aux vers 9-11; dans cette troisième strophe ce sont les images auditives qui dominent pourtant, puis, dans la quatrième strophe, les images olfactives. Ces images diverses sont traitées différemment. Les images visuelles sont directes et spécifiques, les objets sont nommés et des couleurs définies sont mentionnées: *rose lueur, un vif éclair, molles flammes, faîte étincelant et bleu, rougit l'émeraude des lames, pluie aux gouttes de feu, letchis au fruit pourpre, rosée en gerbes d'étincelles.* Puisque les impressions auditives et olfactives sont moins faciles à représenter, les adjectifs employés pour ces images suggèrent au lieu de nommer littéralement. Ainsi les bruits sont *frais*, l'air est *tiède et subtil*, et les odeurs qui montent sont *fortes et douces*, et pleines de *fièvre* et de *volupté*.[2]

Les figures sont tantôt courtes et sans complication (*une pluie aux gouttes de feu, la rosée en gerbes d'étincelles, un flot d'odeurs*), tantôt étendues et compliquées. Deux vers et demi développent une métaphore prolongée où une partie du ciel s'habille de lumière:

> Toute une part du ciel se vêt de molles flammes
> Qu'il agrafe à son faîte étincelant et bleu.
> Un pan traîne . . .

La seule figure qui ne soit pas tout à fait explicite est la belle métaphore de la première strophe, où le poète décrit la descente des étoiles dans la mer juste avant l'aube:

> Et le collier nocturne, en perles dénouées,
> S'égrène et tombe dans la mer . . .

Toute cette description est jolie, à part un détail faible, une véritable cheville, au vers 12, *par milliers*, qui paraît plutôt prosaïque. Ensuite le poète décrit d'une manière objective le passage de l'animal vers son gîte, et l'effet de ce mouvement sur les autres animaux et sur la forêt vierge. La scène est bien rendue. Les attitudes du poète, devant son sujet et devant la vie, sont peut-être plus évidentes ici que dans *Héraklès au taureau*. Mais ces attitudes sont loin de dominer. Au fond, *la Panthère noire* est un poème de description objective.

EXERCICES

1) Trouvez des comparaisons (*similes*), s'il y en a, dans ce poème.
2) Faites une liste des métaphores simples, c'est-à-dire des figures

---

[2] Remarquons que toutes les langues sont pauvres en adjectifs pour préciser les caractéristiques d'une odeur. Tous les poètes doivent donc se servir de langage figuré pour décrire des impressions d'ordre olfactif.

par lesquelles un objet prend la place d'un autre objet qui lui est comparé.

3) Notez le rythme du vers 43. Quel en est l'effet?

Un poème où domine la description objective est plus intéressant et manifeste mieux la véritable essence de la poésie, si le point de vue du poète est nettement maintenu, et si son attitude envers le sujet de son poème s'exprime avec force. Examinons le sonnet * suivant:

✴ 20 ✴   LE DORMEUR DU VAL

Arthur Rimbaud (1854-1891)

C'est un trou de verdure où chante une rivière
Accrochant follement aux herbes des haillons
D'argent; où le soleil, de la montagne fière,
Luit: c'est un petit val qui mousse de rayons.

Un soldat jeune, bouche ouverte, tête nue,   5
Et la nuque baignant dans le frais cresson bleu,
Dort; il est étendu dans l'herbe, sous la nue,
Pâle dans son lit vert où la lumière pleut.

Les pieds dans les glaïeuls, il dort. Souriant comme
Sourirait un enfant malade, il fait un somme: 10
Nature, berce-le chaudement: il a froid.

Les parfums ne font pas frissonner sa narine;
Il dort dans le soleil, la main sur sa poitrine
Tranquille. Il a deux trous rouges au côté droit.   (1870)

Le poète présente une jolie petite vallée, une rivière qui étincelle au soleil, un jeune soldat qui dort tranquillement à côté de la rivière, enfin une scène idyllique. Les détails mettent en valeur la lumière rayonnante, la fraîcheur des bords de l'eau, et la tendresse de la Nature qui est toute bienfaisance, et dont la bienfaisance se prodigue au jeune homme aussi bien qu'à la rivière et aux plantes. Le poète nous montre le cadre général dans le premier quatrain; dans le second il nous fait approcher et nous montre le jeune soldat. Puis dans les tercets le poète nous mène encore plus près, sur la pointe des pieds pour ainsi dire, pour ne point déranger le sommeil du dormeur. Enfin les derniers mots seulement nous révèlent la vérité de la situation: c'est un soldat mort. Il n'y a aucun cri d'horreur, aucune imprécation, aucun ricanement, aucun commentaire. Si la fin fait un contraste abrupt et violent avec ce qui précède, c'est que nous, les lecteurs, surimposons à la scène nos émotions et nos sympathies, car le poète reste impassible. Il décrit objectivement et exactement un soldat mort au bord d'une rivière au fond d'un petit val, tout en nous faisant croire qu'il s'agit simplement de la description idyllique d'un jeune homme qui dort dans un beau paysage. Si nous relisons le poème, nous remarquons plusieurs détails qui prennent un sens nouveau quand nous connaissons la fin du poème: nous voyons un soldat *bouche ouverte;* sa nuque baigne *dans le cresson,* c'est-à-dire qu'il est plus ou moins dans l'eau; il est *pâle; il a froid.*

L'attitude du poète est ironique. Il se sert d'un paradoxe (un procédé favori des poètes modernes): le cadavre d'un soldat mort au bord d'une rivière n'est pas forcément horrible à voir, il peut faire partie intégrante d'un beau paysage. Rimbaud, en révolte contre la société de son époque, aime à cultiver le paradoxe; s'il est vrai qu'il utilise ici sa grande habileté technique pour faire une belle description, il n'en est pas moins vrai qu'il prépare un choc pour le lecteur.

EXERCICES

1) Essayez de montrer qu'un paradoxe fait la force de ce poème. Est-ce que la description est autre qu'objective? Est-ce que le poète change de point de vue?

2) Analysez et critiquez les détails suivants. L'image est-elle originale, conventionnelle, juste, inattendue? Assurez-vous bien que vous comprenez le sens exact de chaque expression: (a) *une rivière accrochant follement aux herbes des haillons d'argent;* (b) *un petit val qui mousse de rayons;* (c) *le frais cresson bleu;* (d) *la lumière pleut;* (e) *souriant comme sourirait un enfant malade.*

3) Analysez le rythme du sonnet. Est-il irrégulier? Qu'y a-t-il d'insolite dans ce rythme?

�֍ 21 ✖   MIDI

Leconte de Lisle (1818-1894)

Midi, roi des étés, épandu sur la plaine,
Tombe en nappes d'argent des hauteurs du ciel bleu.

Tout se tait. L'air flamboie et brûle sans haleine;
La terre est assoupie en sa robe de feu.

L'étendue est immense, et les champs n'ont point d'ombre,   5
Et la source est tarie où buvaient les troupeaux;
La lointaine forêt, dont la lisière est sombre,
Dort là-bas, immobile, en un pesant repos.

Seuls, les grands blés mûris, tels qu'une mer dorée,
Se déroulent au loin, dédaigneux du sommeil;   10
Pacifiques enfants de la terre sacrée,
Ils épuisent sans peur la coupe du soleil.

Parfois, comme un soupir de leur âme brûlante,
Du sein des épis lourds qui murmurent entre eux,
Une ondulation majestueuse et lente   15
S'éveille, et va mourir à l'horizon poudreux.

Non loin, quelques bœufs blancs, couchés parmi les herbes,
Bavent avec lenteur sur leurs fanons épais,
Et suivent de leurs yeux languissants et superbes
Le songe intérieur qu'ils n'achèvent jamais.   20

Homme, si, le cœur plein de joie ou d'amertume,
Tu passais vers midi dans les champs radieux,
Fuis! la nature est vide et le soleil consume:
Rien n'est vivant ici, rien n'est triste ou joyeux.

Mais si, désabusé des larmes et du rire,   25
Altéré de l'oubli de ce monde agité,
Tu veux, ne sachant plus pardonner ou maudire,
Goûter une suprême et morne volupté;

Viens! Le soleil te parle en paroles sublimes;
Dans sa flamme implacable absorbe-toi sans fin;   30
Et retourne à pas lents vers les cités infimes,
Le cœur trempé sept fois dans le néant divin.   (1852)

Exercices

1) Analysez la description dans ce poème. Auquel des sens surtout
se rapportent les images? Ce poème contient-il des comparaisons? des
métaphores? des images étendues? compliquées? difficiles?

2) Le poète adopte-t-il une attitude définie envers son sujet? envers la vie en général? Ces attitudes sont-elles en rapport avec la description? Y a-t-il des symboles dans cette description? Constitue-t-elle une allégorie? Y trouvez-vous de l'ironie? un paradoxe?

3) La description dans ce poème est-elle objective ou subjective? (Si l'attitude du poète l'a mené à composer un paysage en harmonie avec ses sentiments, on peut dire que la description est subjective plutôt qu'objective.)

✷ 22 ✷   « AVEC TON PARAPLUIE . . . »

Francis Jammes (1868-1938)

Avec ton parapluie bleu et tes brebis sales,
avec tes vêtements qui sentent le fromage,
tu t'en vas vers le ciel du coteau, appuyé
sur ton bâton de houx, de chêne ou de néflier.
Tu suis le chien au poil dur et l'âne portant   5
les bidons ternes sur son dos saillant.
Tu passeras devant les forgerons des villages,
puis tu regagneras la balsamique montagne
où ton troupeau paîtra comme des buissons blancs.
Là, des vapeurs cachent les pics en se traînant.   10
Là, volent des vautours au col pelé et s'allument
des fumées rouges dans des brumes nocturnes.
Là, tu regarderas avec tranquillité,
l'esprit de Dieu planer sur cette immensité.   (1897)

EXERCICES

1) Analysez la description dans ce poème et le point de vue du poète, comme vous l'avez fait pour le poème précédent, en spécifiant le genre d'image, en notant les comparaisons et les métaphores, les images compliquées, l'emploi des symboles (s'il y en a), etc.

2) Comparez les deux poèmes, *Midi* et *Avec ton parapluie*. Lequel est le plus familier au point de vue langage? Lequel contient le plus de rhétorique éloquente? Les deux poètes conçoivent-ils de façon différente les détails qui composent une belle description?

3) Remarquez l'emploi de *col* pour *cou* (vers 11). Comparez à Gautier (No. 33, vers 1). L'emploi de cette variante poétique du mot est-il aussi justifié chez Jammes que chez Gautier?

4) Dites si la description est tout à fait objective, ou s'il y entre des éléments subjectifs.

José-Maria de Heredia (1842-1905)

Le temple est en ruine au haut du promontoire.
Et la Mort a mêlé, dans ce fauve terrain,
Les Déesses de marbre et les Héros d'airain
Dont l'herbe solitaire ensevelit la gloire.

Seul, parfois, un bouvier menant ses buffles boire,   5
De sa conque où soupire un antique refrain
Emplissant le ciel calme et l'horizon marin,
Sur l'azur infini dresse sa forme noire.

La Terre maternelle et douce aux anciens Dieux
Fait à chaque printemps, vainement éloquente,   10
Au chapiteau brisé verdir une autre acanthe;

Mais l'Homme indifférent au rêve des aïeux
Écoute sans frémir, du fond des nuits sereines,
La Mer qui se lamente en pleurant les Sirènes.   (1876)

v. 11. *une autre acanthe.* Les chapiteaux du style *corinthien* sont sculptés de feuilles d'acanthe stylisées.

EXERCICES

1) Analysez la description dans ce poème et le point de vue du poète. Remarquez la maîtrise avec laquelle cette petite scène est présentée, surtout la façon dont le poète vous montre chaque élément du paysage. Étudiez en particulier l'image dans le premier tercet, et efforcez-vous d'en bien comprendre les détails. Y a-t-il là une *pointe?* Ce tercet est-il fondé sur ce qu'on appelle en anglais *the pathetic fallacy?*

2) Trouvez-vous plus d'émotion et plus de mystère poétique dans ce sonnet que dans les autres exemples de description qu'on vient d'étudier? En quoi le dernier tercet renforce-t-il l'impression de mystère poétique? Ce sonnet est-il plus ou moins objectif que les deux derniers poèmes?

❉ 24 ❉   PAN

José-Maria de Heredia (1842-1905)

A travers les halliers, par les chemins secrets
Qui se perdent au fond des vertes avenues,

Le Chèvre-pied, divin chasseur de Nymphes nues,
Se glisse, l'œil ardent, sous les hautes forêts.

Il est doux d'écouter les soupirs, les bruits frais   5
Qui montent à midi des sources inconnues
Quand le Soleil, vainqueur étincelant des nues,
Dans la mouvante nuit darde l'or de ses traits.

Une Nymphe s'égare et s'arrête. Elle écoute
Les larmes du matin qui pleuvent goutte à goutte   10
Sur la mousse. L'ivresse emplit son jeune cœur.

Mais, d'un seul bond, le Dieu du noir taillis s'élance,
La saisit, frappe l'air de son rire moqueur,
Disparaît . . . Et les bois retombent au silence.   (1863)

✗ 25 ✗   TÊTE DE FAUNE

Arthur Rimbaud (1854-1891)

Dans la feuillée, écrin vert taché d'or,
Dans la feuillée incertaine et fleurie
De fleurs splendides où le baiser dort,
Vif et crevant l'exquise broderie,

Un faune effaré montre ses deux yeux   5
Et mord les fleurs rouges de ses dents blanches:
Brunie et sanglante ainsi qu'un vin vieux,
Sa lèvre éclate en rires sous les branches.

Et quand il a fui—tel qu'un écureuil,—
Son rire tremble encore à chaque feuille,   10
Et l'on voit épeuré par un bouvreuil
Le Baiser d'or du Bois, qui se recueille.   (1871)

La précision et la netteté des contours de la scène présentée
peuvent varier beaucoup dans les poèmes essentiellement descriptifs. On peut ainsi obtenir une grande diversité dans les effets
produits. Les deux poèmes qui précèdent montrent bien cette
variété des effets. Le sujet des deux poèmes est assez semblable. Il
n'est pas impossible que le poème de Rimbaud ait été influencé
quelque peu par celui de Heredia, dont une première version fut
publiée en 1863. Le développement du sujet est pourtant très différent dans les deux poèmes.

Le sujet du premier poème est mythologique: l'enlèvement d'une Naïade (nymphe des eaux) par Pan, dieu des forêts. Cependant le traitement de Heredia est plutôt réaliste. Il mentionne un *divin chasseur,* un *chèvre-pied,* mais en dehors de ces détails, il dépeint d'une manière objective une forêt animée par un événement dramatique raconté directement. La structure du poème est simple et claire: le premier quatrain nous montre en images précises et vives Pan qui rôde à travers la forêt à la recherche de nymphes. Le second quatrain et le premier tercet décrivent une nymphe qui erre et qui s'égare au fond des bois. La beauté des sombres halliers est bien présentée (*le soleil . . . dans la mouvante nuit darde l'or de ses traits*). Nous voyons ce spectacle par les yeux d'une jeune nymphe sensible à cette beauté, c'est pourquoi certains détails suggèrent l'état d'âme de la nymphe (*il est doux d'écouter les soupirs . . . les larmes du matin . . .*). Par un brusque changement il y a une action subite dans le dernier tercet. L'effet technique n'est pas très original, mais il est bien adapté à l'action décrite: le rythme rapide des vers 12 et 13 se prolonge jusqu'au vers 14 par un rejet. Vient ensuite une sorte de *coda* dont les premières voyelles accentuées sont graves et les deux dernières des nasales.

Le faune, qui était dans le sonnet de Heredia un être de chair aux appétits sensuels très définis, devient dans le petit poème de Rimbaud quelque chose de fuyant, d'à moitié vu, comme un symbole de la beauté cachée et mystérieuse de la forêt. Un faune passe sa tête à travers un fouillis de feuilles et de fleurs; on le voit mordiller des pétales rouges, ensuite il rit et s'enfuit. Il laisse derrière lui une atmosphère de crainte émerveillée, et même le mouvement d'un bouvreuil fait peur. Il y a quelque analogie entre cet incident et l'incident décrit dans le sonnet de Heredia, mais les détails sont devenus plus vagues et moins précis, à la fois symboliques et mystérieux. Le Pan de Heredia enlève une nymphe nue; la sensualité du faune de Rimbaud s'exprime symboliquement: il mordille des fleurs rouges avec ses dents blanches!

Le vrai thème du poème de Rimbaud est l'impression d'émerveillement, de mystère, de crainte presque superstitieuse, suscitée dans tout être humain par la profondeur des bois—les sombres allées feuillues percées de loin en loin par un rayon de soleil, et à travers lesquelles résonnent des cris stridents d'oiseaux, les impénétrables fouillis de vignes et de lianes où on entend des froissements, des bruissements, des chuchotements. Les poètes grecs et latins incarnèrent cette impression d'émerveillement et de mystère en des êtres dont ils peuplèrent les bois: dieux, demi-dieux, nymphes et satyres (Virgile dit: *habitarunt Di quoque silvas— même les Dieux ont vécu dans les bois*). Le poème de Heredia est une imitation habile du genre de légende poétique qu'on trouve souvent dans les œuvres des poètes et des sculpteurs grecs et latins. Rimbaud a pris ces légendes comme point de départ seulement, et il a réussi à recréer l'atmosphère d'émerveillement, de mystère, de magie même qui précéda et qui forma ces légendes. Les images évoquées par Heredia sont habiles, de bon goût, précises et définies, . . . et conventionnelles. Les images de Rimbaud sont des créations nouvelles, exceptionnelles, inconnues. Les unes ont un caractère très net et exact mais se distinguent par l'élément rare, imprévu, énergique et frappant qui conduit à l'effet total que le poème peut produire: *brunie et sanglante ainsi qu'un vin vieux, tel qu'un écureuil.* D'autres, bien que restant claires et précises, ont une valeur suggestive, une puissance d'évocation très profonde. Elles sont mystérieuses, secrètes, impossibles à expliquer littéralement, et pourtant justes: *des fleurs où le baiser dort, le Baiser d'or du Bois, qui se recueille.* Au point de vue du rythme et de l'harmonie le poème est également intéressant. Le rythme sautillant du déca- syllabe, employé ici, s'accorde admirablement avec la pétulance du faune. Tout le poème a une harmonie étrange (les sons [ø] et [œ] dominent) qui renforce l'impression d'émerveillement et de magie produite par les images.

EXERCICE

Comparez les trois descriptions de forêts que vous venez de lire (*La Panthère noire, Pan* et *Tête de faune*). Notez les points par lesquels les descriptions se ressemblent ou diffèrent.

3. *Paysages imaginaires*

Plusieurs des poèmes qu'on vient d'étudier (Nos. 21 et 23, par exemple) contiennent assez d'éléments subjectifs pour qu'on hésite à les appeler des poèmes de description objective. Dans *Tête de faune* l'élément subjectif n'apparaît pas à la surface, mais on hésite là aussi à parler de description objective; le paysage est si étrange, si mystérieux, si irréel enfin, que l'adjectif *objectif* s'y applique mal. Dans certains poèmes on trouve des paysages vraiment imaginaires, c'est-à-dire que le poète, tantôt objectivement, tantôt d'une façon plus ou moins subjective, présente un pays ou un paysage idéal sorti de son imagination, son Atlantide, son royaume de Thulé . . .

✳ 26 ✳   RÊVE PARISIEN

Charles Baudelaire (1821-1867)

I

De ce terrible paysage,
Tel que jamais mortel n'en vit,
Ce matin encore l'image
Vague et lointaine, me ravit.

Le sommeil est plein de miracles!   5
Par un caprice singulier,
J'avais banni de ces spectacles
Le végétal irrégulier,

Et, peintre fier de mon génie,
Je savourais dans mon tableau   10
L'enivrante monotonie
Du métal, du marbre et de l'eau.

Babel d'escaliers et d'arcades,
C'était un palais infini,
Plein de bassins et de cascades   15
Tombant dans l'or mat ou bruni;

Et des cataractes pesantes,
Comme des rideaux de cristal,
Se suspendaient, éblouissantes,
A des murailles de métal.   20

Non d'arbres, mais de colonnades,
Les étangs dormants s'entouraient,
Où de gigantesques naïades,
Comme des femmes, se miraient.

Des nappes d'eau s'épanchaient, bleues,   25
Entre des quais roses et verts,

Pendant des millions de lieues,
Vers les confins de l'univers;

C'étaient des pierres inouïes
Et des flots magiques; c'étaient
D'immenses glaces éblouies
Par tout ce qu'elles reflétaient!

Insouciants et taciturnes,
Des Ganges, dans le firmament,
Versaient le trésor de leurs urnes
Dans des gouffres de diamant.

Architecte de mes féeries,
Je faisais, à ma volonté,
Sous un tunnel de pierreries
Passer un océan dompté;

Et tout, même la couleur noire,
Semblait fourbi, clair, irisé;
Le liquide enchâssait sa gloire
Dans le rayon cristallisé.

Nul astre d'ailleurs, nuls vestiges
Du soleil, même au bas du ciel,
Pour illuminer ces prodiges,
Qui brillaient d'un feu personnel!

Et sur ces mouvantes merveilles
Planait (terrible nouveauté!
Tout pour l'œil, rien pour les oreilles!)
Un silence d'éternité!

II

En rouvrant mes yeux pleins de flamme
J'ai vu l'horreur de mon taudis,
Et senti, rentrant dans mon âme,
La pointe des soucis maudits;

La pendule aux accents funèbres
Sonnait brutalement midi,
Et le ciel versait des ténèbres
Sur le triste monde engourdi.   (1860)

Nous avons ici un paysage imaginaire, composé selon la fantaisie du poète, et présenté d'une façon subjective. Le genre du paysage, sa composition, nous disent beaucoup sur l'attitude du poète devant le monde, sur ses goûts, sur ses préjugés. Mais le poète nous renseigne directement aussi sur son attitude devant son sujet, une attitude assez spéciale: le paysage est terrible, mais le ravit!

L'auteur voit dans son rêve un monde fait de métal, de marbre et d'eau, un monde duquel tout ce qui est végétal est banni. Aucun corps céleste n'éclaire ce paysage; les objets ont leur *feu personnel* qui les illumine. Et un silence éternel y règne; tout y est pour l'œil, rien pour les oreilles!

S'il y a dans ce paysage de pure fantaisie de nombreux éléments subjectifs (l'auteur contraste son attitude devant ce monde de ses rêves avec celle qu'il a devant le monde de tous les jours où il retourne), si la fantaisie de l'auteur, qui crée son paysage à mesure qu'il le voit (*architecte de mes féeries, je faisais . . .*), empêche ce paysage de devenir fixe et statique, le poème n'en contient pas moins des détails précis et des images concrètes qui ne seraient pas déplacés dans une description objective. Mais ce qui rend ce paysage imaginaire très différent du paysage représenté dans un poème de description objective, ce qui fait sa singularité se trouve ailleurs: le poète n'a pas créé ce paysage simplement parce qu'il lui plaît de décrire des objets qu'il trouve beaux. Il s'est servi de cette description de paysage pour exprimer une théorie esthétique qui lui est chère. Le poème est en somme un fragment d'art poétique. A l'encontre des romantiques, le poète ne décrit pas directement d'après nature; il rejette cette poésie des *légumes sanctifiés* (le mot est de Baudelaire lui-même) pour créer un tableau *moderne,* c'est-à-dire artificiel (pour Baudelaire ce mot n'est pas péjoratif) et subjectif. Cette théorie selon laquelle le poète préfère l'art (ou l'artificiel) à la nature est le développement d'une des tendances du romantisme, et elle réagit contre une autre tendance de ce mouvement, la religion, le culte de la nature. C'est une théorie dont l'influence sur tout l'art moderne est très considérable.

Le poème démontre donc la vive imagination de Baudelaire du point de vue purement descriptif. Mais, en même temps, ce paysage irréel et étrange—tout métal, marbre et eau, et sans plantes

—reflète non seulement les goûts et les préjugés de l'auteur, mais par le choix et la présentation des images, il est aussi le porte-parole d'une théorie esthétique originale et importante.

L'INVITATION AU VOYAGE
                Charles Baudelaire (1821-1867)

> Mon enfant, ma sœur,
> Songe à la douceur
> D'aller là-bas vivre ensemble!
> Aimer à loisir,
> Aimer et mourir   5
> Au pays qui te ressemble!
> Les soleils mouillés
> De ces ciels brouillés
> Pour mon esprit ont les charmes
> Si mystérieux   10
> De tes traîtres yeux,
> Brillant à travers leurs larmes.
>
> Là, tout n'est qu'ordre et beauté
> Luxe, calme et volupté.
>
> Des meubles luisants,   15
> Polis par les ans,
> Décoreraient notre chambre;
> Les plus rares fleurs
> Mêlant leurs odeurs
> Aux vagues senteurs de l'ambre,   20
> Les riches plafonds,
> Les miroirs profonds,
> La splendeur orientale,
> Tout y parlerait
> A l'âme en secret   25
> Sa douce langue natale.
>
> Là, tout n'est qu'ordre et beauté,
> Luxe, calme et volupté.
>
> Vois sur ces canaux
> Dormir ces vaisseaux   30

Dont l'humeur est vagabonde;
C'est pour assouvir
Ton moindre désir
Qu'ils viennent du bout du monde.
—Les soleils couchants   35
Revêtent les champs,
Les canaux, la ville entière,
D'hyacinthe et d'or;
Le monde s'endort
Dans une chaude lumière.   40

Là, tout n'est qu'ordre et beauté,
Luxe, calme et volupté.   (1855)

✻ 28 ✻   LA VIE ANTÉRIEURE

Charles Baudelaire (1821-1867)

J'ai longtemps habité sous de vastes portiques
Que les soleils marins teignaient de mille feux,
Et que leurs grands piliers, droits et majestueux,
Rendaient pareils, le soir, aux grottes basaltiques.

Les houles, en roulant les images des cieux,   5
Mêlaient d'une façon solennelle et mystique
Les tout-puissants accords de leur riche musique
Aux couleurs du couchant reflété par mes yeux.

C'est là que j'ai vécu dans les voluptés calmes,
Au milieu de l'azur, des vagues, des splendeurs   10
Et des esclaves nus, tout imprégnés d'odeurs,

Qui me rafraîchissaient le front avec des palmes,
Et dont l'unique soin était d'approfondir
Le secret douloureux qui me faisait languir.   (1855)

Exercices

1) Comparez ces deux autres «paysages imaginaires» de Baudelaire à *Rêve parisien*. En quoi le paysage de chacun de ces poèmes ressemble-t-il à celui de *Rêve parisien* et en quoi en diffère-t-il?

2) Ces deux poèmes sont-ils subjectifs? Le poète exprime-t-il une attitude devant la vie semblable à celle de *Rêve parisien?*

3) Si la théorie esthétique exprimée dans *Rêve parisien* n'est pas exprimée dans ces deux poèmes, y est-elle implicite?

4) Les qualités idéales du pays de *l'Invitation au voyage* sont-elles aussi celles du pays de *la Vie antérieure?* Ces qualités représentent-elles une moralité chrétienne ou une moralité païenne, ou une moralité tout à fait originale et personnelle?

✕ 29 ✕

RÊVERIE

Victor Hugo (1802-1885)

Oh! laissez-moi! c'est l'heure où l'horizon qui fume
Cache un front inégal sous un cercle de brume,
L'heure où l'astre géant rougit et disparaît.
Le grand bois jaunissant dore seul la colline.
On dirait qu'en ces jours où l'automne décline,　　　　5
Le soleil et la pluie ont rouillé la forêt.

Oh! qui fera surgir soudain, qui fera naître,
Là-bas,—tandis que seul je rêve à la fenêtre
Et que l'ombre s'amasse au fond du corridor,—
Quelque ville mauresque, éclatante, inouïe,　　　　10
Qui, comme la fusée en gerbe épanouie,
Déchire ce brouillard avec ses flèches d'or!

Qu'elle vienne inspirer, ranimer, ô génies,
Mes chansons, comme un ciel d'automne rembrunies,
Et jeter dans mes yeux son magique reflet,　　　　15
Et longtemps, s'éteignant en rumeurs étouffées,
Avec les mille tours de ses palais de fées,
Brumeuse, denteler l'horizon violet!　　　　(1828)

EXERCICES

1) Comparez la description des deux paysages dans ce petit poème, le vrai paysage vu par le poète qui rêve à sa fenêtre, et celui qu'il imagine. Laquelle des deux descriptions est la plus précise? Étudiez et commentez les images.

2) Ce paysage imaginaire est-il suggéré au poète par ce qu'il a réellement vu?

3) Montrez comment ce petit poème descriptif est une excellente démonstration du rôle joué, quant à l'inspiration du poète, par une rêverie sur un paysage.

CHAPITRE TROIS

Les images pour embellir

Pendant longtemps en France, la poésie a été, comme la prose, un discours logique. Elle se distinguait de la prose non seulement par la forme versifiée, mais encore par l'emploi de procédés destinés à l'embellir. Un de ces procédés était le suivant: un poète français de la dernière partie du dix-septième ou du dix-huitième siècle, se rappelant qu'en théorie au moins la poésie lyrique se caractérisait par *l'enthousiasme,* faisait semblant d'être saisi par une *fureur divine,* et émettait des prophéties extatiques ou inquiétantes, mais qui n'étaient que trop évidemment imitées de la poésie grecque et latine. On appelait cela un *beau désordre.* Que ce procédé n'ait jamais très bien réussi, même de l'avis des contemporains, ne doit pas trop nous étonner. L'idéal de l'époque, même pour la poésie, était la simplicité et la clarté. Il est évident qu'un *beau désordre,* même s'il est, comme le préconisait Boileau, *un effet de l'art,* n'ajoute pas à la simplicité et à la clarté. Quand un poète insérait de telles digressions dans sa poésie, il tendait à les rendre aussi logiques, aussi sobres que possible. Le résultat était un contresens. Une fureur divine freinée par la logique n'est plus la fureur divine. En voici un exemple:

✕ 30 ✕ ODE SUR LA NAISSANCE
DE MONSEIGNEUR LE DUC DE BRETAGNE
(extrait)

Jean-Baptiste Rousseau (1671-1741)

Mais quel souffle divin m'enflamme?
D'où naît cette soudaine horreur?

Un Dieu vient échauffer mon âme
D'une prophétique fureur.
Loin d'ici, profane vulgaire!   5
Apollon m'inspire et m'éclaire;
C'est lui: je le vois, je le sens;
Mon cœur cède à sa violence:
Mortels, respectez sa présence,
Prêtez l'oreille à mes accents.   10

Les temps prédits par la Sibylle
A leur terme sont parvenus:
Nous touchons au règne tranquille
Du vieux Saturne et de Janus:
Voici la saison désirée,   15
Où Thémis et sa sœur Astrée,
Rétablissant leurs saints autels,
Vont ramener ces jours insignes
Où nos vertus nous rendaient dignes
Du commerce des immortels.   20

Où suis-je? quel nouveau miracle
Tient encor mes sens enchantés?
Quel vaste, quel pompeux spectacle
Frappe mes yeux épouvantés?
Un nouveau monde vient d'éclore: 25
L'univers se reforme encore
Dans les abîmes du chaos;
Et pour réparer ses ruines,
Je vois des demeures divines
Descendre un peuple de héros.   30

Les éléments cessent leur guerre;
Les cieux ont repris leur azur;
Un feu sacré purge la terre
De tout ce qu'elle avait d'impur:
On ne craint plus l'herbe mortelle,   35
Et le crocodile infidèle
Du Nil ne trouble plus les eaux:
Les lions dépouillent leur rage,
Et dans le même pâturage
Bondissent avec les troupeaux.   (1707)   40

Jean-Baptiste Rousseau, l'auteur de cette ode (ne le confondez pas avec Jean-Jacques Rousseau, l'auteur des *Confessions*) fut considéré pendant plus d'un siècle, de 1712 à 1830 environ, comme le plus grand poète *lyrique* (c'est-à-dire comme le plus grand auteur d'odes) français. Quand il l'écrivit—pour célébrer la naissance d'un arrière-petit-fils de Louis XIV—il trouva nécessaire d'expliquer, pour justifier ses *audaces*, que ses digressions étaient légitimes parce qu'elles étaient imitées de Virgile et de la Bible.

EXERCICES

1) Est-ce que le poète vous convainc qu'il sent vraiment ces *transports*?

2) Trouvez-vous justifié ce mélange de l'oracle de Delphes (première strophe), d'une flatterie habile adressée par Virgile dans sa quatrième églogue * à la famille de l'Empereur (strophes deux et trois), et de la prophétie d'Isaïe (strophe quatre)?

3) Les images de la quatrième strophe donnent-elles l'impression d'un Age d'Or qui serait vraiment compréhensible à un Français du dix-huitième siècle?

Les poètes de l'époque classique se livraient assez peu à ces accès de *fureur divine,* ou de *beau désordre;* le plus souvent ils ornaient leurs odes de figures de rhétorique connues. En général, ces figures étaient empruntées à la mythologie grecque, et souvent elles étaient imitées directement des poètes grecs et latins—d'Horace, de Virgile et d'Homère surtout. Ainsi J.-B. Rousseau commence une de ses odes les plus admirées, celle qu'il adressa au Comte du Luc, par une série de comparaisons très élaborées:

> Tel que le vieux pasteur des troupeaux de Neptune,
> Protée, à qui le Ciel, père de la Fortune,
>   Ne cache aucuns secrets,
> Sous diverse figure, arbre, flamme, fontaine,
> S'efforce d'échapper à la vue incertaine   5
>   Des mortels indiscrets;
>
> Ou tel que d'Apollon le ministre terrible,
> Impatient du Dieu dont le souffle invincible
>   Agite tout ses sens,
> Le regard furieux, la tête échevelée,   10

Du temple fait mugir la demeure ébranlée
Par ses cris impuissants . . .

Tel, aux premiers accès d'une sainte manie,
Mon esprit alarmé redoute du génie
L'assaut victorieux . . .   (1712)   15

Une autre ode, écrite quelques années plus tard et adressée au
Prince Eugène de Savoie, contient un bon exemple de la figure
appelée *personnification*. Voulant expliquer que la gloire du héros
qu'il célèbre résistera aux atteintes du temps, le poète emploie la
figure suivante (très admirée à l'époque) pour caractériser le
Temps :

> Ce vieillard qui d'un vol agile
> Fuit sans jamais être arrêté,
> Le Temps, cette image mobile
> De l'immobile éternité,
> A peine du sein des ténèbres   5
> Fait éclore les faits célèbres,
> Qu'il les replonge dans la nuit :
> Auteur de tout ce qui doit être,
> Il détruit tout ce qu'il fait naître,
> A mesure qu'il le produit.   (1715)   10

Les vers de Jean-Baptiste Rousseau que nous venons de citer
sont habilement faits. Les rimes en sont excellentes, le rythme en
est bon. Les figures sont cohérentes, justes, et bien appropriées à
l'objet auquel elles s'appliquent. Mais le lecteur moderne ne trouve
pas ces vers intéressants. Ils représentent sans doute les meilleures
réussites du genre et de l'époque, mais c'était un genre faux et
c'était une époque où on ne connaissait pas très bien la véritable
nature de la poésie. Dans les odes de Jean-Baptiste Rousseau, les
images ne semblent pas naître d'une impression sensorielle originale et fraîche. Elles sont presque toujours imitées d'autrui. Elles
manquent totalement d'imprévu, elles n'étonnent pas, elles ne
saisissent pas l'imagination, elles ne produisent aucune impression
d'émerveillement ou de mystère.

Les images destinées à embellir la poésie peuvent pourtant
créer, à elles seules, une belle et grande poésie. Même les vieilles
figures de rhétorique peuvent frapper, peuvent émerveiller. Il suffit

de quelques figures pour transformer des phrases très simples et très directes en un beau poème.

DIZAIN

Maurice Scève (1510-1564)

Le jour passé de ta douce présence
Fut un serein en hiver ténébreux,
Qui fait prouver la nuit de ton absence
A l'œil de l'âme être un temps plus ombreux,
Que n'est au corps ce mien vivre encombreux,   5
Qui maintenant me fait de soi refus.
Car dès le point que partie tu fus,
Comme le lièvre accroupi en son gîte,
Je tends l'oreille, oyant un bruit confus,
Tout éperdu aux ténèbres d'Égypte.   (1544)   10

v. 2. *serein*. Beau jour.

Pour le lecteur contemporain, ce poème possède un charme mystérieux. Une partie de ce charme émane sans doute de la langue du seizième siècle, de son étrangeté, de ses archaïsmes. Le français à cette époque avait certaines qualités qui le rendaient plus propre à la poésie que le français classique. La forme employée ici —le dizain—demande une grande concision, et cette concision est facilitée par la liberté encore permise au seizième siècle dans l'ordre des mots.

On pourrait paraphraser ce dizain de la façon suivante: *Le jour (lumière) passé avec toi, beau jour calme (serein) au milieu des ténèbres d'hiver, fait sentir à mon esprit que la nuit de ton absence est plus insupportable que la faiblesse physique et l'ennui qui m'oppriment, et qui m'empêchent de vivre pleinement. Car dès que tu t'es éloignée de moi, comme un lièvre accroupi dans son gîte, je tends l'oreille, entendant (oyant) un bruit confus, tout éperdu aux ténèbres d'Égypte.* Le lièvre au vers 8 suggère l'inquiétude, l'immobilité, l'attente, la peur d'un désastre. L'Égypte (Mizraïm) est le pays des ténèbres, de l'oppression des Hébreux.

Mais le poème ne doit pas tout son charme à la tournure archaïque de la langue. Les figures qui s'y succèdent ne produisent nullement l'effet stéréotypé que causent, par exemple, celles de

Jean-Baptiste Rousseau. Quelques-unes de ces figures sont des métaphores: *la nuit de ton absence, l'œil de l'âme;* d'autres des comparaisons: *comme le lièvre accroupi en son gîte.* S'il est vrai que ces figures ne sont pas très originales, les impressions qui les ont fait naître ont été éprouvées par l'auteur lui-même; le poète n'a pas emprunté à autrui des images toutes faites, il les a recréées, revécues. Mais l'originalité troublante de ce dizain est due surtout à certaines images étranges et assez inexplicables, comme celles de la fin du poème. Elles n'ont rien de vraiment obscur, mais on ne peut les expliquer entièrement avec logique et clarté. Quel est ce *bruit confus* qu'entend le poète? Pourquoi est-il *tout éperdu aux ténèbres d'Égypte?* Pourquoi l'Égypte? On ne saurait guère répondre directement et simplement à ces questions, mais tout lecteur sensible à la magie poétique trouvera que l'auteur a su nous ensorceler, qu'il a fait naître en nous un étrange état d'âme.

✳ 32 ✳　　　　　LA MAISON DU BERGER
(extrait)

Alfred de Vigny (1797-1863)

Si ton cœur, gémissant du poids de notre vie,
Se traîne et se débat comme un aigle blessé,
Portant comme le mien, sur son aile asservie,
Tout un monde fatal, écrasant et glacé;
S'il ne bat qu'en saignant par sa plaie immortelle,　　5
S'il ne voit plus l'amour, son étoile fidèle,
Éclairer pour lui seul l'horizon effacé;

Si ton âme enchaînée, ainsi que l'est mon âme,
Lasse de son boulet et de son pain amer,
Sur sa galère en deuil laisse tomber la rame,　　10
Penche sa tête pâle et pleure sur la mer,
Et, cherchant dans les flots une route inconnue,
Y voit, en frissonnant, sur son épaule nue,
La lettre sociale écrite avec le fer;

Si ton corps, frémissant des passions secrètes,　　15
S'indigne des regards, timide et palpitant;
S'il cherche à sa beauté de profondes retraites
Pour la mieux dérober au profane insultant;

Si ta lèvre se sèche au poison des mensonges,
Si ton beau front rougit de passer dans les songes 20
D'un impur inconnu qui te voit et t'entend,

Pars courageusement, laisse toutes les villes;
Ne ternis plus tes pieds aux poudres du chemin;
Du haut de nos pensers vois les cités serviles
Comme les rocs fatals de l'esclavage humain. 25
Les grands bois et les champs sont de vastes asiles,
Libres comme la mer autour des sombres îles.
Marche à travers les champs une fleur à la main.

La nature t'attend dans un silence austère;
L'herbe élève à tes pieds son nuage des soirs, 30
Et le soupir d'adieu du soleil à la terre
Balance les beaux lys comme des encensoirs.
La forêt a voilé ses colonnes profondes,
La montagne se cache, et sur les pâles ondes
Le saule a suspendu ses chastes reposoirs. 35

Le crépuscule ami s'endort dans la vallée
Sur l'herbe d'émeraude et sur l'or du gazon,
Sous les timides joncs de la source isolée
Et sous le bois rêveur qui tremble à l'horizon,
Se balance en fuyant dans les grappes sauvages, 40
Jette son manteau gris sur le bord des rivages,
Et des fleurs de la nuit entr'ouvre la prison.

Il est sur ma montagne une épaisse bruyère
Où les pas du chasseur ont peine à se plonger,
Qui plus haut que nos fronts lève sa tête altière, 45
Et garde dans la nuit le pâtre et l'étranger.
Viens y cacher l'amour et ta divine faute;
Si l'herbe est agitée ou n'est pas assez haute,
J'y roulerai pour toi la Maison du Berger.

Elle va doucement avec ses quatre roues, 50
Son toit n'est pas plus haut que ton front et tes yeux;
La couleur du corail et celle de tes joues
Teignent le char nocturne et ses muets essieux.
Le seuil est parfumé, l'alcôve est large et sombre,
Et, là, parmi les fleurs, nous trouverons dans l'ombre, 55
Pour nos cheveux unis, un lit silencieux.

Je verrai, si tu veux, les pays de la neige,
Ceux où l'astre amoureux dévore et resplendit,
Ceux que heurtent les vents, ceux que la mer assiège
Ceux où le pôle obscur sous sa glace est maudit.   60
Nous suivrons du hasard la course vagabonde.
Que m'importe le jour, que m'importe le monde?
Je dirai qu'ils sont beaux quand tes yeux l'auront dit.   (1844)

v. 8-14. L'âme est comparée à un forçat aux galères, un boulet attaché à ses
pieds, et sur son épaule, marquées au fer chaud, les lettres *T. F.* (travaux
forcés).

v. 49. Les bergers français mènent leurs troupeaux de moutons loin des
régions habitées. Pour s'abriter, ils ont une petite cabane roulante. Elle
est très simple, sinon rudimentaire, et bien différente de celle que décrit
le poète.

La Maison du Berger est un poème inégal, dont certaines parties sont très belles. Dans les neuf premières strophes que nous
donnons ici, le poète a orné d'images étincelantes un sujet assez
simple. (Nous recommandons à l'étudiant la lecture du poème
entier. Les dix dernières strophes sont aussi belles que les premières.)

EXERCICE

Analysez les images de ce poème. Comparez l'image détaillée qui
occupe la deuxième strophe avec les images des strophes cinq et six.
Lesquelles sont les plus belles? Pourquoi?

✷ 33 ✷   SYMPHONIE EN BLANC MAJEUR
                Théophile Gautier (1811-1872)

De leur col blanc courbant les lignes,
On voit dans les contes du Nord,
Sur le vieux Rhin, des femmes-cygnes
Nager en chantant près du bord,

Ou, suspendant à quelque branche   5
Le plumage qui les revêt,
Faire luire leur peau plus blanche
Que la neige de leur duvet.

De ces femmes il en est une,
Qui chez nous descend quelquefois,   10

Blanche comme le clair de lune
Sur les glaciers dans les cieux froids;

Conviant la vue enivrée
De sa boréale fraîcheur
A des régals de chair nacrée,   15
A des débauches de blancheur!

Son sein, neige moulée en globe,
Contre les camélias blancs
Et le blanc satin de sa robe
Soutient des combats insolents.   20

Dans ces grandes batailles blanches,
Satins et fleurs ont le dessous,
Et, sans demander leurs revanches,
Jaunissent comme des jaloux.

Sur les blancheurs de son épaule,   25
Paros au grain éblouissant,
Comme dans une nuit du pôle,
Un givre invisible descend.

De quel mica de neige vierge,
De quelle moelle de roseau,   30
De quelle hostie et de quel cierge
A-t-on fait le blanc de sa peau?

A-t-on pris la goutte lactée
Tachant l'azur du ciel d'hiver,
Le lis à la pulpe argentée,   35
La blanche écume de la mer;

Le marbre blanc, chair froide et pâle,
Où vivent les divinités;
L'argent mat, la laiteuse opale
Qu'irisent de vagues clartés;   40

L'ivoire, où ses mains ont des ailes,
Et, comme des papillons blancs,
Sur la pointe des notes frêles
Suspendent leurs baisers tremblants;

L'hermine vierge de souillure, 45
Qui, pour abriter leurs frissons,
Ouate de sa blanche fourrure
Les épaules et les blasons;

Le vif-argent aux fleurs fantasques
Dont les vitraux sont ramagés; 50
Les blanches dentelles des vasques,
Pleurs de l'ondine en l'air figés;

L'aubépine de mai qui plie
Sous les blancs frimas de ses fleurs;
L'albâtre où la mélancolie 55
Aime à retrouver ses pâleurs;

Le duvet blanc de la colombe,
Neigeant sur les toits du manoir,
Et la stalactite qui tombe,
Larme blanche de l'antre noir? 60

Des Groenlands et des Norvèges
Vient-elle avec Séraphita?
Est-ce la Madone des neiges,
Un sphinx blanc que l'hiver sculpta,

Sphinx enterré par l'avalanche, 65
Gardien des glaciers étoilés,
Et qui, sous sa poitrine blanche,
Cache de blancs secrets gelés?

Sous la glace où calme il repose,
Oh! qui pourra fondre ce cœur! 70
Oh! qui pourra mettre un ton rose
Dans cette implacable blancheur!   (1849)

v. 33. *la goutte lactée*. Les étoiles de la Voie lactée.
v. 41. *l'ivoire*. Les touches du piano.
v. 45-48. L'hermine est non seulement une vraie fourrure, mais aussi une
    fourrure héraldique, une des *fourrures* des blasons.
v. 62. *Séraphita*. Héroïne norvégienne d'un roman de Balzac, qui a ce titre.

Gautier était très fier de ce poème, et il avait raison; c'est une
de ses meilleures œuvres et elle fournit une excellente illustration

de ses méthodes et de ses théories. L'art pour l'art était son idéal —il a été l'un des premiers à lancer cette formule—et dans ses vers il essayait de créer de la beauté plastique. Une de ses théories avait trait à la transposition des arts, à l'utilisation dans un art des techniques propres à un ou plusieurs autres arts. Dans ce poème, il a tenté d'appliquer à la poésie certaines des techniques employées en peinture et en musique.

Le sujet apparent du poème est la beauté d'une femme, d'une grande dame venue d'un pays nordique et qui régnait sur les salons parisiens de l'époque. Mais le vrai sujet du poème est le *blanc;* c'est une étude du blanc, de sa beauté, de ses différentes nuances et des associations d'idées que provoque cette couleur. En étudiant ainsi la couleur, Gautier empiétait sur le domaine des peintres; mais puisque la peinture existe dans l'espace, tandis que la poésie existe dans le temps, il ne pouvait pas utiliser directement les techniques de la peinture. Contraint de se rabattre sur des termes employés dans un autre art, qui lui aussi existe dans le temps, il intitula son poème *Symphonie en blanc majeur.* Ici encore il dut se heurter à d'autres difficultés, car, à l'exception du titre, on aurait peine à trouver dans ce poème une analogie non seulement avec la forme de la sonate, que l'on rencontre dans le premier mouvement de la plupart des symphonies, mais encore avec toute autre forme musicale. Il est vrai qu'en reprenant dans chaque strophe l'adjectif *blanc* ou le substantif *blancheur* Gautier profite de la répétition (procédé indispensable à presque toute forme musicale); mais si l'on examine de plus près ces vers, on se rend compte que le poète ne franchit pas les frontières de la poésie pour pénétrer dans le domaine d'un autre art.

Pour donner l'impression de la beauté froide et étincelante d'une femme nordique, il choisit une méthode plus subtile et plus efficace que la description objective. Le blanc étant la couleur qui s'associe le plus naturellement à la froide beauté nordique, Gautier, pour construire son poème, juxtapose une série d'images qui évoquent certaines qualités et certaines nuances de blancheur ou de beauté blanche. Le poème ne se compose pas uniquement d'images détachées, un fil logique* les relie les unes aux autres. Mais ce fil logique n'a guère d'importance; ce sont les images qui font la beauté du poème.

Comme nous l'avons suggéré à plusieurs reprises, un poème,

pour mériter un rang très haut, doit contenir autre chose que seule la représentation objective de la beauté; on s'en rend compte en comparant la *Symphonie en blanc majeur* avec *la Maison du Berger* (No. 32). Même si on écarte les éléments subjectifs et philosophiques qui font corps avec le poème de Vigny et qui n'existent pas dans celui de Gautier, on trouve que dans *la Maison du Berger* les descriptions de la nature contiennent quelque chose d'incantatoire, de magique, qui est tout à fait absent des images très belles mais plutôt statiques de Gautier.

Ces réserves n'empêchent point la *Symphonie en blanc majeur* d'être un chef-d'œuvre, car on ne peut guère trouver de poème illustrant mieux la manière dont les images créent la beauté poétique.

EXERCICES

1) Analysez en détail les images de ce poème, en dressant une liste des différentes sortes d'objets blancs mentionnés et une liste des différentes catégories d'impressions sensorielles.

2) Pourrait-on considérer une ou plusieurs de ces images comme des *pointes?*

3) Pourquoi cette *symphonie* est-elle en *majeur* plutôt qu'en *mineur?*

✷ 34 ✷   LA CHEVELURE

Charles Baudelaire (1821-1867)

O toison, moutonnant jusque sur l'encolure!
O boucles! O parfum chargé de nonchaloir!
Extase! Pour peupler ce soir l'alcôve obscure
Des souvenirs dormant dans cette chevelure,
Je la veux agiter dans l'air comme un mouchoir!   5

La langoureuse Asie et la brûlante Afrique,
Tout un monde lointain, absent, presque défunt,
Vit dans tes profondeurs, forêt aromatique!
Comme d'autres esprits voguent sur la musique,
Le mien, ô mon amour! nage sur ton parfum.   10

J'irai là-bas où l'arbre et l'homme, pleins de sève,
Se pâment longuement sous l'ardeur des climats;
Fortes tresses, soyez la houle qui m'enlève!

Tu contiens, mer d'ébène, un éblouissant rêve
De voiles, de rameurs, de flammes et de mâts: 15

Un port retentissant où mon âme peut boire
A grands flots le parfum, le son et la couleur;
Où les vaisseaux, glissant dans l'or et dans la moire,
Ouvrent leurs vastes bras pour embrasser la gloire
D'un ciel pur où frémit l'éternelle chaleur.   20

Je plongerai ma tête amoureuse d'ivresse
Dans ce noir océan où l'autre est enfermé;
Et mon esprit subtil que le roulis caresse
Saura vous retrouver, ô féconde paresse,
Infinis bercements du loisir embaumé!   25

Cheveux bleus, pavillon de ténèbres tendues,
Vous me rendez l'azur du ciel immense et rond;
Sur les bords duvetés de vos mèches tordues
Je m'enivre ardemment des senteurs confondues
De l'huile de coco, du musc et du goudron.   30

Longtemps! toujours! ma main dans ta crinière lourde
Sèmera le rubis, la perle et le saphir,
Afin qu'à mon désir tu ne sois jamais sourde!
N'es-tu pas l'oasis où je rêve, et la gourde
Où je hume à longs traits le vin du souvenir?   (1859)   35

Jusqu'à un certain point il y a une analogie entre ce poème-ci
et le poème précédent. Il s'agit dans les deux cas d'une série
d'images qui expriment l'adoration du poète pour une femme.
Mais il y a des différences. Dans la *Symphonie* les images sont
comme une suite de variations sur un thème, et ces variations sont
mal reliées entre elles. Dans *la Chevelure* les images s'organisent
autour de la figure principale, la comparaison des cheveux à une
mer tropicale.

EXERCICES

1) Étudiez les images du poème. Notez les métaphores employées
pour désigner la chevelure, et surtout le dédoublement curieux et compliqué au vers 22. Un critique a trouvé ridicule le vers 5. Êtes-vous de
son avis?

2) Les sentiments exprimés par le poète à l'égard de la femme sont-ils plus convaincants que dans la *Symphonie en blanc majeur?* Pourquoi?

3) Comparez l'attitude du poète dans ce poème avec celle qu'on trouve dans les trois «paysages imaginaires» du même poète (Nos. 26, 27, 28). Est-ce la même attitude?

4) Comparez l'attitude de Baudelaire à l'égard du rêve et de la rêverie (voir surtout les deux derniers vers) avec l'attitude de Victor Hugo (*Rêverie*, No. 29).

✹ 35 ✹   CORRESPONDANCES

Charles Baudelaire (1821-1867)

La Nature est un temple où de vivants piliers
Laissent parfois sortir de confuses paroles;
L'homme y passe à travers des forêts de symboles
Qui l'observent avec des regards familiers.

Comme de longs échos qui de loin se confondent   5
Dans une ténébreuse et profonde unité,
Vaste comme la nuit et comme la clarté,
Les parfums, les couleurs et les sons se répondent.

Il est des parfums frais comme des chairs d'enfants,
Doux comme les hautbois, verts comme les prairies,   10
—Et d'autres, corrompus, riches et triomphants,

Ayant l'expansion des choses infinies,
Comme l'ambre, le musc, le benjoin et l'encens,
Qui chantent les transports de l'esprit et des sens.   (1857)

Dans ce sonnet, les images ne servent pas seulement à orner le poème. Dans les deux quatrains le sujet—la théorie des *correspondances*—est *exprimé* par des images, et dans les deux tercets le sujet est *illustré* par des images. Le poème possède trois éléments d'intérêt égal: (1) la valeur intrinsèque des images; (2) leur utilisation; (3) la théorie originale qu'elles expriment et illustrent.

Ce sonnet constitue le point de départ d'un livre très important de Jean Pommier, *La Mystique de Baudelaire* (Paris, Belles Lettres,

1932); en effet, la question des *correspondances* a hanté non seulement les symbolistes, mais presque toutes les écoles poétiques du vingtième siècle. Il faut d'abord distinguer les deux termes, *correspondances* et *synesthésies:* le premier se rapporte à un postulat de la plupart des philosophies mystiques, d'après lequel tous les objets et tous les phénomènes de la nature sont les symboles de vérités cachées et éternelles; le second, d'origine médicale, désigne la tendance à confondre des sensations affectant des sens différents (par exemple, une sensation tactile influence l'ouïe, ou bien un son est perçu comme une couleur). Autrement dit, les correspondances constituent une doctrine générale, que Baudelaire présente dans la première strophe, tandis que les synesthésies sont un cas particulier de cette doctrine, dont le poète donne des exemples dans les trois dernières strophes.

Exercices

1) Essayez de caractériser l'image étendue qui remplit le premier quatrain.

2) La plupart des images dans les trois dernières strophes sont des comparaisons. Pourquoi le sujet traité demande-t-il des comparaisons? Examinez chaque comparaison et portez un jugement sur sa justesse, sa beauté, sa puissance évocatrice.

3) D'après vous, ce sonnet est-il une bonne démonstration de la théorie de Baudelaire?

❊ 36 ❊   SOUPIR

Stéphane Mallarmé (1842-1898)

Mon âme vers ton front où rêve, ô calme sœur,
Un automne jonché de taches de rousseur
Et vers le ciel errant de ton œil angélique
Monte, comme dans un jardin mélancolique,
Fidèle, un blanc jet d'eau soupire vers l'Azur!   5
—Vers l'Azur attendri d'Octobre pâle et pur
Qui mire aux grands bassins sa langueur infinie
Et laisse, sur l'eau morte où la fauve agonie
Des feuilles erre au vent et creuse un froid sillon,
Se traîner le soleil jaune d'un long rayon. (1864)   10

1) Essayez d'analyser ce poème, en indiquant: (a) le fil logique, ici subjectif et ténu; (b) l'emploi des images et de la description objective (si elle existe) comme moyens d'embellissement. Y a-t-il autre chose dans ce poème que la réalisation de la beauté par des moyens objectifs? La beauté que suggère ce poème est-elle dure et brillante, ou bien provient-elle des demi-teintes et des allusions?

2) Les images servent-elles à autre chose qu'à embellir le thème? Ont-elles un effet symbolique?

✕ 37 ✕   PASTEURS ET TROUPEAUX

Victor Hugo (1802-1885)

Le vallon où je vais tous les jours est charmant,
Serein, abandonné, seul sous le firmament,
Plein de ronces en fleurs; c'est un sourire triste.
Il vous fait oublier que quelque chose existe,
Et, sans le bruit des champs remplis de travailleurs,   5
On ne saurait plus là si quelqu'un vit ailleurs.
Là, l'ombre fait l'amour; l'idylle naturelle
Rit; le bouvreuil avec le verdier s'y querelle,
Et la fauvette y met de travers son bonnet;
C'est tantôt l'aubépine et tantôt le genêt;   10
De noirs granits bourrus, puis des mousses riantes;
Car Dieu fait un poème avec des variantes;
Comme le vieil Homère, il rabâche parfois,
Mais c'est avec les fleurs, les monts, l'onde et les bois!
Une petite mare est là, ridant sa face,   15
Prenant des airs de flot pour la fourmi qui passe,
Ironie étalée au milieu du gazon,
Qu'ignore l'océan grondant à l'horizon.
J'y rencontre parfois sur la roche hideuse
Un doux être; quinze ans, yeux bleus, pieds nus, gardeuse   20
De chèvres, habitant, au fond d'un ravin noir,
Un vieux chaume croulant qui s'étoile le soir;
Ses sœurs sont au logis et filent leur quenouille;
Elle essuie aux roseaux ses pieds que l'étang mouille;
Chèvres, brebis, béliers, paissent; quand, sombre esprit,   25
J'apparais, le pauvre ange a peur, et me sourit;
Et moi, je la salue, elle étant l'innocence.

103

Ses agneaux, dans le pré plein de fleurs qui l'encense,
Bondissent, et chacun, au soleil s'empourprant,
Laisse aux buissons, à qui la bise le reprend,   30
Un peu de sa toison, comme un flocon d'écume.
Je passe; enfant, troupeau, s'effacent dans la brume;
Le crépuscule étend sur les longs sillons gris
Ses ailes de fantôme et de chauve-souris;
J'entends encore au loin dans la plaine ouvrière   35
Chanter derrière moi la douce chevrière,
Et, là-bas, devant moi, le vieux gardien pensif
De l'écume, du flot, de l'algue, du récif,
Et des vagues sans trêve et sans fin remuées,
Le pâtre promontoire au chapeau de nuées,   40
S'accoude et rêve au bruit de tous les infinis,
Et, dans l'ascension des nuages bénis,
Regarde se lever la lune triomphale,
Pendant que l'ombre tremble, et que l'âpre rafale
Disperse à tous les vents avec son souffle amer   45
La laine des moutons sinistres de la mer.   (1855)

EXERCICES

1) Analysez ce poème (a) comme exemple de description objective,
(b) comme poème embelli par les images. Croyez-vous que la grandiose
image finale fut ajoutée après coup pour donner au poème une conclusion majestueuse, ou que tout le poème sortit de cette image?

2) Ce poème a-t-il un fil logique autre que le sujet évident (la
promenade du poète)?

�308 ✳   RECUEILLEMENT

Charles Baudelaire (1821-1867)

Sois sage, ô ma Douleur, et tiens-toi plus tranquille.
Tu réclamais le Soir; il descend; le voici:
Une atmosphère obscure enveloppe la ville,
Aux uns portant la paix, aux autres le souci.

Pendant que des mortels la multitude vile,   5
Sous le fouet du Plaisir, ce bourreau sans merci,
Va cueillir des remords dans la fête servile,
Ma Douleur, donne-moi la main; viens par ici,

Loin d'eux. Vois se pencher les défuntes Années,
Sur les balcons du ciel, en robes surannées;   10
Surgir du fond des eaux le Regret souriant;

Le Soleil moribond s'endormir sous une arche,
Et, comme un long linceul traînant à l'Orient,
Entends, ma chère, entends la douce Nuit qui marche.   (1862)

Ce sonnet, l'un des plus célèbres de Baudelaire, est difficile à classer. Nous aurions pu le citer dans la dernière partie du livre, parmi les poèmes d'expression indirecte, car s'il n'est pas obscur, le fond du poème n'en est pas moins exprimé d'une façon indirecte. Mais l'emploi curieux des images et une description subjective plutôt qu'objective rendent ce sonnet propre à être étudié ici.

La scène fut sans doute suggérée par la vue qu'avait Baudelaire des fenêtres de l'Hôtel de Lauzun sur le quai d'Anjou dans l'île Saint-Louis, où le poète habita pendant quelques années.

EXERCICES

1) Quel est le thème central de ce poème? Dites à votre façon ce que voit le poète, ce qu'il fait, ce qu'il ressent.

2) Comment le poète donne-t-il à la Douleur l'aspect symbolique d'une femme? Pourquoi peut-on appeler cette figure un symbole plutôt qu'une métaphore?

3) Quelle est la figure employée plusieurs fois dans ce sonnet, et que nous avons déjà rencontrée près du début de ce chapitre? En quoi son emploi par Baudelaire est-il plus poétique que son emploi par Jean-Baptiste Rousseau?

4) Examinez les effets d'harmonie imitative dans le poème (surtout aux vers 6, 13 et 14).

5) Ce poème crée-t-il une impression générale de tristesse ou de calme résigné? ou une combinaison des deux? Essayez d'expliquer comment les images et les effets harmoniques contribuent à créer ces impressions.

CHAPITRE QUATRE

Le triomphe de l'image

Vers la fin du dix-neuvième siècle, certains poètes français, convaincus que les images, par leur puissance évocatrice, suffisaient en elles-mêmes à créer la beauté poétique, firent des poèmes composés uniquement d'images. Parfois le fil logique était très vague, très insignifiant, parfois il manquait totalement. Cette tendance était en somme très raisonnable: si les images sont le langage de la poésie, pourquoi ne pas faire des poèmes composés de suites ou de mosaïques d'images? Le fameux sonnet *Voyelles,* si souvent commenté, apparaît comme une suite d'images dont chacune illustre une couleur attribuée à une voyelle. On peut donc y voir une application de la théorie des correspondances formulée par Baudelaire (voir No. 35).

✸ 39 ✸   VOYELLES

Arthur Rimbaud (1854-1891)

A noir, E blanc, I rouge, U vert, O bleu: voyelles,
Je dirai quelque jour vos naissances latentes:
A, noir corset velu des mouches éclatantes
Qui bombinent autour des puanteurs cruelles,

Golfes d'ombre; E, candeurs des vapeurs et des tentes,   5
Lances des glaciers fiers, rois blancs, frissons d'ombelles;
I, pourpres, sang craché, rire des lèvres belles
Dans la colère ou les ivresses pénitentes;

U, cycles, vibrements divins des mers virides,
Paix des pâtis semés d'animaux, paix des rides   10
Que l'alchimie imprime aux grands fronts studieux;

O, suprême Clairon plein de strideurs étranges,
Silences traversés des Mondes et des Anges:
—O, l'Oméga, rayon violet de Ses Yeux!   (1871)

v. 4. *bombinent.* Bourdonnent.
v. 9. *virides.* Verts.

La plupart des critiques croient aujourd'hui que Rimbaud n'a pas voulu faire prendre au sérieux son attribution des différentes couleurs aux différentes voyelles.[1] L'intérêt du sonnet vient des images par lesquelles l'auteur essaie d'illustrer ou de représenter les voyelles et leurs couleurs, et si on est obligé de remarquer que ni l'application d'une image à une certaine couleur, ni l'attribution de cette couleur à une certaine voyelle, ne sont toujours convaincantes, ces images suffisent en elles-mêmes à faire un excellent poème.

EXERCICES

1) Essayez de justifier le choix fait par Rimbaud de chaque couleur pour chaque voyelle.

2) Rimbaud aurait-il pu aussi bien attribuer d'autres couleurs aux voyelles? Est-ce que vous suggéreriez d'autres couleurs vous-même?

Vers la même époque, Rimbaud écrivit un poème beaucoup plus long et bien plus intéressant, *le Bateau ivre,* qui doit une très grande partie de sa beauté à des images aussi éblouissantes qu'insolites.

[1] Voici une opinion tout à fait différente: «Ce sonnet n'est pas seulement une suite d'images dont chacune illustre une couleur attribuée à une voyelle. Ces images forment une série de contrastes. A la corruption de l'A noir s'oppose l'élan religieux de l'E blanc. Si l'I rouge symbolise la violence de la passion sensuelle, l'U vert évoque la paix que donnent la nature ou la sagesse. Ainsi les voyelles, de même que les couleurs du prisme, reçoivent de la plume du poète une valeur de signes: elles représentent les divers conflits qui déchirent l'humanité. Pour le Rimbaud de la *Lettre du Voyant,* il faut que le poète ait subi ces conflits dans son âme et dans sa chair pour qu'il puisse avoir la révélation de l'Inconnu. *Voyelles,* à mon avis, est l'expression poétique de l'ambition manifestée dans la *Lettre du Voyant.*»

LE BATEAU IVRE

Arthur Rimbaud (1854-1891)

Comme je descendais des Fleuves impassibles,
Je ne me sentis plus guidé par les haleurs:
Des Peaux-Rouges criards les avaient pris pour cibles,
Les ayant cloués nus aux poteaux de couleurs.

J'étais insoucieux de tous les équipages,   5
Porteur de blés flamands ou de cotons anglais.
Quand avec mes haleurs ont fini ces tapages,
Les Fleuves m'on laissé descendre où je voulais.

Dans les clapotements furieux des marées,
Moi, l'autre hiver, plus sourd que les cerveaux d'enfants,   10
Je courus! et les Péninsules démarrées
N'ont pas subi tohu-bohus plus triomphants.

La tempête a béni mes éveils maritimes.
Plus léger qu'un bouchon j'ai dansé sur les flots
Qu'on appelle rouleurs éternels de victimes,   15
Dix nuits, sans regretter l'œil niais des falots!

Plus douce qu'aux enfants la chair des pommes sures,
L'eau verte pénétra ma coque de sapin
Et des taches de vins bleus et des vomissures
Me lava, dispersant gouvernail et grappin.   20

Et, dès lors, je me suis baigné dans le Poème
De la Mer, infusé d'astres, et lactescent,
Dévorant les azurs verts où, flottaison blême
Et ravie, un noyé pensif parfois descend;

Où, teignant tout à coup les bleuités, délires   25
Et rythmes lents sous les rutilements du jour,
Plus fortes que l'alcool, plus vastes que nos lyres,
Fermentent les rousseurs amères de l'amour!

Je sais les cieux crevant en éclairs, et les trombes
Et les ressacs et les courants: je sais le soir,   30
L'Aube exaltée ainsi qu'un peuple de colombes,
Et j'ai vu quelquefois ce que l'homme a cru voir.

J'ai vu le soleil bas, taché d'horreurs mystiques,
Illuminant de longs figements violets,
Pareils à des acteurs de drames très antiques, 35
Les flots roulant au loin leurs frissons de volets!

J'ai rêvé la nuit verte aux neiges éblouies,
Baiser montant aux yeux des mers avec lenteurs,
La circulation des sèves inouïes,
Et l'éveil jaune et bleu des phosphores chanteurs! 40

J'ai suivi, des mois pleins, pareille aux vacheries
Hystériques, la houle à l'assaut des récifs,
Sans songer que les pieds lumineux des Maries
Pussent forcer le mufle aux Océans poussifs!

J'ai heurté, savez-vous, d'incroyables Florides 45
Mêlant aux fleurs des yeux de panthères à peaux
D'hommes! Des arcs-en-ciel tendus comme des brides,
Sous l'horizon des mers, à de glauques troupeaux!

J'ai vu fermenter les marais énormes, nasses
Où pourrit dans les joncs tout un Léviathan! 50
Des écroulements d'eaux au milieu des bonaces
Et les lointains vers les gouffres cataractant!

Glaciers, soleils d'argent, flots nacreux, cieux de braises,
Échouages hideux au fond des golfes bruns
Où les serpents géants dévorés des punaises 55
Choient, des arbres tordus, avec de noirs parfums!

J'aurais voulu montrer aux enfants ces dorades
Du flot bleu, ces poissons d'or, ces poissons chantants.
—Des écumes de fleurs ont bercé mes dérades,
Et d'ineffables vents m'ont ailé par instants. 60

Parfois, martyr lassé des pôles et des zones,
La mer dont le sanglot faisait mon roulis doux
Montait vers moi ses fleurs d'ombre aux ventouses jaunes
Et je restais, ainsi qu'une femme à genoux . . .

Presque île, ballottant sur mes bords les querelles 65
Et les fientes d'oiseaux clabaudeurs aux yeux blonds,

Et je voguais, lorsqu'à travers mes liens frêles
Des noyés descendaient dormir, à reculons!

Or moi, bateau perdu sous les cheveux des anses,
Jeté par l'ouragan dans l'éther sans oiseau,   70
Moi dont les Monitors et les voiliers des Hanses
N'auraient pas repêché la carcasse ivre d'eau;

Libre, fumant, monté de brumes violettes,
Moi qui trouais le ciel rougeoyant comme un mur
Qui porte, confiture exquise aux bons poètes,   75
Des lichens de soleil et des morves d'azur;

Qui courais, taché de lunules électriques,
Planche folle, escorté des hippocampes noirs,
Quand les juillets faisaient crouler à coups de triques
Les cieux ultramarins aux ardents entonnoirs;   80

Moi qui tremblais, sentant geindre à cinquante lieues
Le rut des Béhémots et les Maelstroms épais,
Fileur éternel des immobilités bleues,
Je regrette l'Europe aux anciens parapets!

J'ai vu des archipels sidéraux! et des îles   85
Dont les cieux délirants sont ouverts au vogueur:
—Est-ce en ces nuits sans fond que tu dors et t'exiles,
Million d'oiseaux d'or, ô future Vigueur?—

Mais, vrai, j'ai trop pleuré! Les Aubes sont navrantes.
Toute lune est atroce et tout soleil amer: 90
L'âcre amour m'a gonflé de torpeurs enivrantes.
O que ma quille éclate! O que j'aille à la mer!

Si je désire une eau d'Europe, c'est la flache
Noire et froide où vers le crépuscule embaumé
Un enfant accroupi, plein de tristesses, lâche   95
Un bateau frêle comme un papillon de mai.

Je ne puis plus, baigné de vos langueurs, ô lames,
Enlever leur sillage aux porteurs de cotons,
Ni traverser l'orgueil des drapeaux et des flammes,
Ni nager sous les yeux horribles des pontons!   (1871)   100

v. 25. *bleuités.* Teintes tirant sur le bleu.
v. 40. *phosphores.* Phosphorescences.
v. 71. *Hanses.* Les villes de la *Ligue Hanséatique* (alliance commerciale du nord-ouest de l'Allemagne au Moyen Age). Lubeck, Brème et Hambourg étaient les principaux membres de la Ligue.

On a dit que *le Bateau ivre* est obscur. Il ne l'est pas, bien que la rareté de certains mots et l'étrangeté de quelques-unes des images le rendent difficile par endroits. A première vue, ce poème traite du thème de l'évasion, très courant à l'époque, thème favori d'écrivains aussi divers que Leconte de Lisle, Baudelaire, Flaubert et Mallarmé. Mais ici l'élément subjectif est réduit au minimum par le fait que le narrateur est un bateau à la dérive plutôt qu'un poète à la dérive. Les réflexions qu'un bateau peut faire sur ses expériences sont évidemment assez limitées. Le refus du monde moderne et le désir d'évasion ne sont guère mis en évidence.

Le poème a pour sujet véritable les impressions sensorielles du bateau *ivre* dans ses vagabondages à travers toutes les mers du monde. Ces impressions s'expriment dans une série d'images d'une variété et d'une richesse étonnantes. L'acuité, la fraîcheur et le fantasque de ces images font de ce poème une peinture prodigieuse des merveilles de la mer (*je me suis baigné dans le Poème de la Mer*), la meilleure expression de ces merveilles qui existe en poésie.

Le thème, les merveilles de la mer, donne au poète l'occasion de multiplier d'étranges impressions sensorielles: couleurs brillantes et rares, fulgurations, bruits stridents ou inquiétants, et toute la gamme des odeurs. Les figures usées, les attributs conventionnels, sont absents du *Bateau ivre;* à leur place nous trouvons le germe d'une méthode qui, chez ces héritiers de Rimbaud que sont les surréalistes, tournera parfois au procédé. Comme nous le verrons plus tard, les surréalistes prétendent que l'étincelle poétique jaillit du rapprochement de deux réalités plus ou moins éloignées. Dans ce poème il n'y a pas d'images vraiment surréalistes, mais il y a des rapprochements qui sont pour le moins inattendus:

> flottaison blême
> Et ravie, un noyé pensif parfois descend . . .

> L'œil niais des falots . . .

> Fermentent les rousseurs amères de l'amour . . .

L'influence de Baudelaire, qui fut le premier (ou l'un des premiers) à chercher dans le laid ou le répugnant une source de beauté poétique, est évidente dans cette œuvre (voir les vers 50, 54-56). On reconnaît aussi cette influence dans l'expression *de noirs parfums*, qui fait songer à la théorie des correspondances.

Le Bateau ivre n'est pas uniquement une suite de descriptions pures. Cette série d'images éblouissantes nous donne une impression, plutôt une vision—une vraie vision—d'un monde de beautés féeriques.

EXERCICES

1) Relevez tous les rapprochements inattendus que vous trouvez dans ce poème (substantif qualifié par un adjectif surprenant, comparaison ou métaphore sans rapport logique avec l'objet de la comparaison, etc.).

2) Faites une liste des images plus ou moins conventionnelles, et commentez-les.

3) Pensez-vous que Rimbaud emploie la méthode de Banville—commencer par une paire de rimes sonores, ajouter ensuite le vers? Justifiez votre réponse.

4) Un critique récent, grand destructeur de mythes, dit qu'en somme *le Bateau ivre* est un poème du genre «parnassien», et que c'est une erreur de vouloir trouver des qualités mystiques ou symboliques dans le poème. Que pensez-vous de ce jugement? (*La Panthère noire*, No. 19, et *Héraklès au taureau*, No. 18, peuvent être considérés comme des poèmes parnassiens typiques.)

5) D'autre part, un critique américain, Bernard Weinberg ("*Le Bateau ivre*, or The Limits of Symbolism," *PMLA*, Vol. LXXII, March, 1957, pp. 165-193) a fait une exégèse détaillée des *symboles* du *Bateau ivre*. Il a essayé de dégager le *sens* de ce voyage spirituel du poète-bateau. Essayez vous-même, en étudiant le fil logique de ce poème, de justifier le point de vue de Weinberg.

Tout en admirant la beauté fulgurante des images du *Bateau ivre*, il faut y reconnaître la présence d'un sens symbolique, d'un message poétique. Un peu plus tard (vers 1873), Rimbaud sembla rejeter toute apparence de développement logique dans un groupe de poèmes en prose intitulé *Illuminations*. La plupart de ces poèmes en prose sont formés d'une série d'images qui, à première vue, paraissent incohérentes et dépourvues de tout lien logique.

On peut à peine trouver un rapport vague entre les images et un sujet très général—indiqué par le titre du poème. Il n'est pas toujours possible d'en donner une interprétation simple et littérale. Le poème suivant est l'un des moins obscurs:

✻ 41 ✻   AUBE

Arthur Rimbaud (1854-1891)

J'ai embrassé l'aube d'été.
Rien ne bougeait encore au front des palais. L'eau était morte. Les camps d'ombres ne quittaient pas la route du bois. J'ai marché, réveillant les haleines vives et tièdes, et les pierreries regardèrent, et les ailes se levèrent sans bruit.   5
La première entreprise fut, dans le sentier déjà empli de frais et blêmes éclats, une fleur qui me dit son nom.
Je ris au wasserfall blond qui s'échevela à travers les sapins: à la cime argentée je reconnus la déesse.
Alors je levai un à un les voiles. Dans l'allée, en agitant les bras.   10
Par la plaine, où je l'ai dénoncée au coq. A la grand'ville elle fuyait parmi les clochers et les dômes, et courant comme un mendiant sur les quais de marbre, je la chassais.
En haut de la route, près d'un bois de lauriers, je l'ai entourée avec ses voiles amassés, et j'ai senti un peu son immense corps.   15
L'aube et l'enfant tombèrent au bas du bois.
Au réveil il était midi.   (*circa* 1872-1875)

EXERCICES

1) Faites une liste des figures plus ou moins conventionnelles utilisées dans ce poème (métaphores ou comparaisons), et des rapprochements inattendus d'images.

2) Le sens général et les détails d'un poème peuvent être obscurs, même si la construction syntactique est assez évidente. Notez ici que chaque paragraphe *dit* quelque chose et que les images sont reliées par le fil logique d'un *récit*, la narration d'une aventure imaginaire. Essayez de raconter à votre façon cette *aventure* du poète, et de dire à quels détails réels d'un paysage les images se rapportent. L'*aventure* du poète est-elle symbolique ou allégorique? Est-ce qu'il ne fait que raconter, sous une forme très originale, une promenade à l'aube?

3) Caractérisez le sentiment de la nature dans ce poème, en analysant les images les unes après les autres.

Rimbaud alla beaucoup plus loin que la plupart de ses contemporains dans «l'emploi déréglé et passionnel du *stupéfiant-image*» (Aragon). Mais d'autres poètes de la dernière partie du dix-neuvième siècle écrivirent des poèmes faits de suites d'images, sans fil logique, ou au fil logique très ténu. Voici une simple série de notations impressionnistes:

✸ 42 ✸

FENÊTRES OUVERTES
Le Matin—en dormant
Victor Hugo (1802-1885)

J'entends des voix. Lueurs à travers ma paupière.
Une cloche est en branle à l'église Saint-Pierre.
Cris des baigneurs: «Plus près! plus loin! non, par ici!
Non, par là!» Les oiseaux gazouillent, Jeanne aussi.
Georges l'appelle. Chants des coqs. Une truelle 5
Racle un toit. Des chevaux passent dans la ruelle.
Grincement d'une faux qui coupe le gazon.
Chocs. Rumeurs. Des couvreurs marchent sur la maison.
Bruits du port. Sifflement des machines chauffées.
Musique militaire arrivant par bouffées. 10
Brouhaha sur le quai. Voix françaises: «Merci.
Bonjour. Adieu.» Sans doute il est tard, car voici
Que vient tout près de moi chanter mon rouge-gorge.
Vacarme de marteaux lointains dans une forge.
L'eau clapote. On entend haleter un steamer. 15
Une mouche entre. Souffle immense de la mer. (1870)

Victor Hugo passa une bonne partie de son exil (1856-1870) à Guernesey, petite île anglo-normande de la Manche. Il y revint plusieurs fois après son retour en France. La maison qu'il occupait dans l'île, Hauteville-House, était voisine de la mer. C'est là qu'il écrivit *Fenêtres ouvertes*. Georges et Jeanne étaient ses deux petits-enfants, âgés de quatre à cinq ans.

Exercices

1) Toutes ces notations sont vives et naturelles, ce sont des impressions que le poète aurait pu avoir à son réveil, un matin d'été, fenêtres ouvertes, dans cette grande maison au-dessus du port dans la petite ville de Saint-Pierre-Port. Mais qu'est-ce qui a pu décider du *choix* des notations et de leur arrangement? Elles ne présentent aucune suite logique.

2) Y a-t-il dans ce poème un arrangement autre que celui qu'imposaient les nécessités de la rime?

3) On peut sans aucun doute trouver, dans le choix et dans l'arrangement des notations, une expression des goûts et des tendances de Victor Hugo. Cherchez dans ce choix et dans cet arrangement des indications du goût prononcé et quelquefois excessif du poète pour les antithèses (Dieu et l'homme, la ville et la campagne, le grand et le petit, etc.).

4) Quelle est l'importance du détail *voix françaises?*

5) Commentez les deux dernières notations du poème.

✵ 43 ✵   L'HIVER QUI VIENT

Jules Laforgue (1860-1887)

Blocus sentimental! Messageries du Levant! . . .
Oh, tombée de la pluie! Oh, tombée de la nuit,
Oh! le vent! . . .
La Toussaint, la Noël et la Nouvelle Année,
Oh, dans les bruines, toutes mes cheminées! . . .   5
D'usines . . .

On ne peut plus s'asseoir, tous les bancs sont mouillés;
Crois-moi, c'est bien fini jusqu'à l'année prochaine,
Tous les bancs sont mouillés, tant les bois sont rouillés,
Et tant les cors ont fait ton ton, ont fait ton taine! . . .   10
Ah! nuées accourues des côtes de la Manche,
Vous nous avez gâté notre dernier dimanche.

Il bruine;
Dans la forêt mouillée, les toiles d'araignées
Ploient sous les gouttes d'eau, et c'est leur ruine.   15
Soleils plénipotentiaires des travaux en blonds Pactoles
Des spectacles agricoles,
Où êtes-vous ensevelis?
Ce soir un soleil fichu gît au haut du coteau,
Gît sur le flanc, dans les genêts, sur son manteau.   20
Un soleil blanc comme un crachat d'estaminet
Sur une litière de jaunes genêts,
De jaunes genêts d'automne.
Et les cors lui sonnent!
Qu'il revienne . . .   25

115

Qu'il revienne à lui!
Taïaut! Taïaut! et hallali!
O triste antienne, as-tu fini! . . .
Et font les fous! . . .
Et il gît là, comme une glande arrachée dans un cou,   30
Et il frissonne, sans personne! . . .

Allons, allons, et hallali!
C'est l'Hiver bien connu qui s'amène;
Oh! les tournants des grandes routes,
Et sans petit Chaperon Rouge qui chemine! . . .   35
Oh! leurs ornières des chars de l'autre mois,
Montant en don quichottesques rails
Vers les patrouilles des nuées en déroute
Que le vent malmène vers les transatlantiques bercails! . . .
Accélérons, accélérons, c'est la saison bien connue, cette fois.   40
Et le vent, cette nuit, il en a fait de belles!
O dégâts, ô nids, ô modestes jardinets!
Mon cœur et mon sommeil: ô échos des cognées! . . .

Tous ces rameaux avaient encor leurs feuilles vertes,
Les sous-bois ne sont plus qu'un fumier de feuilles mortes;   45
Feuilles, folioles, qu'un bon vent vous emporte
Vers les étangs par ribambelles,
Ou pour le feu du garde-chasse,
Ou les sommiers des ambulances
Pour les soldats loin de la France.   50

C'est la saison, c'est la saison, la rouille envahit les masses,
La rouille ronge en leurs spleens kilométriques
Les fils télégraphiques des grandes routes où nul ne passe.

Les cors, les cors, les cors—mélancoliques! . . .
Mélancoliques! . . .   55
S'en vont, changeant de ton,
Changeant de ton et de musique,
Ton ton, ton taine, ton ton! . . .
Les cors, les cors, les cors! . . .
S'en sont allés au vent du Nord.   60

Je ne puis quitter ce ton: que d'échos! . . .
C'est la saison, c'est la saison, adieu vendanges! . . .

Voici venir les pluies d'une patience d'ange,
Adieu vendanges, et adieu tous les paniers,
Tous les paniers Watteau des bourrées sous les marronniers,   65
C'est la toux dans les dortoirs du lycée qui rentre,
C'est la tisane sans le foyer,
La phtisie pulmonaire attristant le quartier,
Et toute la misère des grands centres.

Mais, lainages, caoutchoucs, pharmacie, rêve,   70
Rideaux écartés du haut des balcons des grèves
Devant l'océan de toitures des faubourgs,
Lampes, estampes, thé, petits-fours,
Serez-vous pas mes seules amours! . . .
(Oh! et puis, est-ce que tu connais, outre les pianos,   75
Le sobre et vespéral mystère hebdomadaire
Des statistiques sanitaires
Dans les journaux?)

Non, non! c'est la saison et la planète falote!
Que l'autan, que l'autan   80
Effiloche les savates que le temps se tricote!
C'est la saison, oh déchirements! c'est la saison!
Tous les ans, tous les ans,
J'essaierai en chœur d'en donner la note.   (1886)

v. 10. *ton ton . . . ton taine.* Imitation onomatopoétique du son d'un cor.
v. 37. *don quichottesques rails.* Les rails semblent monter vers les nuages
    comme si, pareils à Don Quichotte, ils voulaient attaquer un troupeau
    de moutons dans le ciel.
v. 49. *les sommiers des ambulances.* On prétend que les matelas et les som-
    miers des ambulances militaires françaises sont bourrés de feuilles mortes.
v. 65. *les paniers Watteau.* Le poète joue sur les deux sens du mot *panier.*
    Les femmes dans les tableaux de Watteau portent des *paniers* (jupons
    bouffants, sur des cerceaux de baleine).

EXERCICES

1) Quel est le sujet, ou le fil logique, de ce poème? Est-il important?
Essayez de résumer le sujet du poème.

2) Faites une liste des images qui contiennent des rapprochements
inattendus. Y a-t-il des rapprochements si inattendus qu'ils sont illogiques ou incohérents? Y a-t-il des images où le poète fait naître la
beauté poétique de détails laids ou déplaisants? Y a-t-il des images
ironiques ou humoristiques?

117

ORAGE

Pierre Reverdy (1889-1960)

La fenêtre
    Un trou vivant où l'éclair bat
Plein d'impatience
    Le bruit a percé le silence
On ne sait plus si c'est la nuit   5
    La maison tremble
Quel mystère
La voix qui chante va se taire
Nous étions plus près
              Au-dessous   10
Celui qui cherche
    Plus grand que ce qu'il cherche
Et c'est tout
       Soi
Sous le ciel ouvert   15
           Fendu
Un éclat où le souffle est resté
              Suspendu (1918)

Pierre Reverdy est le poète français dont l'œuvre ressemble le plus à celle des poètes américains de l'école *imagiste*. (Il avait à peu près le même âge que les poètes de ce groupe, tels que John Gould Fletcher ou H. D.) Les poèmes de Reverdy sont plus vagues, moins précis, que la poésie des *imagistes* américains, mais ils consistent comme elle en une série d'impressions sensorielles qui, par leur accumulation, produisent un effet très défini. Un poème de ce genre doit être court et concentré. A vrai dire, *Orage* n'a pas de fil logique, mais il a un sujet et un groupe d'images qui s'y rapportent. Images et sujet ont dans ce poème un rapport plus défini que dans *Aube* de Rimbaud.

Exercices

1) Essayez d'expliquer le sens de chaque image et son rapport avec le sujet: un orage la nuit.

2) Pouvez-vous trouver un sens précis pour les vers 7 à 12?

3) La disposition typographique du poème est-elle purement arbitraire ou produit-elle un effet rythmique défini, en rapport avec le sujet? Pourrait-on dire que le rythme *halète*?

4) Bien avant Reverdy, Mallarmé écrivit un poème, *Un Coup de Dés jamais n'abolira le Hasard,* où la disposition typographique représente des objets suggérés par le sens (très obscur) du poème. Reverdy a-t-il pu vouloir essayer le même effet ici? Voyez-vous des *éclairs* sur la page?

✴ 45 ✴   ÉLOGES
                            Saint-John Perse (1887-   )

                                      VII

 Un peu de ciel bleuit au versant de nos ongles. La journée sera
chaude où s'épaissit le feu. Voici la chose comme elle sera:
 un grésillement aux gouffres écarlates, l'abîme piétiné des buffles
de la joie (ô joie inexplicable sinon par la lumière!) Et le malade, en
mer, dira
    qu'on arrête le bateau pour qu'on puisse l'ausculter.   5
 Et grand loisir alors à tous ceux de l'arrière, les ruées du silence
refluant à nos fronts . . . Un oiseau qui suivait, son vol l'emporte
par-dessus tête, il évite le mât, il passe, nous montrant ses pattes
roses de pigeon, sauvage comme Cambyse et doux comme Assuérus.   10
. . . Et le plus jeune des voyageurs, s'asseyant de trois quarts sur
la lisse: «Je veux bien vous parler des sources sous la mer . . .»
(on le prie de conter)
 —Cependant le bateau fait une ombre vert-bleue; paisible, clair-
voyante, envahie de glucoses où paissent   15
    en bandes souples qui sinuent
ces poissons qui s'en vont comme le thème au long du chant.

 . . . Et moi, plein de santé, je vois cela, je vais
près du malade et lui conte cela:
et voici qu'il me hait.   (1910)   20

v. 15. *glucoses.* Ce mot, qui veut dire *sucre de raisin,* a le même sens en
  anglais qu'en français. Louise Varèse, qui a traduit *Éloges,* en con-
  sultant l'auteur, donne *glucosic shapes,* ce qui n'éclaire pas beaucoup la
  compréhension de l'image.

                               EXERCICES

 1) Comparez ce petit poème au *Bateau ivre* de Rimbaud (No. 40).
Ici le narrateur n'est pas un bateau, mais le poète, qui rappelle peut-
être un souvenir de son enfance ou de sa jeunesse. Donne-t-il des merveilles de la mer (en beaucoup plus petit, bien entendu) la même im-

pression que Rimbaud? Pourquoi le malade hait-il le narrateur? Expliquez pourquoi les images sont bien plus importantes que le fil logique.

2) Commentez les images surprenantes, les rapprochements inattendus (aux lignes 1, 4, 7-8, 14, surtout).

L'exploitation de l'image comme unique matière poétique fut poussée jusqu'à ses limites logiques (ou illogiques) par les dadaïstes et leurs successeurs, les surréalistes, au cours des années 1920-1930. Les dadaïstes étaient foncièrement nihilistes: jeter le ridicule sur tout puis tout détruire était leur programme. Ils attaquèrent violemment ceux qui refusèrent de les prendre au sérieux, et ensuite se moquèrent tout aussi violemment de ceux qui les prirent au sérieux. Leurs poésies sont (ou paraissent être, à première vue) des assemblages hétéroclites d'images, des rapprochements incongrus d'objets ou de concepts dépourvus de tout rapport.

Le dadaïste Tzara a donné la recette suivante pour faire un poème: Prenez un journal, prenez des ciseaux, choisissez un article, découpez-le, découpez ensuite chaque mot, mettez-les dans un sac, agitez, sortez-les un à un et écrivez-les dans l'ordre où ils sortent. Les surréalistes, quelques années après l'apparition du dadaïsme, ont adopté cette méthode de composition poétique (on trouve plusieurs exemples de poèmes ainsi faits dans le *Manifeste du Surréalisme* d'André Breton), mais ils se sont aussi essayés à l'écriture *automatique,* et ils ont créé des *jeux* surréalistes qui avaient pour but la production de rapprochements inattendus. L'un de ces jeux s'appelle *le Cadavre exquis* parce que la première phrase produite par le jeu était celle-ci: *Le cadavre exquis boira le vin nouveau.* Les phrases se confectionnent de la façon que voici: Chaque membre du groupe écrit sur une feuille le substantif devant servir de sujet à une phrase, plie la feuille pour cacher ce qu'il a écrit, et la passe à son voisin qui applique au substantif un adjectif; la feuille passe ensuite à un troisième qui ajoutera le verbe, un quatrième inscrira le complément du verbe, le cinquième terminera la phrase avec un adjectif qui qualifie le complément. Voici deux exemples du résultat:

Le dortoir des petites filles friables rectifie la boîte odieuse . . .
L'huître du Sénégal mangera le pain tricolore . . .

Une variante est le jeu des questions et des réponses. Le plus

souvent on demande une définition: «Qu'est-ce qu'un . . .?»
Évidemment celui qui écrit la réponse n'a pas vu la question:

Q. Qu'est-ce qu'un parapluie?
R. L'appareil de reproduction chez les gastéropodes.

Les résultats étaient quelquefois si étonnants que, d'après André Breton, ils démontraient la puissance créatrice de ce qu'il appelait *le hasard objectif:*

Q. Qu'est-ce que le viol?
R. L'amour de la vitesse.

Q. Qu'est-ce qui vous dégoûte le plus dans l'amour?
R. C'est vous, cher ami, et c'est moi.

Ces jeux réalisaient le désir des surréalistes de faire cette poésie collective, réclamée par Lautréamont, véritable surréaliste avant la lettre, qui avait dit dès 1870: «La poésie doit être faite par tous, non par un.»

La théorie de l'image surréaliste, c'est-à-dire de l'image produite par le rapprochement de deux réalités apparemment sans rapport, est expliquée ainsi par Breton:

Ce qu'il s'agit de briser, c'est l'opposition toute formelle de ces deux termes; ce dont il s'agit d'avoir raison, c'est de leur apparente disproportion qui ne tient qu'à l'idée imparfaite, infantile, qu'on se fait de la nature, de l'extériorité du temps et de l'espace. Plus l'élément de dissemblance immédiate paraît fort, plus il doit être surmonté et nié. C'est toute la signification de l'objet qui est en jeu. Ainsi deux corps différents, frottés l'un contre l'autre, atteignent, par l'étincelle, à leur unité suprême dans le feu . . .

Les premières images vraiment surréalistes se trouvent dans les étranges *Chants de Maldoror* (1869) d'Isidore Ducasse, qui prit comme pseudonyme *Comte de Lautréamont.* En voici une série remarquable:

Il est beau comme la rétractilité des serres des oiseaux rapaces; ou encore, comme l'incertitude des mouvements musculaires dans les plaies des parties molles de la région cervicale postérieure; ou plutôt, comme ce piège à rats perpétuel, toujours retendu par l'animal pris, qui peut prendre seul des rongeurs indéfiniment, et fonctionner même caché sous la paille; et surtout, comme la rencontre fortuite sur une table de dissection d'une machine à coudre et d'un parapluie!

On trouve chez Alfred Jarry des images faites de rapprochements inattendus. Ces images ne sont pas incohérentes; elles sont fondées sur une sorte de logique froidement folle, et leur objet est humoristique—il s'agit du genre d'humour qu'on appelle en France de l'*humour noir*.

✷ 46 ✷ LE HOMARD ET LA BOÎTE
DE CORNED-BEEF
Alfred Jarry (1873-1907)

Une boîte de corned-beef, enchaînée comme une lorgnette,
Vit passer un homard qui lui ressemblait fraternellement.
Il se cuirassait d'une carapace dure
Sur laquelle était écrit qu'à l'intérieur, comme elle, il était sans arêtes,
(*Boneless and economical*);   5
Et sous sa queue repliée
Il cachait vraisemblablement une clé destinée à l'ouvrir.
Frappé d'amour, le corned-beef sédentaire
Déclara à la petite boîte automobile de conserves vivante,
Que si elle consentait à s'acclimater,   10
Près de lui, aux devantures terrestres,
Elle serait décorée de plusieurs médailles d'or.   (1898)

✷ 47 ✷ LES FENÊTRES
Guillaume Apollinaire (1880-1918)

Du rouge au vert tout le jaune se meurt
Quand chantent les aras dans les forêts natales
Abatis de pihis
Il y a un poème à faire sur l'oiseau qui n'a qu'une aile
Nous l'enverrons en message téléphonique   5
Traumatisme géant
Il fait couler les yeux

122

Voilà une jolie jeune fille parmi les jeunes Turinaises
Le pauvre jeune homme se mouchait dans sa cravate blanche

Tu soulèveras le rideau   10
Et maintenant voilà que s'ouvre la fenêtre
Araignées quand les mains tissaient la lumière
Beauté pâleur insondables violets
Nous tenterons en vain de prendre du repos
On commencera à minuit   15
Quand on a le temps on a la liberté
Bigorneaux Lotte multiples Soleils et l'Oursin du couchant
Une vieille paire de chaussures jaunes devant la fenêtre
Tours
Les Tours ce sont les rues   20
Puits
Puits ce sont les places
Puits
Arbres creux qui abritent les Câpresses vagabondes
Les Chabins chantent des airs à mourir   25
Aux Chabines marronnes
Et l'oie oua-oua trompette au nord
Où les chasseurs de ratons
Raclent les pelleteries
Étincelant diamant   30
Vancouver
Où le train blanc de neige et de feux nocturnes fuit l'hiver

O Paris
Du rouge au vert tout le jaune se meurt
Paris Vancouver Hyères Maintenon New-York et les Antilles   35
La fenêtre s'ouvre comme une orange
Le beau fruit de la lumière   (1913)

v. 3. *pihis.* Dans le poème *Zone,* du même poète, on lit ces deux vers: «De
   Chine sont venus les pihis longs et souples/ Qui n'ont qu'une seule aile
   et qui volent par couples.»
v. 24. *Câpresses.* Nom donné, dans les Antilles françaises, aux personnes issues d'un croisement des nègres et des mulâtres.
v. 25. *Chabins, Chabines.* Sorte de mouton à la laine longue et grossière,
   considéré jadis comme un croisement du bouc et de la brebis.

En dehors du rapprochement inattendu qui lui sert de base,
le poème en prose de Jarry ne présente guère d'intérêt: ce n'est

123

qu'une plaisanterie. Mais le poème d'Apollinaire pose certains problèmes. A plusieurs égards Apollinaire est un surréaliste avant la lettre (il a même inventé le terme—pour sa pièce *Les Mamelles de Tirésias,* drame surréaliste). *Les Fenêtres* est peut-être la plus surréaliste de ses œuvres. On a beaucoup commenté ce poème. On a prétendu que ce n'était qu'une blague, la production collective d'Apollinaire et de quelques amis réunis au café, une suite d'images incohérentes rassemblées au petit bonheur, et faite pour se payer la tête des gens qui prenaient au sérieux la poésie moderne sans la comprendre. D'autre part, Apollinaire en parle comme d'un de ses meilleurs poèmes, et comme d'une œuvre bien à lui. A première vue, le poème paraît plutôt incohérent. Mais quand on l'examine un peu, on trouve du moins comment certaines images sont le produit d'une association d'idées, d'autres le produit d'une association de sons.

EXERCICES

1) Quel est le rapport entre les deux premiers vers du poème?

2) Les vers 10-11 sont clairs. Le vers 12 s'y rapporte-t-il? Pouvez-vous l'expliquer?

3) Trouvez-vous un rapport entre le vers 31 et l'image dans le vers 32? Précisez quel est ce rapport.

4) L'image des deux derniers vers vous paraît-elle juste ou trouvez-vous que ce n'est qu'un rapprochement incohérent fait pour étonner? (Ce poème a été inséré dans le catalogue d'une exposition du peintre Robert Delaunay, qui avait fait plusieurs tableaux intitulés *Fenêtres.* Ces tableaux, où les couleurs primaires dominent, sont d'un genre plutôt abstrait.)

Le poème suivant, par un des fondateurs du dadaïsme, paraît, au premier coup d'œil, d'une absurdité parfaite, une suite arbitraire d'images faites de rapprochements absolument incohérents:

✕ 48 ✕   SUR UNE RIDE DU SOLEIL

Tristan Tzara (1896-   )

noyez matins les soifs les muscles et les fruits
dans la liqueur crue et secrète
la suie tissée en lingots d'or
couvre la nuit lacérée par les motifs brefs

à l'horizon remis à neuf   5
une draperie d'eau courante large vivante
grince petit coefficient particulier
de mon amour
dans la porte soudain éclaircie

harcelée par les désirs éclipses   10
pleureuse accélérée palpitante
tu t'effeuilles en prospectus d'accords privés
l'inconstance de l'eau glisse sur ton corps avec le soleil

par le miracle fendu on entrevoit le masque
jamais claire jamais neuve   15
tu marches c'est la vie qui fait marcher la bielle
et voilà pourquoi les yeux roulent dans leur pourquoi
l'avantage du sang à travers le cri de la vapeur
un éventail de flammes sur le volcan tu sais
que les veines de la tombe   20
ont conduit tant de chansons d'ardeur
à l'échappée
le monde
un chapeau avec des fleurs
le monde   25
un violon jouant sur une fleur
le monde
une bague faite pour une fleur
une fleur fleur pour le bouquet de fleurs fleurs
un porte-cigarette rempli de fleurs   30
une petite locomotive aux yeux de fleurs
une paire de gants pour des fleurs
en peau de fleurs comme nos fleurs fleurs fleurs de fleurs
et un œuf   (1923)

EXERCICES

1) Essayez de démontrer que tout n'est pas arbitraire dans ce poème, qu'il n'aurait pas pu être le produit de la méthode poétique d'après laquelle on tire d'un chapeau des mots découpés et mélangés au hasard. Ne voyez-vous pas que le poète veut produire certains effets (humoristiques—dernier vers; absurdité voulue—vers 17)? Pouvez-vous trouver d'autres de ces *effets*?

2) Essayez de juger la valeur poétique de ce morceau. Lui trouvez-vous un certain charme poétique, ou pensez-vous que là où il n'y a pas de sens, il ne saurait y avoir de valeur poétique?

LA PLUIE
(extrait de POISSON SOLUBLE)

André Breton (1896-   )

La pluie seule est divine, c'est pourquoi quand les orages se-
couent sur nous leurs grands parements, nous jettent leur bourse,
nous esquissons un mouvement de révolte qui ne correspond qu'à un
froissement de feuilles dans une forêt. Les grands seigneurs au jabot
de pluie, je les ai vu passer un jour à cheval et c'est moi qui les ai   5
reçus à la Bonne Auberge. Il y a la pluie jaune, dont les gouttes,
larges comme nos chevelures, descendent tout droit dans le feu
qu'elles éteignent, la pluie noire qui ruisselle à nos vitres avec des
complaisances effrayantes, mais n'oublions pas que la pluie seule est
divine.   10

Ce jour de pluie, jour comme tant d'autres où je suis seul à
garder le troupeau de mes fenêtres au bord d'un précipice sur lequel
est jeté un pont de larmes, j'observe mes mains qui sont des masques
sur des visages, des loups qui s'accommodent si bien de la dentelle
de mes sensations. Tristes mains, vous me cachez toute la beauté   15
peut-être, je n'aime pas votre air de conspiratrices. Je vous ferais
bien couper la tête, ce n'est pas de vous que j'attends un signal;
j'attends la pluie comme une lampe élevée trois fois dans la nuit,
comme une colonne de cristal qui monte et qui descend, entre les
arborescences soudaines de mes désirs. Mes mains ce sont des Vierges   20
dans la petite niche à fond bleu du travail: que tiennent-elles? je ne
veux pas le savoir, je ne veux savoir que la pluie comme une harpe
à deux heures de l'après-midi dans un salon de la Malmaison, la
pluie divine, la pluie orangée aux envers de feuilles de fougère, la
pluie comme des œufs entièrement transparents d'oiseaux-mouches   25
et comme des éclats de voix rendus par le millième écho.

Mes yeux ne sont pas plus expressifs que ces gouttes de pluie
que j'aime recevoir à l'intérieur de ma main; à l'intérieur de ma pensée tombe une pluie qui entraîne des étoiles comme une rivière claire
charrie de l'or qui fera s'entretuer des aveugles. Entre la pluie et moi   30
il a été passé un pacte éblouissant, et c'est en souvenir de ce pacte
qu'il pleut parfois en plein soleil. La verdure c'est encore de la pluie,
ô gazons, gazons. Le souterrain à l'entrée duquel se tient une pierre
tombale gravée de mon nom est le souterrain où il pleut le mieux.
La pluie, c'est de l'ombre sous l'immense chapeau de paille de la   35
jeune fille de mes rêves, dont le ruban est une rigole de pluie. Qu'elle
est belle et que sa chanson, où reviennent les noms des couvreurs
célèbres, que cette chanson sait me toucher! Qu'a-t-on su faire des

diamants, sinon des rivières? La pluie grossit ces rivières, la pluie blanche dans laquelle s'habillent les femmes à l'occasion de leurs noces, et qui sent la fleur de pommier. Je n'ouvre ma porte qu'à la pluie, et pourtant on sonne à chaque instant et je suis sur le point de m'évanouir quand on insiste, mais je compte sur la jalousie de la pluie pour me délivrer enfin et, lorsque je tends mes filets aux oiseaux du sommeil, j'espère avant tout capter les merveilleux paradis de la pluie totale, l'oiseau-pluie comme il y a l'oiseau-lyre. Aussi ne me demandez pas si je vais bientôt pénétrer dans la conscience de l'amour comme certains le donnent à entendre, je vous répète que si vous me voyez me diriger vers un château de verre où s'apprêtent à m'accueillir des mesures de volume nickelées, c'est pour y surprendre la Pluie au bois dormant qui doit devenir mon amante.   (1924)

v. 39. rivières. Jeu de mots. La rivière (collier) de diamants devient une vraie rivière.
v. 51. la Pluie au bois dormant. Allusion à *la Belle au Bois dormant,* célèbre conte de fées de Charles Perrault.

Même si le sens de cette prose reste en grande partie caché dans une sorte de pénombre mystérieuse, tout lecteur confirmera le jugement que ce morceau contient beaucoup plus de beauté poétique que le poème précédent. C'est un extrait d'une longue série (plus de cent pages) de poèmes en prose ajoutés à la suite du *Manifeste du Surréalisme.* Ces poèmes, intitulés *Poisson soluble* (titre purement arbitraire, et qui n'a pas de rapport avec le contenu, mais qui a plus de valeur poétique qu'une simple étiquette, telle que «Opus 1»), sont le produit d'une des activités littéraires des surréalistes, l'écriture automatique. Dans le *Manifeste,* Breton explique comment on fait de l'écriture automatique:

Faites-vous apporter de quoi écrire, après vous être établi en un lieu aussi favorable que possible à la concentration de votre esprit sur lui-même. Placez-vous dans l'état le plus passif, ou réceptif que vous pourrez. Faites abstraction de votre génie, de vos talents et de ceux de tous les autres. Dites-vous bien que la littérature est un des plus tristes chemins qui mènent à tout. Écrivez vite sans sujet préconçu, assez vite pour ne pas retenir et ne pas être tenté de vous relire. La première phrase viendra toute seule, tant il est vrai qu'à chaque seconde il est une phrase étrangère à notre pensée consciente qui ne demande qu'à s'extérioriser. Il est assez difficile de se prononcer sur le cas de la phrase suivante: elle participe sans doute à la fois de notre activité consciente et de l'autre, si l'on admet que le fait d'avoir écrit la première entraîne un minimum de perception . . . Continuez autant qu'il vous plaira . . .

Ceux qui veulent essayer cette méthode ne doivent pas se décourager si le résultat a moins de charme mystérieux que *la Pluie* de Breton. On ne peut exprimer que ce qu'on porte en soi; or André Breton est un des plus grands écrivains de ce siècle; quand il écrivit *Poisson soluble,* il possédait déjà une très grande culture littéraire, et il avait fait un long apprentissage de l'art d'écrire. La poésie naissait spontanément en lui.

Exercices

1) Essayez d'analyser les images de ce poème, en distinguant celles qu'on peut justifier par une comparaison littérale, celles dont la beauté mystérieuse est inexplicable, et celles qui vous paraissent incohérentes et absurdes.

2) En prenant *la Pluie* comme exemple, discutez la valeur des images surréalistes et de leur contribution à la poésie française. Quel est le défaut d'une image fondée sur une comparaison qui est belle, mais qui est connue et attendue? Quelle est la qualité d'une image faite d'une comparaison inattendue et qui d'abord pourrait paraître injustifiée? Laquelle agit le plus sur l'imagination, fait travailler le plus l'imagination? Les images surréalistes ont-elles contribué à renouveler le langage poétique?

TROISIÈME PARTIE

Poésie d'expression directe

Je suis le premier qui ai fait descendre la poésie du Parnasse, et qui ai donné à ce qu'on nomme la Muse, au lieu d'une lyre à sept cordes de convention, les fibres mêmes du cœur de l'homme, touchées et émues par les innombrables frissons de l'âme et de la nature . . .

C'est ainsi qu'Alphonse de Lamartine définissait en 1849 son rôle dans l'évolution de la poésie française. Il connaissait bien son Rousseau, ce *maître de la sensibilité* dont le roman, *La Nouvelle Héloïse* (1761), avait opéré une révolution dans l'histoire de la prose française. Il savait également que les *droits du cœur*, qui avaient dominé la prose à partir de Rousseau, n'avaient pas encore envahi la poésie lyrique. Il voulait donc faire pour la poésie ce que Rousseau, Madame de Staël et Chateaubriand avaient fait pour la prose: l'affranchir des règles rigoureuses du classicisme, de la *lyre à sept cordes de convention;* exprimer tout ce qu'il avait de personnel, d'intime au fond de son cœur. Il va sans dire que les poètes ont toujours exprimé leurs émotions personnelles et intimes. Existe-t-il un poème lyrique, tout objectif, tout indirect qu'il paraisse, où le poète ne traduise pas le plus profond de lui-même? Pourtant aucun poète avant Lamartine n'avait fait du lyrisme personnel un principe de haute esthétique. Après 1820, cette poésie intime allait inspirer les poètes français pendant au moins trois quarts de siècle.

D'après Jean-Jacques Rousseau, le meilleur hommage, la meilleure prière qu'on puisse faire à Dieu, c'est de dire «Oh!». En un sens une interjection de ce genre est l'expression la plus directe, la plus sincère, la plus pure de nos émotions intimes. D'autre part, un poème ne peut jamais être un premier jet. Comme Mallarmé l'a très bien dit, un poème est fait de mots, et l'on pourrait ajouter: de sons, de couleurs, d'odeurs, de rythmes, de rimes . . . et même d'idées. Quand il s'agit de juger un poème où l'élément personnel domine, il faut donc considérer non seulement la valeur du sentiment, mais aussi la manière dont ce sentiment se révèle. Un noble sentiment mal présenté peut choquer le goût autant ou plus qu'une émotion ignoble exprimée sous une forme artistique. Il est donc difficile

131

de préciser des règles qui permettent de juger les poèmes que nous allons étudier dans cette partie; chaque poème exige son propre commentaire. Si nous classons les poèmes d'après certains thèmes importants, c'est tout simplement pour faciliter l'intelligence de ces poèmes, et pour montrer comment un même thème peut suggérer différents sujets à différents poètes.

CHAPITRE PREMIER

L'amour

Les *Méditations poétiques* de Lamartine sont le premier manifeste du romantisme français et la mise en œuvre de la nouvelle esthétique. Le public de 1820, avide de confidences, d'épanchements du cœur, applaudit le recueil, et les jeunes poètes se reconnurent un nouveau maître. Voici la pièce la plus célèbre du volume, et un très bon exemple de l'art de son auteur:

✻ 50 ✻ LE LAC

Alphonse de Lamartine (1790-1869)

Ainsi, toujours poussés vers de nouveaux rivages,
Dans la nuit éternelle emportés sans retour,
Ne pourrons-nous jamais sur l'océan des âges
    Jeter l'ancre un seul jour?

O lac! l'année à peine a fini sa carrière,   5
Et près des flots chéris qu'elle devait revoir,
Regarde! je viens seul m'asseoir sur cette pierre
    Où tu la vis s'asseoir!

Tu mugissais ainsi sur tes roches profondes;
Ainsi tu te brisais sur leurs flancs déchirés;   10
Ainsi le vent jetait l'écume de tes ondes
    Sur ses pieds adorés.

Un soir, t'en souvient-il? nous voguions en silence;
On n'entendait au loin, sur l'onde et sous les cieux,
Que le bruit des rameurs qui frappaient en cadence   15
    Tes flots harmonieux.

Tout à coup des accents inconnus à la terre
Du rivage charmé frappèrent les échos;
Le flot fut attentif, et la voix qui m'est chère
    Laissa tomber ces mots: 20

«O temps, suspends ton vol! et vous, heures propices,
    Suspendez votre cours!
Laissez-nous savourer les rapides délices
    Des plus beaux de nos jours!

»Assez de malheureux ici-bas vous implorent: 25
    Coulez, coulez pour eux;
Prenez avec leurs jours les soins qui les dévorent;
    Oubliez les heureux.

»Mais je demande en vain quelques moments encore,
    Le temps m'échappe et fuit;   30
Je dis à cette nuit: «Sois plus lente»; et l'aurore
    Va dissiper la nuit.

»Aimons donc, aimons donc! de l'heure fugitive,
    Hâtons-nous, jouissons!
L'homme n'a point de port, le temps n'a point de rive;   35
    Il coule, et nous passons!»

Temps jaloux, se peut-il que ces moments d'ivresse,
Où l'amour à longs flots nous verse le bonheur,
S'envolent loin de nous de la même vitesse
    Que les jours de malheur?   40

Hé quoi! n'en pourrons-nous fixer au moins la trace?
Quoi! passés pour jamais? quoi! tout entiers perdus?
Ce temps qui les donna, ce temps qui les efface,
    Ne nous les rendra plus?

Éternité, néant, passé, sombres abîmes,   45
Que faites-vous des jours que vous engloutissez?

Parlez: nous rendrez-vous ces extases sublimes
Que vous nous ravissez?

O lac! rochers muets! grottes! forêt obscure!
Vous que le temps épargne ou qu'il peut rajeunir, 50
Gardez de cette nuit, gardez, belle nature,
Au moins le souvenir!

Qu'il soit dans ton repos, qu'il soit dans tes orages,
Beau lac, et dans l'aspect de tes riants coteaux,
Et dans ces noirs sapins, et sur ces rocs sauvages 55
Qui pendent sur tes eaux!

Qu'il soit dans le zéphyr qui frémit et qui passe,
Dans les bruits de tes bords par tes bords répétés,
Dans l'astre au front d'argent qui blanchit ta surface
De ses molles clartés! 60

Que le vent qui gémit, le roseau qui soupire,
Que les parfums légers de ton air embaumé,
Que tout ce qu'on entend, l'on voit ou l'on respire,
Tout dise: «Ils ont aimé!» (1817)

Le titre annonce le sujet du poème; en 1820 il n'était ni neuf,
ni original. Dans un chapitre célèbre de *la Nouvelle Héloïse* (IVe
partie, lettre 17), Rousseau avait fait un récit de la promenade de
Saint-Preux avec son ancienne amante, Julie, devenue Mme de
Wolmar, sur le lac Léman. Dès lors, le sujet du lac et le thème du
retour aux lieux où l'on a aimé furent à la mode. Lamartine doit
beaucoup à ses prédécesseurs, mais il doit davantage à une expérience vécue. En octobre 1816, à Aix-les-Bains, sur le lac du Bourget, il rencontra et aima Mme Julie Charles. Cet amour si profond
et si ardent était condamné dès le début non seulement parce que
Julie était mariée, mais encore parce qu'elle souffrait d'une maladie
de poitrine dont elle devait mourir en décembre de l'année suivante.
De la crise que Lamartine traversa après cet amour malheureux,
naquirent les plus belles des *Méditations*. Voilà les données; examinons maintenant la mise en œuvre.

Le poème se révèle tout de suite comme un dialogue intime
entre le poète et le lac. Donner une âme à la nature, lui parler comme

à une sœur consolatrice, voilà ce qui est bien romantique, et il faudra un Baudelaire pour guérir les poètes de cette habitude. Pourtant ce poème, publié dans les premiers jours du grand mouvement romantique français (1820-1850), a l'avantage de la nouveauté, et le poète profite de son dialogue intime avec la nature pour souligner sa solitude et pour présenter les thèmes principaux. Le dialogue se divise nettement en quatre parties, ce qui donne au poème un mouvement logique d'une unité admirable: (1) vers 1-20; (2) vers 21-36; (3) vers 37-48; (4) vers 49-64. Cette structure si bien échafaudée atteste la sûreté de main de l'artiste et prouve à quel point on se trompe en supposant qu'un poème d'expression directe se compose d'une série d'effusions spontanées et mal ordonnées.

Reprenons en détail l'examen de ces quatre parties pour en dégager les thèmes principaux. Dans la première strophe, le poète pose au lac sa question sur le caractère éphémère de la vie, qu'il compare à l'eau qui coule éternellement. Ces images (*rivages, océan des âges, jeter l'ancre*) relient le paysage que le poète décrit au passage du temps contre lequel les amants se révoltent. Disons une fois pour toutes que ces images de l'écoulement universel se poursuivent dans tout le poème, car elles se rapportent au thème principal annoncé dès cette première strophe. Les strophes 2-5 transposent l'idylle vécue sur le plan de la poésie, mais on peut voir à quel point Lamartine reste un imitateur de Rousseau si l'on compare les vers,

> Regarde! je viens seul m'asseoir sur cette pierre
> Où tu la vis s'asseoir!

avec cette phrase célèbre de *la Nouvelle Héloïse* (IV, 17) que Lamartine savait sans doute par cœur:

> Voilà la pierre où je m'asseyais pour contempler au loin ton heureux séjour.

ou bien, les vers 14-16 avec une autre phrase du même roman:

> Nous gardions un profond silence. Le bruit égal et mesuré des rames m'excitait à rêver.

La deuxième partie reprend par la bouche de l'amante le thème de la première strophe, en y ajoutant un accent épicurien, le *carpe diem* * d'Horace. Dans la troisième partie, le poète interroge l'éternité (suggérée par l'immutabilité du lac) sur le sort du temps perdu, mais la violence et la révolte qu'il ressent s'apaisent dans la dernière partie. Les quatre dernières strophes sont les plus originales du poème. Sur un ton presque religieux, le poète demande au lac de garder le souvenir de son amour. Cette idée que la nature, être sensible et vivant, peut éterniser l'amour humain est orchestrée magistralement dans ces strophes, et ce n'est pas la faute de Lamartine si les poètes qui devaient l'imiter et qui allaient s'attirer les pages hostiles de Ruskin sur la *pathetic fallacy,* n'ont pu faire aussi bien que l'auteur du *Lac.*

Commentant en 1849 ce poème, Lamartine dit: «C'est une de mes poésies qui a eu le plus de retentissement dans l'âme de mes lecteurs, comme elle en avait dans la mienne.» Le temps n'a rien changé à ce jugement: tout jeune Français connaît par cœur cette élégie d'amour qui est restée l'une des plus célèbres qu'on ait jamais écrites. On en connaît les sources vécues et livresques; pourtant la sincérité de cette expérience personnelle et la beauté du sujet traditionnel sont bien moins importantes qu'on ne croirait, car le poète a transformé cette matière en une œuvre d'art de grande envergure où, en termes existentialistes, l'émotion vécue est devenue chose.

✻ 51 ✻   ISCHIA

Alphonse de Lamartine (1790-1869)

Le soleil va porter le jour à d'autres mondes;
Dans l'horizon désert Phœbé monte sans bruit,
Et jette, en pénétrant les ténèbres profondes,
Un voile transparent sur le front de la nuit.

Voyez du haut des monts ses clartés ondoyantes   5
Comme un fleuve de flamme inonder les coteaux,
Dormir dans les vallons, ou glisser sur les pentes,
Ou rejaillir au loin du sein brillant des eaux.

La douteuse lueur, dans l'ombre répandue,
Teint d'un jour azuré la pâle obscurité,   10

Et fait nager au loin dans la vague étendue
Les horizons baignés par sa molle clarté.

L'Océan, amoureux de ces rives tranquilles,
Calme, en baisant leurs pieds, ses orageux transports.
Et, pressant dans ses bras ces golfes et ces îles,   15
De son humide haleine en rafraîchit les bords.

Du flot qui tour à tour s'avance et se retire
L'œil aime à suivre au loin le flexible contour;
On dirait un amant qui presse en son délire
La vierge qui résiste et cède tour à tour.   20

Doux comme le soupir de l'enfant qui sommeille,
Un son vague et plaintif se répand dans les airs:
Est-ce un écho du ciel qui charme notre oreille?
Est-ce un soupir d'amour de la terre et des mers?

Il s'élève, il retombe, il renaît, il expire,   25
Comme un cœur oppressé d'un poids de volupté;
Il semble qu'en ces nuits la nature respire,
Et se plaint comme nous de sa félicité.

Mortel, ouvre ton âme à ces torrents de vie;
Reçois par tous les sens les charmes de la nuit: 30
A t'enivrer d'amour son ombre te convie;
Son astre dans le ciel se lève et te conduit.

Vois-tu ce feu lointain trembler sur la colline?
Par la main de l'amour c'est un phare allumé;
Là, comme un lis penché, l'amante qui s'incline   35
Prête une oreille avide aux pas du bien-aimé.

La vierge, dans le songe où son âme s'égare,
Soulève un œil d'azur qui réfléchit les cieux,
Et ses doigts au hasard errant sur sa guitare
Jettent aux vents du soir des sons mystérieux: 40

«Viens! l'amoureux silence occupe au loin l'espace;
Viens du soir près de moi respirer la fraîcheur!
C'est l'heure; à peine au loin la voile qui s'efface
Blanchit, en ramenant le paisible pêcheur.

»Depuis l'heure où ta barque a fui loin de la rive, 45
J'ai suivi tout le jour ta voile sur les mers,
Ainsi que de son nid la colombe craintive
Suit l'aile du ramier qui blanchit dans les airs.

»Tandis qu'elle glissait sous l'ombre du rivage,
J'ai reconnu ta voix dans la voix des échos; 50
Et la brise du soir, en mourant sur la plage,
Me rapportait tes chants prolongés sur les flots.

»Quand la vague a grondé sur la côte écumante,
A l'étoile des mers j'ai murmuré ton nom;
J'ai rallumé ma lampe, et de ta seule amante 55
L'amoureuse prière a fait fuir l'aquilon.

»Maintenant sous le ciel tout repose ou tout aime:
La vague en ondulant vient dormir sur le bord,
La fleur dort sur sa tige, et la nature même
Sous le dais de la nuit se recueille et s'endort. 60

»Vois: la mousse a pour nous tapissé la vallée;
Le pampre s'y recourbe en replis tortueux,
Et l'haleine de l'onde, à l'oranger mêlée,
De ses fleurs qu'elle effeuille embaume mes cheveux.

»A la molle clarté de la voûte sereine 65
Nous chanterons ensemble assis sous le jasmin,
Jusqu'à l'heure où la lune, en glissant vers Misène,
Se perd en pâlissant dans les feux du matin.»

Elle chante; et sa voix par intervalle expire,
Et, des accords du luth plus faiblement frappés, 70
Les échos assoupis ne livrent au zéphyre
Que des soupirs mourants, de silence coupés.

Celui qui, le cœur plein de délire et de flamme,
A cette heure d'amour, sous cet astre enchanté,
Sentirait tout à coup le rêve de son âme 75
S'animer sous les traits d'une chaste beauté,

Celui qui, sur la mousse, au pied du sycomore,
Au murmure des eaux, sous un dais de saphirs,

Assis à ses genoux, de l'une à l'autre aurore,
N'aurait pour lui parler que l'accent des soupirs;   80

Celui qui, respirant son haleine adorée,
Sentirait ses cheveux, soulevés par les vents,
Caresser en passant sa paupière effleurée,
Ou rouler sur son front leurs anneaux ondoyants;

Celui qui, suspendant les heures fugitives,   85
Fixant avec l'amour son âme en ce beau lieu,
Oublierait que le temps coule encor sur ces rives,
Serait-il un mortel, ou serait-il un dieu?

Et nous, aux doux penchants de ces verts Élysées,
Sur ces bords où l'Amour eût caché son Éden;   90
Au murmure plaintif des vagues apaisées,
Aux rayons endormis de l'astre élyséen;

Sous ce ciel où la vie, où le bonheur abonde,
Sur ces rives que l'œil se plaît à parcourir,
Nous avons respiré cet air d'un autre monde,   95
Élise! . . . et cependant on dit qu'il faut mourir!   (1820)

Lamartine rencontra au printemps de 1819 une riche Anglaise, qu'il épousa en mars 1820; en octobre, il passa avec la jeune femme quelques semaines dans l'île d'Ischia (près de Naples). Le bonheur qu'il connut pendant ces vacances lui inspira ce poème.

EXERCICE

Tenant compte de notre brève analyse du *Lac,* faites une explication de texte d'*Ischia.* Commentez surtout les images et les comparaisons; portez un jugement sur la valeur poétique de la rhétorique des sept dernières strophes.

Ce n'est pas seulement leurs maîtresses et leurs femmes que les poètes ont chantées; très souvent c'est une personne qu'ils n'ont jamais connue, un être fugitif qu'ils ont aperçu pendant un bref moment déchirant. Voici deux de ces «rencontres» mystérieuses et troublantes:

UNE ALLÉE DU LUXEMBOURG

Gérard de Nerval (1808-1855)

Elle a passé, la jeune fille,
Vive et preste comme un oiseau:
A la main une fleur qui brille,
A la bouche un refrain nouveau.

C'est peut-être la seule au monde   5
Dont le cœur au mien répondrait;
Qui venant dans ma nuit profonde
D'un seul regard l'éclaircirait! . . .

Mais non,—ma jeunesse est finie . . .
Adieu, doux rayon qui m'as lui,—   10
Parfum, jeune fille, harmonie . . .
Le bonheur passait—il a fui! (1852)

A UNE PASSANTE

Charles Baudelaire (1821-1867)

La rue assourdissante autour de moi hurlait.
Longue, mince, en grand deuil, douleur majestueuse,
Une femme passa, d'une main fastueuse
Soulevant, balançant le feston et l'ourlet;

Agile et noble, avec sa jambe de statue.   5
Moi, je buvais, crispé comme un extravagant,
Dans son œil, ciel livide où germe l'ouragan,
La douceur qui fascine et le plaisir qui tue.

Un éclair . . . puis la nuit!—Fugitive beauté,
Dont le regard m'a fait soudainement renaître,   10
Ne te verrai-je plus que dans l'éternité?

Ailleurs, bien loin d'ici! trop tard! *jamais* peut-être!
Car j'ignore où tu fuis, tu ne sais où je vais,
O toi que j'eusse aimée, ô toi qui le savais! (1860)

1860
- 1821
= 41 ans

Dans ces deux poèmes il s'agit d'un même sujet, mais la douleur cuisante de la seconde rencontre s'oppose à la douceur, la mélancolie résignée de la première. Essayez de dégager les procédés poétiques au moyen desquels Nerval et Baudelaire ont réalisé ces différences de ton. Lequel des deux poètes a le mieux réussi à exprimer son état d'âme?

✴ 54 ✴   BARBARA

Jacques Prévert (1900-   )

Rappelle-toi Barbara
Il pleuvait sans cesse sur Brest ce jour-là
Et tu marchais souriante
Épanouie ravie ruisselante
Sous la pluie   5
Rappelle-toi Barbara
Il pleuvait sans cesse sur Brest
Et je t'ai croisée rue de Siam
Tu souriais
Et moi je souriais de même   10
Rappelle-toi Barbara
Toi que je ne connaissais pas
Toi qui ne me connaissais pas
Rappelle-toi
Rappelle-toi quand même ce jour-là   15
N'oublie pas
Un homme sous un porche s'abritait
Et il a crié ton nom
Barbara
Et tu as couru vers lui sous la pluie   20
Ruisselante ravie épanouie
Et tu t'es jetée dans ses bras
Rappelle-toi cela Barbara
Et ne m'en veux pas si je te tutoie
Je dis tu à tous ceux que j'aime   25
Même si je ne les ai vus qu'une seule fois
Je dis tu à tous ceux qui s'aiment
Même si je ne les connais pas
Rappelle-toi Barbara
N'oublie pas   30
Cette pluie sage et heureuse

Sur ton visage heureux
Sur cette ville heureuse
Cette pluie sur la mer
Sur l'arsenal   35
Sur le bateau d'Ouessant
Oh Barbara
Quelle connerie la guerre
Qu'es-tu devenue maintenant
Sous cette pluie de fer   40
De feu d'acier de sang
Et celui qui te serrait dans ses bras
Amoureusement
Est-il mort disparu ou bien encore vivant
Oh Barbara   45
Il pleut sans cesse sur Brest
Comme il pleuvait avant
Mais ce n'est plus pareil et tout est abîmé
C'est une pluie de deuil terrible et désolée
Ce n'est même plus l'orage   50
De fer d'acier de sang
Tout simplement des nuages
Qui crèvent comme des chiens
Des chiens qui disparaissent
Au fil de l'eau sur Brest   55
Et vont pourrir au loin
Au loin très loin de Brest
Dont il ne reste rien.   (1946)

v. 2. *Brest.* Port sur la côte bretonne, presque totalement détruit par les bombardements entre 1940 et 1944.
v. 8. *rue de Siam.* Rue principale de Brest.
v. 36. *Ouessant.* Petite île au large de Brest.
v. 38. *connerie.* Chose stupide (mot très vulgaire).

EXERCICE

Le sujet de ce poème moderne est analogue à celui des Nos. 52 et 53. Comparez-les.

L'expression directe des sentiments n'est pas le bien exclusif des poètes lyriques. Quand il s'agit de la jalousie—cet élément indispensable et inévitable de tous les grands amours—les auteurs dramatiques et les romanciers eux aussi ont essayé de sonder les profondeurs du cœur humain. L'*Othello* de Shakespeare est célèbre pour la présentation de la jalousie; depuis Racine jusqu'à Marcel Proust, les auteurs français ont été hantés par le pouvoir de cette émotion sur les grands cœurs. Nous citons deux passages, l'un dramatique, l'autre lyrique, pour montrer les ressources des deux genres.

✻ 55 ✻   LA JALOUSIE DE PHÈDRE

Jean Racine (1639-1699)

PHÈDRE:
　　Ah! douleur non encore éprouvée!
A quel nouveau tourment je me suis réservée!
Tout ce que j'ai souffert, mes craintes, mes transports,
La fureur de mes feux, l'horreur de mes remords,
Et d'un refus cruel l'insupportable injure,　　　　　　　　5
N'était qu'un faible essai du tourment que j'endure.
Ils s'aiment! Par quel charme ont-ils trompé mes yeux?
Comment se sont-ils vus? depuis quand? dans quels lieux?
Tu le savais: pourquoi me laissais-tu séduire?
De leur furtive ardeur ne pouvais-tu m'instruire?　　　　10
Les a-t-on vus souvent se parler, se chercher?
Dans le fond des forêts allaient-ils se cacher?
Hélas! ils se voyaient avec pleine licence;
Le ciel de leurs soupirs approuvait l'innocence;
Ils suivaient sans remords leur penchant amoureux;　　　15
Tous les jours se levaient clairs et sereins pour eux.
Et moi, triste rebut de la nature entière,
Je me cachais au jour, je fuyais la lumière;
La mort est le seul dieu que j'osais implorer.
J'attendais le moment où j'allais expirer;　　　　　　　　20
Me nourrissant de fiel, de larmes abreuvée,
Encor, dans mon malheur de trop près observée,
Je n'osais dans mes pleurs me noyer à loisir,
Je goûtais en tremblant ce funeste plaisir;
Et, sous un front serein déguisant mes alarmes,　　　　　25
Il fallait bien souvent me priver de mes larmes.

ŒNONE:
Quel fruit recevront-ils de leurs vaines amours?
Ils ne se verront plus.

PHÈDRE:

Ils s'aimeront toujours!
Au moment que je parle, ah! mortelle pensée!   30
Ils bravent la fureur d'une amante insensée!
Malgré ce même exil qui va les écarter,
Ils font mille serments de ne se point quitter.
Non, je ne puis souffrir un bonheur qui m'outrage;
Œnone, prends pitié de ma jalouse rage.   35
Il faut perdre Aricie; il faut de mon époux
Contre un sang odieux réveiller le courroux:
Qu'il ne se borne pas à des peines légères;
Le crime de la sœur passe celui des frères.
Dans mes jaloux transports je le veux implorer.   40
Que fais-je? où ma raison se va-t-elle égarer?
Moi jalouse! et Thésée est celui que j'implore!
Mon époux est vivant, et moi je brûle encore!
Pour qui? quel est le cœur où prétendent mes vœux?
Chaque mot sur mon front fait dresser mes cheveux.   45
Mes crimes désormais ont comblé la mesure:
Je respire à la fois l'inceste et l'imposture;
Mes homicides mains, promptes à me venger,
Dans le sang innocent brûlent de se plonger.
Misérable! et je vis! et je soutiens la vue   50
De ce sacré soleil dont je suis descendue!
J'ai pour aïeul le père et le maître des dieux;
Le ciel, tout l'univers est plein de mes aïeux:
Où me cacher? Fuyons dans la nuit infernale.
Mais que dis-je? mon père y tient l'urne fatale;   55
Le sort, dit-on, l'a mise en ses sévères mains:
Minos juge aux enfers tous les pâles humains.
Ah! combien frémira son ombre épouvantée,
Lorsqu'il verra sa fille, à ses yeux présentée,
Contrainte d'avouer tant de forfaits divers,   60
Et des crimes peut-être inconnus aux enfers!
Que diras-tu, mon père, à ce spectacle horrible?
Je crois voir de ta main tomber l'urne terrible;
Je crois te voir, cherchant un supplice nouveau,
Toi-même de ton sang devenir le bourreau.   65
Pardonne. Un dieu cruel a perdu ta famille;
Reconnais sa vengeance aux fureurs de sa fille.
Hélas! du crime affreux dont la honte me suit
Jamais mon triste cœur n'a recueilli le fruit:
Jusqu'au dernier soupir de malheurs poursuivie,   70
Je rends dans les tourments une pénible vie.   (1677)

145

LA COLÈRE DE SAMSON

Alfred de Vigny (1797-1863)

Le désert est muet, la tente est solitaire.
Quel pasteur courageux la dressa sur la terre
Du sable et des lions?—La nuit n'a pas calmé
La fournaise du jour dont l'air est enflammé.
Un vent léger s'élève à l'horizon et ride   5
Les flots de la poussière ainsi qu'un lac limpide.
Le lin blanc de la tente est bercé mollement;
L'œuf d'autruche allumé veille paisiblement,
Des voyageurs voilés intérieure étoile,
Et jette longuement deux ombres sur la toile.   10

L'une est grande et superbe, et l'autre est à ses pieds:
C'est Dalila, l'esclave, et ses bras sont liés
Aux genoux réunis du maître jeune et grave
Dont la force divine obéit à l'esclave.
Comme un doux léopard elle est souple, et répand   15
Ses cheveux dénoués aux pieds de son amant.
Ses grands yeux, entr'ouverts comme s'ouvre l'amande,
Sont brûlants du plaisir que son regard demande
Et jettent, par éclats, leurs mobiles lueurs.
Ses bras fins tout mouillés de tièdes sueurs,   20
Ses pieds voluptueux qui sont croisés sous elle,
Ses flancs plus élancés que ceux de la gazelle,
Pressés de bracelets, d'anneaux, de boucles d'or,
Sont bruns; et, comme il sied aux filles de Hatsor,
Ses deux seins, tout chargés d'amulettes anciennes,   25
Sont chastement pressés d'étoffes syriennes.

Les genoux de Samson fortement sont unis
Comme les deux genoux du colosse Anubis.
Elle s'endort sans force et riante et bercée
Par la puissante main sous sa tête placée.   30
Lui, murmure ce chant funèbre et douloureux
Prononcé dans la gorge avec des mots hébreux.
Elle ne comprend pas la parole étrangère,
Mais le chant verse un somme en sa tête légère.

«Une lutte éternelle en tout temps, en tout lieu,   35
Se livre sur la terre, en présence de Dieu,

146

Entre la bonté d'Homme et la ruse de Femme,
Car la Femme est un être impur de corps et d'âme.

»L'Homme a toujours besoin de caresse et d'amour,
Sa mère l'en abreuve alors qu'il vient au jour,   40
Et ce bras le premier l'engourdit, le balance
Et lui donne un désir d'amour et d'indolence.
Troublé dans l'action, troublé dans le dessein,
Il rêvera partout à la chaleur du sein,
Aux chansons de la nuit, aux baisers de l'aurore,   45
A la lèvre de feu que sa lèvre dévore,
Aux cheveux dénoués qui roulent sur son front,
Et les regrets du lit, en marchant, le suivront.
Il ira dans la ville, et là les vierges folles
Le prendront dans leurs lacs aux premières paroles.   50
Plus fort il sera né, mieux il sera vaincu,
Car plus le fleuve est grand et plus il est ému.

»Quand le combat que Dieu fit pour la créature
Et contre son semblable et contre la Nature
Force l'Homme à chercher un sein où reposer,   55
Quand ses yeux sont en pleurs, il lui faut un baiser.
Mais il n'a pas encor fini toute sa tâche:
Vient un autre combat plus secret, traître et lâche;
Sous son bras, sur son cœur se livre celui-là;
Et, plus ou moins, la Femme est toujours DALILA.   60

»Elle rit et triomphe; en sa froideur savante,
Au milieu de ses sœurs elle attend et se vante
De ne rien éprouver des atteintes du feu.
A sa plus belle amie elle en a fait l'aveu:
Elle se fait aimer sans aimer elle-même;   65
Un maître lui fait peur. C'est le plaisir qu'elle aime.
L'Homme est rude et le prend sans savoir le donner.
Un sacrifice illustre et fait pour étonner
Rehausse mieux que l'or, aux yeux de ses pareilles,
La beauté qui produit tant d'étranges merveilles   70
Et d'un sang précieux sait arroser ses pas.
—Donc, ce que j'ai voulu, Seigneur, n'existe pas!—
Celle à qui va l'amour et de qui vient la vie,
Celle-là, par orgueil, se fait notre ennemie.
La Femme est à présent pire que dans ces temps   75
Où, voyant les humains, Dieu dit: «Je me repens!»

147

Bientôt, se retirant dans un hideux royaume,
La Femme aura Gomorrhe et l'Homme aura Sodome;
Et, se jetant de loin un regard irrité,
Les deux sexes mourront chacun de son côté. 80

»Éternel! Dieu des forts! vous savez que mon âme
N'avait pour aliment que l'amour d'une femme,
Puisant dans l'amour seul plus de sainte vigueur
Que mes cheveux divins n'en donnaient à mon cœur.
—Jugez-nous. —La voilà sur mes pieds endormie! 85
Trois fois elle a vendu mes secrets et ma vie,
Et trois fois a versé des pleurs fallacieux
Qui n'ont pu me cacher la rage de ses yeux;
Honteuse qu'elle était plus encor qu'étonnée
De se voir découverte ensemble et pardonnée; 90
Car la bonté de l'Homme est forte, et sa douceur
Écrase, en l'absolvant, l'être faible et menteur.

»Mais enfin je suis las. J'ai l'âme si pesante,
Que mon corps gigantesque et ma tête puissante
Qui soutiennent le poids des colonnes d'airain 95
Ne la peuvent porter avec tout son chagrin.
Toujours voir serpenter la vipère dorée
Qui se traîne en sa fange et s'y croit ignorée!
Toujours ce compagnon dont le cœur n'est pas sûr,
La Femme, enfant malade et douze fois impur! 100
Toujours mettre sa force à garder sa colère
Dans son cœur offensé, comme en un sanctuaire
D'où le feu s'échappant irait tout dévorer;
Interdire à ses yeux de voir ou de pleurer,
C'est trop! Dieu, s'il le veut, peut balayer ma cendre. 105
J'ai donné mon secret, Dalila va le vendre.
Qu'ils seront beaux les pieds de celui qui viendra
Pour m'annoncer la mort!—Ce qui sera, sera!»

Il dit et s'endormit près d'elle jusqu'à l'heure
Où les guerriers, tremblant d'être dans sa demeure, 110
Payant au poids de l'or chacun de ses cheveux,
Attachèrent ses mains et brûlèrent ses yeux,
Le traînèrent sanglant et chargé d'une chaîne,
Que douze grands taureaux ne tiraient qu'avec peine,
Le placèrent debout, silencieusement, 115
Devant Dagon, leur Dieu, qui gémit sourdement

Et deux fois, en tournant, recula sur sa base
Et fit pâlir deux fois ses prêtres en extase,
Allumèrent l'encens, dressèrent un festin
Dont le bruit s'entendait du mont le plus lointain,   120
Et près de la génisse aux pieds du Dieu tuée
Placèrent Dalila, pâle prostituée,
Couronnée, adorée et reine du repas,
Mais tremblante et disant: «IL NE ME VERRA PAS!»

Terre et Ciel! avez-vous tressailli d'allégresse   125
Lorsque vous avez vu la menteuse maîtresse
Suivre d'un œil hagard les yeux tachés de sang
Qui cherchaient le soleil d'un regard impuissant?
Et quand enfin Samson, secouant les colonnes
Qui faisaient le soutien des immenses Pylônes,   130
Écrasa d'un seul coup, sous les débris mortels,
Ses trois mille ennemis, leurs dieux et leurs autels?

Terre et Ciel! punissez par de telles justices
La trahison ourdie en des amours factices,
Et la délation du secret de nos cœurs   135
Arraché dans nos bras par des baisers menteurs!   (1839)

v. 24. *Hatsor.* Hazor, ville de Palestine.

La scène de *Phèdre* est bien connue. Œnone, servante de
Phèdre, vient d'accuser Hippolyte devant Thésée d'avoir révélé à
la reine sa passion incestueuse. Phèdre est sur le point de dire la
vérité, qui est tout autre, quand elle apprend qu'Hippolyte aime
Aricie. C'en est assez pour qu'elle garde le silence et, plus tard,
pour qu'elle s'abandonne à sa jalousie.

Le poème de Vigny est l'épilogue de la liaison du poète avec
l'actrice Marie Dorval. Utilisant l'histoire de Samson et Dalila
comme symbole philosophique, Vigny transforme une aventure
personnelle en une vision générale de la lutte éternelle entre
l'homme et la femme.

EXERCICE

Suivez les émotions de Phèdre à travers le passage de Racine;
analysez la présentation de la jalousie dans le poème de Vigny; montrez
les avantages et les inconvénients de chaque genre (poésie lyrique et
poésie dramatique) pour l'expression de la jalousie.

149

CHAPITRE DEUX

La solitude morale

D'après René Canat, «La solitude morale est la douloureuse certitude que chaque individu est comme muré dans son moi et que tout ce qui existe lui est impénétrable. Cette solitude est donc toute différente des impressions passagères d'isolement que les hommes de tous les temps ont pu connaître et qui supposent au contraire la croyance à des intimités brusquement rompues par les circonstances.»[1] C'est un état d'âme, une sorte de douleur métaphysique éprouvée en particulier—mais pas exclusivement—par les poètes du dix-neuvième siècle. Examinons deux expressions de cet état d'âme, l'une romantique, l'autre préromantique, pour voir dans quelle mesure la première est originale et authentique.

✶ 57 ✶   L'ISOLEMENT

Alphonse de Lamartine (1790-1869)

Souvent sur la montagne, à l'ombre du vieux chêne,
Au coucher du soleil, tristement je m'assieds;
Je promène au hasard mes regards sur la plaine,
Dont le tableau changeant se déroule à mes pieds.

Ici gronde le fleuve aux vagues écumantes;   5
Il serpente, et s'enfonce en un lointain obscur;

---

[1] René Canat, *Du Sentiment de la solitude morale chez les Romantiques et chez les Parnassiens* (Paris, Hachette, 1904), p. 32.

Là le lac immobile étend ses eaux dormantes
Où l'étoile du soir se lève dans l'azur.

Au sommet de ces monts couronnés de bois sombres,
Le crépuscule encor jette un dernier rayon;   10
Et le char vaporeux de la reine des ombres
Monte, et blanchit déjà les bords de l'horizon.

Cependant, s'élançant de la flèche gothique,
Un son religieux se répand dans les airs:
Le voyageur s'arrête, et la cloche rustique   15
Aux derniers bruits du jour mêle de saints concerts.

Mais à ces doux tableaux mon âme indifférente
N'éprouve devant eux ni charme ni transports;
Je contemple la terre ainsi qu'une ombre errante:
Le soleil des vivants n'échauffe plus les morts.   20

De colline en colline en vain portant ma vue,
Du sud à l'aquilon, de l'aurore au couchant,
Je parcours tous les points de l'immense étendue,
Et je dis: «Nulle part le bonheur ne m'attend.»

Que me font ces vallons, ces palais, ces chaum è es,   25
Vains objets dont pour moi le charme est envolé?
Fleuves, rochers, forêts, solitudes si chères,
Un seul être vous manque, et tout est dépeuplé!

Que le tour du soleil ou commence ou s'achève,
D'un œil indifférent je le suis dans son cours;   30
En un ciel sombre ou pur qu'il se couche ou se lève,
Qu'importe le soleil? je n'attends rien des jours.

Quand je pourrais le suivre en sa vaste carrière,
Mes yeux verraient partout le vide et les déserts;
Je ne désire rien de tout ce qu'il éclaire;   35
Je ne demande rien à l'immense univers.

Mais peut-être au-delà des bornes de sa sphère,
Lieux où le vrai soleil éclaire d'autres cieux,
Si je pouvais laisser ma dépouille à la terre,
Ce que j'ai tant rêvé paraîtrait à mes yeux!   40

Là, je m'enivrerais à la source où j'aspire;
Là, je retrouverais et l'espoir et l'amour,
Et ce bien idéal que toute âme désire
Et qui n'a pas de nom au terrestre séjour!

Que ne puis-je, porté sur le char de l'Aurore, 45
Vague objet de mes vœux, m'élancer jusqu'à toi!
Sur la terre d'exil pourquoi resté-je encore?
Il n'est rien de commun entre la terre et moi.

Quand la feuille des bois tombe dans la prairie,
Le vent du soir se lève et l'arrache aux vallons; 50
Et moi, je suis semblable à la feuille flétrie:
Emportez-moi comme elle, orageux aquilons!   (1818)

✕ 58 ✕   L'ABSENCE

            Nicolas-Germain Léonard (1744-1793)

Des hameaux éloignés retiennent ma compagne.
Hélas! Dans ces forêts qui peut se plaire encor?
Flore même à présent déserte la campagne
Et loin de nos bergers l'amour a pris l'essor.

Doris vers ce coteau précipitait sa fuite,   5
Lorsque de ses attraits je me suis séparé:
Doux zéphyr! si tu sors du séjour qu'elle habite,
Viens! que je sente au moins l'air qu'elle a respiré.

Quel arbre, en ce moment, lui prête son ombrage?
Quel gazon s'embellit sous ses pieds caressants?   10
Quelle onde fortunée a reçu son image?
Quel bois mélodieux répète ses accents?

Que ne suis-je la fleur qui lui sert de parure,
Ou le nœud de ruban qui lui presse le sein,
Ou sa robe légère, ou sa molle chaussure,   15
Ou l'oiseau qu'elle baise et nourrit de sa main!

Rossignols, qui volez où l'amour vous appelle,
Que vous êtes heureux! que vos destins sont doux!

Que bientôt ma Doris me verrait auprès d'elle
Si j'avais le bonheur de voler comme vous! 20

Ah! Doris, que me font ces tapis de verdure,
Ces gazons émaillés qui m'ont vu dans tes bras,
Ce printemps, ce beau ciel, et toute la nature,
Et tous les lieux enfin où je ne te vois pas?

Mais toi, parmi les jeux et les bruyantes fêtes, 25
Ne vas point oublier les plaisirs du hameau,
Les champêtres festons dont nous parions nos têtes,
Nos couplets ingénus, nos danses sous l'ormeau!

O ma chère Doris, que nos feux soient durables!
Il me faudrait mourir, si je perdais ta foi. 30
Ton séjour t'offrira des bergers plus aimables;
Mais tu n'en verras point de plus tendres que moi.

Que ton amant t'occupe au lever de l'aurore,
Et quand le jour t'éclaire, et quand il va finir;
Dans tes songes légers, qu'il se retrace encore, 35
Et qu'il soit, au réveil, ton premier souvenir.

Si mes jaloux rivaux te parlaient de leur flamme,
Rappelle à ton esprit mes timides aveux:
Je rougis, je tremblai; tu vis toute mon âme
Respirer sur ma bouche et passer dans mes yeux. 40

Et maintenant, grands dieux! quelle est mon infortune!
De mes plus chers amis je méconnais la voix,
Tout ce qui me charmait m'afflige et m'importune;
Je demande Doris à tout ce que je vois.

Tu reposais ici; souvent dans ce bocage, 45
Penché sur tes genoux, je chantais mon amour:
Là, nos agneaux paissaient au même pâturage;
Ici, nous nous quittions vers le déclin du jour.

Revenez, revenez, heures délicieuses,
Où Doris habitait ces tranquilles déserts, 50
L'écho répétera mes chansons amoureuses,
Et sur ma flûte encor je veux former des airs.   (1775)

Les ressemblances entre ces deux poèmes sont visibles: même forme; même longueur; même thème (tristesse et solitude suivant la perte d'un être chéri). De plus, cette perte a rendu les deux poètes indifférents aux beautés de la nature. Pourtant le sentiment exprimé dans *l'Absence*, poème encombré de tout le fatras des idylles pastorales imitées de Gessner [2] (qui avait une grande vogue à l'époque de Léonard), ne touche guère le lecteur déconcerté.

EXERCICES

1) Le vers clef de *l'Isolement* est célèbre. Trouvez-le.

2) Étudiez la composition de *l'Isolement*. Distinguez bien les trois parties—depuis la peinture du paysage jusqu'à l'élévation finale.

3) Analysez la langue et la versification de Lamartine, soulignant ce qu'elles ont de neuf aussi bien que ce qu'elles ont de classique et de traditionnel.

4) Étudiez la composition, la langue, la versification et le sentiment de la nature dans *l'Absence*. Portez un jugement sur la sincérité et la vraisemblance du sentiment exprimé dans les deux poèmes.

✕ 59 ✕   LE VALLON

Alphonse de Lamartine (1790-1869)

Mon cœur, lassé de tout, même de l'espérance,
N'ira plus de ses vœux importuner le sort;
Prêtez-moi seulement, vallon de mon enfance,
Un asile d'un jour pour attendre la mort.

Voici l'étroit sentier de l'obscure vallée: 5
Du flanc de ces coteaux pendent des bois épais
Qui, courbant sur mon front leur ombre entremêlée,
Me couvrent tout entier de silence et de paix.

Là, deux ruisseaux cachés sous des ponts de verdure,
Tracent en serpentant les contours du vallon;   10

---

[2] Salomon Gessner (1730-1788). Poète suisse de langue allemande. On fit de ses idylles une traduction française en prose qui connut un succès considérable.

Ils mêlent un moment leur onde et leur murmure,
Et non loin de leur source ils se perdent sans nom.

La source de mes jours comme eux s'est écoulée,
Elle a passé sans bruit, sans nom et sans retour:
Mais leur onde est limpide, et mon âme troublée   15
N'aura pas réfléchi les clartés d'un beau jour.

La fraîcheur de leurs lits, l'ombre qui les couronne
M'enchaînent tout le jour sur les bords des ruisseaux;
Comme un enfant bercé par un chant monotone,
Mon âme s'assoupit au murmure des eaux.   20

Ah! c'est là qu'entouré d'un rempart de verdure,
D'un horizon borné qui suffit à mes yeux,
J'aime à fixer mes pas, et, seul dans la nature,
A n'entendre que l'onde, à ne voir que les cieux.

J'ai trop vu, trop senti, trop aimé dans ma vie,   25
Je viens chercher vivant le calme du Léthé;
Beaux lieux, soyez pour moi ces bords où l'on oublie:
L'oubli seul désormais est ma félicité.

Mon cœur est en repos, mon âme est en silence;
Le bruit lointain du monde expire en arrivant,   30
Comme un son éloigné qu'affaiblit la distance,
A l'oreille incertaine apporté par le vent.

D'ici je vois la vie, à travers un nuage,
S'évanouir pour moi dans l'ombre du passé;
L'amour seul est resté: comme une grande image   35
Survit seule au réveil dans un songe effacé.

Repose-toi, mon âme, en ce dernier asile,
Ainsi qu'un voyageur, qui le cœur plein d'espoir,
S'asseoit avant d'entrer aux portes de la ville,
Et respire un moment l'air embaumé du soir.   40

Comme lui, de nos pieds secouons la poussière;
L'homme par ce chemin ne repasse jamais;
Comme lui, respirons au bout de la carrière
Ce calme avant-coureur de l'éternelle paix.

Tes jours, sombres et courts comme des jours d'automne,   45
Déclinent comme l'ombre au penchant des coteaux;
L'amitié te trahit, la pitié t'abandonne,
Et, seule, tu descends le sentier des tombeaux.

Mais la nature est là qui t'invite et qui t'aime;
Plonge-toi dans son sein qu'elle t'ouvre toujours;   50
Quand tout change pour toi, la nature est la même,
Et le même soleil se lève sur tes jours.

De lumière et d'ombrage elle t'entoure encore;
Détache ton amour des faux biens que tu perds;
Adore ici l'écho qu'adorait Pythagore,   55
Prête avec lui l'oreille aux célestes concerts.

Suis le jour dans le ciel, suis l'ombre sur la terre,
Dans les plaines de l'air vole avec l'aquilon,
Avec les doux rayons de l'astre du mystère
Glisse à travers les bois dans l'ombre du vallon.   60

Dieu, pour le concevoir, a fait l'intelligence;
Sous la nature enfin découvre son auteur!
Une voix à l'esprit parle dans son silence,
Qui n'a pas entendu cette voix dans son cœur?   (1817)

✕ 60 ✕   PAROLES SUR LA DUNE
              Victor Hugo (1802-1885)

Maintenant que mon temps décroît comme un flambeau,
        Que mes tâches sont terminées;
Maintenant que voici que je touche au tombeau
        Par les deuils et par les années,

Et qu'au fond de ce ciel que mon essor rêva,   5
        Je vois fuir, vers l'ombre entraînées,
Comme le tourbillon du passé qui s'en va,
        Tant de belles heures sonnées;

Maintenant que je dis:—Un jour, nous triomphons;
        Le lendemain, tout est mensonge!—   10

156

Je suis triste, et je marche au bord des flots profonds,
        Courbé comme celui qui songe.

Je regarde, au-dessus du mont et du vallon,
        Et des mers sans fin remuées,
S'envoler, sous le bec du vautour aquilon,   15
        Toute la toison des nuées;

J'entends le vent dans l'air, la mer sur le récif,
        L'homme liant la gerbe mûre;
J'écoute et je confronte en mon esprit pensif
        Ce qui parle à ce qui murmure;   20

Et je reste parfois couché sans me lever
        Sur l'herbe rare de la dune,
Jusqu'à l'heure où l'on voit apparaître et rêver
        Les yeux sinistres de la lune.

Elle monte, elle jette un long rayon dormant   25
        A l'espace, au mystère, au gouffre;
Et nous nous regardons tous les deux fixement,
        Elle qui brille et moi qui souffre.

Où donc s'en sont allés mes jours évanouis?
        Est-il quelqu'un qui me connaisse?   30
Ai-je encor quelque chose en mes yeux éblouis,
        De la clarté de ma jeunesse?

Tout s'est-il envolé? Je suis seul, je suis las;
        J'appelle sans qu'on me réponde;
O vents! ô flots! ne suis-je aussi qu'un souffle, hélas!   35
        Hélas! ne suis-je aussi qu'une onde?

Ne verrai-je plus rien de tout ce que j'aimais?
        Au dedans de moi le soir tombe.
O terre, dont la brume efface les sommets,
        Suis-je le spectre, et toi la tombe?   40

Ai-je donc vidé tout, vie, amour, joie, espoir?
        J'attends, je demande, j'implore;
Je penche tour à tour mes urnes pour avoir
        De chacune une goutte encore!

Comme le souvenir est voisin du remord!   45
   Comme à pleurer tout nous ramène!
Et que je te sens froide en te touchant, ô mort,
   Noir verrou de la porte humaine!

Et je pense, écoutant gémir le vent amer,
   Et l'onde aux plis infranchissables;   50
L'été rit, et l'on voit sur le bord de la mer
   Fleurir le chardon bleu des sables.   (1854)

EXERCICES

1) Étudiez les images et les comparaisons du *Vallon*.

2) Déterminez les divers sentiments exprimés dans *le Vallon*.

3) Comment Victor Hugo transforme-t-il, dans son poème, le sentiment exprimé par Lamartine dans *le Vallon*? Lequel des deux poèmes est le plus chargé d'émotion?

Comme on l'a sans doute remarqué, les poètes romantiques ont souvent recouru à la rhétorique; de là viennent leurs pires excès. Les longues périodes qui commencent par *Maintenant que . . .* , *Qu'il soit . . .* , *Que le vent . . .* , *Celui qui . . .* , etc. leur ont permis de s'envoler sur les ailes d'une abondante inspiration; mais parfois ces procédés ont eu pour conséquence des longueurs qui ont nui à la vraisemblance, à l'authenticité du sentiment exprimé. Les symbolistes, qui auraient pu prendre comme devise le vers célèbre de Paul Verlaine, «Prends l'éloquence et tords-lui son cou», réagirent violemment contre cette rhétorique; les poètes romantiques eux-mêmes, quand à la solitude avait succédé un état d'âme mélancolique, avaient déjà rejeté la rhétorique pour s'exprimer d'une façon plus directe et plus simple.

✷ 61 ✷   TRISTESSE

Alfred de Musset (1810-1857)

   J'ai perdu ma force et ma vie,
   Et mes amis et ma gaieté;
   J'ai perdu jusqu'à la fierté
   Qui faisait croire à mon génie.

Quand j'ai connu la Vérité,   5
J'ai cru que c'était une amie;
Quand je l'ai comprise et sentie,
J'en étais déjà dégoûté.

Et pourtant elle est éternelle,
Et ceux qui se sont passés d'elle   10
Ici-bas ont tout ignoré.

Dieu parle, il faut qu'on lui réponde.
Le seul bien qui me reste au monde
Est d'avoir quelquefois pleuré.   (1840)

EXERCICE

Ce poème a été attaqué par ceux qui ont trouvé que le poète
s'apitoie un peu trop complaisamment sur lui-même, mais très admiré par
ceux qui y ont goûté l'absence d'art oratoire, la simplicité des images et
des rimes et l'expression directe et naïve de l'abattement du poète.
Essayez de justifier l'un ou l'autre de ces points de vue.

Chez Lamartine, la solitude morale se transformait souvent en
une aspiration vague et incertaine au bonheur; chez Musset elle
était presque toujours associée aux déceptions amoureuses et aux
embarras financiers; chez Baudelaire elle est devenue une terrible
angoisse, un état pathologique caractérisé par un morne ennui et
par la hantise de la mort. Baudelaire a nommé cet état *spleen* et il
a exprimé l'essence de son mal dans quatre poèmes des *Fleurs du
Mal*, qui ont tous le même titre, *Spleen*. Voici un des plus puissants de ces poèmes:

� 62 �   SPLEEN

Charles Baudelaire (1821-1867)

Quand le ciel bas et lourd pèse comme un couvercle
Sur l'esprit gémissant en proie aux longs ennuis,
Et que de l'horizon embrassant tout le cercle
Il nous verse un jour noir plus triste que les nuits;

Quand la terre est changée en un cachot humide,   5
Où l'Espérance, comme une chauve-souris,

159

S'en va battant les murs de son aile timide
Et se cognant la tête à des plafonds pourris;

Quand la pluie étalant ses immenses traînées
D'une vaste prison imite les barreaux,   10
Et qu'un peuple muet d'infâmes araignées
Vient tendre ses filets au fond de nos cerveaux,

Des cloches tout à coup sautent avec furie
Et lancent vers le ciel un affreux hurlement,
Ainsi que des esprits errants et sans patrie   15
Qui se mettent à geindre opiniâtrement.

—Et de longs corbillards, sans tambours ni musique,
Défilent lentement dans mon âme; l'Espoir,
Vaincu, pleure, et l'Angoisse atroce, despotique,
Sur mon crâne incliné plante son drapeau noir.   (1857)   20

EXERCICE

Faites une explication de texte du poème précédent. Analysez bien
toutes les images, et distinguez la mélancolie baudelairienne de celle
de Musset et de celle de Lamartine.

Aucun poète n'a réussi comme Baudelaire à évoquer ces moments d'angoisse, de profond abattement. Cependant Paul Verlaine doit une certaine mesure de sa renommée à de petits poèmes
mélancoliques comme les suivants:

✖ 63 ✖ « IL PLEURE DANS MON CŒUR . . . »
Paul Verlaine (1844-1896)

Il pleure dans mon cœur
Comme il pleut sur la ville.
Quelle est cette langueur
Qui pénètre mon cœur?

O bruit doux de la pluie   5
Par terre et sur les toits!
Pour un cœur qui s'ennuie
O le chant de la pluie!

Il pleure sans raison
Dans ce cœur qui s'écœure.   10
Quoi! nulle trahison?
Ce deuil est sans raison.

C'est bien la pire peine
De ne savoir pourquoi,
Sans amour et sans haine,   15
Mon cœur a tant de peine!   (1874)

CHANSON D'AUTOMNE

Paul Verlaine (1844-1896)

Les sanglots longs
Des violons
   De l'automne
Blessent mon cœur
D'une langueur   5
   Monotone.

Tout suffocant
Et blême, quand
   Sonne l'heure,
Je me souviens   10
Des jours anciens
   Et je pleure;

Et je m'en vais
Au vent mauvais
   Qui m'emporte   15
Deçà, delà,
Pareil à la
   Feuille morte.   (1866)

Exercices

1) Étudiez en détail la versification de ces deux poèmes (rimes, assonances, sonorités, répétitions, rythme, forme de la strophe).

2) Analysez ces deux poèmes. Quelle est leur valeur comme expression d'états d'âme?

CHAPITRE TROIS

La mort

Depuis Orphée, la mort a été une des plus grandes inspiratrices des poètes qui ont cherché à pénétrer ses secrets. Nous ne pouvons pas, bien entendu, présenter toutes les formes que ce thème a revêtues pendant six siècles de poésie française; nous nous contenterons d'en examiner quelques-unes.

1. *La mort, expérience personnelle*

En 1843, Victor Hugo fit un voyage en Espagne et dans les Pyrénées. Pendant l'absence du poète, son gendre et sa fille Léopoldine, devenue Mme Vacquerie, moururent noyés dans la Seine près de Villequier au cours d'une promenade en barque. Hugo ne reçut la nouvelle de la catastrophe que cinq jours après (le 9 septembre) quand il la lut dans un journal. Dans la douleur causée par cette mort, le poète écrivit quelques-uns de ses poèmes les plus célèbres. Nous en présentons deux, écrits à différentes époques et qui montrent deux phases successives de la douleur du poète.

✗ 65 ✗   A VILLEQUIER
Victor Hugo (1802-1885)

Maintenant que Paris, ses pavés et ses marbres,
Et sa brume et ses toits sont bien loin de mes yeux;

Maintenant que je suis sous les branches des arbres,
Et que je puis songer à la beauté des cieux;

Maintenant que du deuil qui m'a fait l'âme obscure   5
        Je sors, pâle et vainqueur,
Et que je sens la paix de la grande nature
        Qui m'entre dans le cœur;

Maintenant que je puis, assis au bord des ondes,
Ému par ce superbe et tranquille horizon,   10
Examiner en moi les vérités profondes
Et regarder les fleurs qui sont dans le gazon;

Maintenant, ô mon Dieu! que j'ai ce calme sombre
        De pouvoir désormais
Voir de mes yeux la pierre où je sais que dans l'ombre   15
        Elle dort pour jamais;

Maintenant qu'attendri par ces divins spectacles,
Plaines, forêts, rochers, vallons, fleuve argenté,
Voyant ma petitesse et voyant vos miracles,
Je reprends ma raison devant l'immensité;   20

Je viens à vous, Seigneur, père auquel il faut croire;
        Je vous porte, apaisé,
Les morceaux de ce cœur tout plein de votre gloire
        Que vous avez brisé;

Je viens à vous, Seigneur! confessant que vous êtes   25
Bon, clément, indulgent et doux, ô Dieu vivant!
Je conviens que vous seul savez ce que vous faites,
Et que l'homme n'est rien qu'un jonc qui tremble au vent;

Je dis que le tombeau qui sur les morts se ferme
        Ouvre le firmament;   30
Et que ce qu'ici-bas nous prenons pour le terme
        Est le commencement;

Je conviens à genoux que vous seul, Père auguste,
Possédez l'infini, le réel, l'absolu;
Je conviens qu'il est bon, je conviens qu'il est juste   35
Que mon cœur ait saigné, puisque Dieu l'a voulu!

Je ne résiste plus à tout ce qui m'arrive
        Par votre volonté.
L'âme de deuils en deuils, l'homme de rive en rive,
        Roule à l'éternité.   40

Nous ne voyons jamais qu'un seul côté des choses;
L'autre plonge en la nuit d'un mystère effrayant.
L'homme subit le joug sans connaître les causes.
Tout ce qu'il voit est court, inutile et fuyant.

Vous faites revenir toujours la solitude   45
        Autour de tous ses pas.
Vous n'avez pas voulu qu'il eût la certitude
        Ni la joie ici-bas!

Dès qu'il possède un bien, le sort le lui retire.
Rien ne lui fut donné, dans ses rapides jours,   50
Pour qu'il s'en puisse faire une demeure, et dire:
C'est ici ma maison, mon champ et mes amours!

Il doit voir peu de temps tout ce que ses yeux voient;
        Il vieillit sans soutiens.
Puisque ces choses sont, c'est qu'il faut qu'elles soient;   55
        J'en conviens, j'en conviens!

Le monde est sombre, ô Dieu! l'immuable harmonie
Se compose des pleurs aussi bien que des chants;
L'homme n'est qu'un atome en cette ombre infinie,
Nuit où montent les bons, où tombent les méchants.   60

Je sais que vous avez bien autre chose à faire
        Que de nous plaindre tous,
Et qu'un enfant qui meurt, désespoir de sa mère,
        Ne vous fait rien, à vous.

Je sais que le fruit tombe au vent qui le secoue,   65
Que l'oiseau perd sa plume et la fleur son parfum;
Que la création est une grande roue
Qui ne peut se mouvoir sans écraser quelqu'un;

Les mois, les jours, les flots des mers, les yeux qui pleurent,
        Passent sous le ciel bleu;   70

Il faut que l'herbe pousse et que les enfants meurent,
    Je le sais, ô mon Dieu!

Dans vos cieux, au delà de la sphère des nues,
Au fond de cet azur immobile et dormant,
Peut-être faites-vous des choses inconnues   75
Où la douleur de l'homme entre comme élément.

Peut-être est-il utile à vos desseins sans nombre
    Que des êtres charmants
S'en aillent, emportés par le tourbillon sombre
    Des noirs événements.   80

Nos destins ténébreux vont sous des lois immenses
Que rien ne déconcerte et que rien n'attendrit.
Vous ne pouvez avoir de subites clémences
Qui dérangent le monde, ô Dieu, tranquille esprit!

Je vous supplie, ô Dieu! de regarder mon âme,   85
    Et de considérer
Qu'humble comme un enfant et doux comme une femme,
    Je viens vous adorer!

Considérez encor que j'avais, dès l'aurore,
Travaillé, combattu, pensé, marché, lutté,   90
Expliquant la nature à l'homme qui l'ignore,
Éclairant toute chose avec votre clarté;

Que j'avais, affrontant la haine et la colère,
    Fait ma tâche ici-bas,
Que je ne pouvais pas m'attendre à ce salaire,   95
    Que je ne pouvais pas

Prévoir que, vous aussi, sur ma tête qui ploie,
Vous appesantiriez votre bras triomphant,
Et que, vous qui voyiez comme j'ai peu de joie,
Vous me reprendriez si vite mon enfant!   100

Qu'une âme ainsi frappée à se plaindre est sujette,
    Que j'ai pu blasphémer,
Et vous jeter mes cris comme un enfant qui jette
    Une pierre à la mer!

Considérez qu'on doute, ô mon Dieu! quand on souffre,   105
Que l'œil qui pleure trop finit par s'aveugler,
Qu'un être que son deuil plonge au plus noir du gouffre,
Quand il ne vous voit plus, ne peut vous contempler,

Et qu'il ne se peut pas que l'homme, lorsqu'il sombre
      Dans les afflictions,   110
Ait présente à l'esprit la sérénité sombre
      Des constellations!

Aujourd'hui, moi qui fus faible comme une mère,
Je me courbe à vos pieds devant vos cieux ouverts.
Je me sens éclairé dans ma douleur amère   115
Par un meilleur regard jeté sur l'univers.

Seigneur, je reconnais que l'homme est en délire
      S'il ose murmurer;
Je cesse d'accuser, je cesse de maudire,
      Mais laissez-moi pleurer!   120

Hélas! laissez les pleurs couler de ma paupière,
Puisque vous avez fait les hommes pour cela!
Laissez-moi me pencher sur cette froide pierre
Et dire à mon enfant: Sens-tu que je suis là?

Laissez-moi lui parler, incliné sur ses restes,   125
      Le soir, quand tout se tait,
Comme si, dans sa nuit rouvrant ses yeux célestes,
      Cet ange m'écoutait!

Hélas! vers le passé tournant un œil d'envie,
Sans que rien ici-bas puisse m'en consoler,   130
Je regarde toujours ce moment de ma vie
Où je l'ai vue ouvrir son aile et s'envoler.

Je verrai cet instant jusqu'à ce que je meure,
      L'instant, pleurs superflus!
Où je criai: L'enfant que j'avais tout à l'heure,   135
      Quoi donc! je ne l'ai plus!

Ne vous irritez pas que je sois de la sorte,
O mon Dieu! cette plaie a si longtemps saigné!

166

L'angoisse dans mon âme est toujours la plus forte,
Et mon cœur est soumis, mais n'est pas résigné.   140

Ne vous irritez pas! fronts que le deuil réclame,
        Mortels sujets aux pleurs,
Il nous est malaisé de retirer notre âme
        De ces grandes douleurs.

Voyez-vous, nos enfants nous sont bien nécessaires,   145
Seigneur; quand on a vu dans sa vie, un matin,
Au milieu des ennuis, des peines, des misères,
Et de l'ombre que fait sur nous notre destin,

Apparaître un enfant, tête chère et sacrée,
        Petit être joyeux,   150
Si beau, qu'on a cru voir s'ouvrir à son entrée
        Une porte des cieux;

Quand on a vu, seize ans, de cet autre soi-même
Croître la grâce aimable et la douce raison,
Lorsqu'on a reconnu que cet enfant qu'on aime   155
Fait le jour dans notre âme et dans notre maison;

Que c'est la seule joie ici-bas qui persiste
        De tout ce qu'on rêva,
Considérez que c'est une chose bien triste
        De le voir qui s'en va!   (1844)   160

✗ 66 ✗   « DEMAIN, DÈS L'AUBE . . . »
Victor Hugo (1802-1885)

Demain, dès l'aube, à l'heure où blanchit la campagne,
Je partirai. Vois-tu, je sais que tu m'attends.
J'irai par la forêt, j'irai par la montagne.
Je ne puis demeurer loin de toi plus longtemps.

Je marcherai les yeux fixés sur mes pensées,   5
Sans rien voir au dehors, sans entendre aucun bruit,
Seul, inconnu, le dos courbé, les mains croisées,
Triste, et le jour pour moi sera comme la nuit.

Je ne regarderai ni l'or du soir qui tombe,
Ni les voiles au loin descendant vers Harfleur,   10
Et quand j'arriverai, je mettrai sur ta tombe
Un bouquet de houx vert et de bruyère en fleur.   (1847)

EXERCICES

1) Peu après l'accident, Victor Hugo écrivit à sa femme la lettre
suivante:

«Chère amie, ma femme bien-aimée, pauvre mère éprouvée, que te
dire? Je viens de lire un journal par hasard; ô mon Dieu, que vous ai-je
fait? j'ai le cœur brisé. Je n'irai pas jusqu'à La Rochelle, je vais partir
tout de suite pour Paris, où j'arriverai presque en même temps que cette
lettre. Pauvre femme, ne pleure pas. Résignons-nous. C'était un ange.
Rendons-le à Dieu. Hélas! Elle était trop heureuse. Oh! je souffre bien.
Il me tarde de pleurer avec toi et avec mes trois pauvres enfants bien-
aimés. Ma Dédé chérie, aie du courage, et vous tous. Je vais arriver, nous
allons pleurer ensemble, mes pauvres bien-aimés. A bientôt, à tout à
l'heure, mon Adèle chérie. Que cet affreux coup, du moins resserre et
rapproche nos cœurs qui s'aiment.»

Montrez comment les thèmes d'*A Villequier* sont déjà annoncés dans
cette lettre. Montrez les ressemblances de mouvement entre la lettre et
le poème. Êtes-vous d'avis que l'ampleur de la rhétorique nuise à la
pureté et à la sincérité de l'émotion exprimée dans le poème?

2) Examinez le rythme de *Demain, dès l'aube*. Cherchez les vers
romantiques, analysez leur effet et portez un jugement sur la fonction
du rythme dans cette pièce.

3) Analysez le mouvement de *Demain, dès l'aube* de la première
strophe jusqu'à la dernière. Est-ce que cette poésie perd de sa beauté
lorsqu'on connaît d'avance son inspiration?

4) Dans *Demain, dès l'aube* Victor Hugo arrive à une simplicité
d'expression admirable; dans *A Villequier* il recherche une ampleur
grandiose. Est-ce que l'un de ces poèmes vous émeut plus que l'autre?
Pourquoi?

L'expression directe de la douleur causée par la perte d'une
personne adorée a été le sujet de plusieurs poésies de Pierre de
Ronsard, dont voici la plus célèbre:

168

SONNET
Sur la mort de Marie

Pierre de Ronsard (1524-1585)

Comme on voit sur la branche au mois de mai la rose
En sa belle jeunesse, en sa première fleur,
Rendre le ciel jaloux de sa vive couleur,
Quand l'Aube de ses pleurs au point du jour l'arrose;

La Grâce dans sa feuille et l'Amour se repose,   5
Embaumant les jardins et les arbres d'odeur;
Mais, battue ou de pluie ou d'excessive ardeur,
Languissante elle meurt, feuille à feuille déclose.

Ainsi, en ta première et jeune nouveauté,
Quand la terre et le ciel honoraient ta beauté,   10
La Parque t'a tuée, et cendre tu reposes.

Pour obsèques reçois mes larmes et mes pleurs,
Ce vase plein de lait, ce panier plein de fleurs,
Afin que vif et mort ton corps ne soit que roses.   (1578)

v. 5, 8. *feuille.* Pétale.
v. 7. *ardeur.* Chaleur.
v. 9. *en ta première et jeune nouveauté.* Dans ta jeunesse.

EXERCICE

Étudiez la structure du poème. Qu'est-ce qui contribue à son unité? Il y a beaucoup de répétitions de mots; est-ce un défaut? Commentez l'emploi des figures mythologiques, et caractérisez le sentiment de la mort. Quel rôle l'élément personnel joue-t-il dans le sonnet?

2. *La mort et le rôle du poète*

La mort, l'éternité et le destin du poète sont des thèmes que les poètes de la Renaissance traitent avec un accent particulier. Vers le commencement de sa carrière poétique, Ronsard écrivit ce sonnet prophétique:

169

SONNET

Pierre de Ronsard (1524-1585)

«Avant le temps tes temples fleuriront,
De peu de jours ta fin sera bornée,
Avant le soir se clorra ta journée,
Trahis d'espoir tes pensers périront:

Sans me fléchir tes écrits flétriront,   5
En ton désastre ira ma destinée,
Ta mort sera pour m'aimer terminée,
De tes soupirs tes neveux se riront.

Tu seras fait du vulgaire la fable:
Tu bâtiras sur l'incertain du sable,   10
Et vainement tu peindras dans les cieux.»

Ainsi disait la ̄Nymphe qui m'affole,
Lorsque le ciel, témoin de sa parole,
D'un dextre éclair fut présage à mes yeux.   (1552)

v. 1. *fleuriront.* Blanchiront.
v. 3. *clorra.* Finira.
v. 8. *neveux.* Descendants.
v. 11. *affole.* Me rend fou.
v. 14. *un dextre éclair.* Un éclair apparu à droite, un présage de malheur.

EXERCICE

Analysez les images du poème.

SONNET

Pierre de Ronsard (1524-1585)

Il faut laisser maisons et vergers et jardins,
Vaisselles et vaisseaux que l'artisan burine,
Et chanter son obsèque en la façon du cygne
Qui chante son trépas sur les bords Méandrins.

C'est fait! J'ai dévidé le cours de mes destins,   5
J'ai vécu, j'ai rendu mon nom assez insigne;

Ma plume vole au ciel, pour être quelque signe,
Loin des appas mondains qui trompent les plus fins.

Heureux qui ne fut onc, plus heureux qui retourne
En rien comme il était, plus heureux qui séjourne,   10
D'homme fait nouvel ange, auprès de Jésus-Christ,

Laissant pourrir çà-bas sa dépouille de boue,
Dont le Sort, la Fortune et le Destin se joue,
Franc des liens du corps pour n'être qu'un esprit.   (1586)

v. 2. *vaisselles et vaisseaux.* Vases.
v. 2. *burine.* Cisèle.
v. 4. *les bords Méandrins.* Les bords du fleuve Méandre en Asie Mineure,
    célèbre pour les cygnes.
v. 7. *signe.* Constellation.

✴ 70 ✴   ÉLÉGIE A MARIE
                    Pierre de Ronsard (1524-1585)

Afin que notre siècle et le siècle à venir
De nos jeunes amours se puissent souvenir,
Et que votre beauté que j'ai longtemps aimée
Ne se perde au tombeau par les ans consumée,
Sans laisser quelque marque après elle de soi,   5
Je vous consacre ici le plus gaillard de moi,
L'esprit de mon esprit, qui vous fera revivre
Ou longtemps ou jamais par l'âge de ce livre.
Ceux qui liront les vers que j'ai chantés pour vous,
D'un style qui varie entre l'aigre et le doux   10
Selon les passions que vous m'avez données
Vous tiendront pour déesse; et tant plus les années
En volant s'enfuiront, et plus votre beauté
Contre l'âge croîtra vieille en sa nouveauté . . .
O ma belle maîtresse! hé! que je voudrais bien   15
Qu'Amour nous eût conjoints d'un semblable lien,
Et qu'après nos trépas dans nos fosses ombreuses
Nous fussions la chanson des bouches amoureuses!

Que ceux du Vendômois dissent tous d'un accord,
Visitant le tombeau sous qui je serais mort: 20
«Notre Ronsard, quittant son Loir et sa Gastine,
A Bourgueil fut épris d'une belle Angevine!»
Et que les Angevins dissent tous d'une voix:
«Notre belle Marie aimait un Vendômois . . . »
Puisse arriver, après l'espace d'un long âge,   25
Qu'un esprit vienne à bas sous le mignard ombrage
Des myrtes, me conter que les âges n'ont pu
Effacer la clarté qui luit de notre feu;
Mais que de voix en voix, de parole en parole,
Notre gentille ardeur par la jeunesse vole,   30
Et qu'on apprend par cœur les vers et les chansons
Qu'Amour chanta pour vous en diverses façons,
Et qu'on pense amoureux celui qui remémore
Votre nom et le mien et nos tombes honore!
Or il en adviendra ce que le ciel voudra;   35
Si est-ce que ce livre immortel apprendra
Aux hommes et au temps et à la renommée
Que je vous ai six ans plus que mon cœur aimée.   (1560)

Dans ce poème on rencontre le thème de l'*Exegi monumentum*,* c'est-à-dire la foi du poète dans l'immortalité de ses vers: ses poèmes sont des *monuments* qu'il a érigés pour la postérité et qui éterniseront son nom, et celui de la femme qu'il aime.

EXERCICE

Est-ce que le thème de l'*Exegi monumentum* nuit à la sincérité des sentiments exprimés dans ces vers?

✷ 71 ✷   UNE CHAROGNE

Charles Baudelaire (1821-1867)

Rappelez-vous l'objet que nous vîmes, mon âme,
   Ce beau matin d'été si doux:
Au détour d'un sentier une charogne infâme
   Sur un lit semé de cailloux,

Les jambes en l'air, comme une femme lubrique,   5
   Brûlante et suant les poisons,

Ouvrait d'une façon nonchalante et cynique
    Son ventre plein d'exhalaisons.

Le soleil rayonnait sur cette pourriture,
    Comme afin de la cuire à point,   10
Et de rendre au centuple à la grande Nature
    Tout ce qu'ensemble elle avait joint;

Et le ciel regardait la carcasse superbe
    Comme une fleur s'épanouir.
La puanteur était si forte, que sur l'herbe   15
    Vous crûtes vous évanouir.

Les mouches bourdonnaient sur ce ventre putride,
    D'où sortaient de noirs bataillons
De larves, qui coulaient comme un épais liquide
    Le long de ces vivants haillons.   20

Tout cela descendait, montait comme une vague,
    Ou s'élançait en pétillant;
On eût dit que le corps, enflé d'un souffle vague,
    Vivait en se multipliant.

Et ce monde rendait une étrange musique,   25
    Comme l'eau courante et le vent,
Ou le grain qu'un vanneur d'un mouvement rythmique
    Agite et tourne dans son van.

Les formes s'effaçaient et n'étaient plus qu'un rêve,
    Une ébauche lente à venir,   30
Sur la toile oubliée, et que l'artiste achève
    Seulement par le souvenir.

Derrière les rochers une chienne inquiète
    Nous regardait d'un œil fâché,
Épiant le moment de reprendre au squelette   35
    Le morceau qu'elle avait lâché.

—Et pourtant vous serez semblable à cette ordure,
    A cette horrible infection,
Étoile de mes yeux, soleil de ma nature,
    Vous, mon ange et ma passion!   40

173

Oui! telle vous serez, ô la reine des grâces,
  Après les derniers sacrements,
Quand vous irez, sous l'herbe et les floraisons grasses,
  Moisir parmi les ossements.

Alors, ô ma beauté! dites à la vermine   45
  Qui vous mangera de baisers,
Que j'ai gardé la forme et l'essence divine
  De mes amours décomposés!   (1857)

Baudelaire fut toujours hanté par la mort; il rejoint, à cet égard, une tradition littéraire qui remonte à la célèbre ballade de François Villon (1431-1465?), *Les Regrets de la Belle Hëaulmière*, et au thème de la *danse macabre* du Moyen Age.

EXERCICES

1) Dans toute l'œuvre de Baudelaire, *Une Charogne* est l'un des poèmes les mieux construits. Distinguez nettement les deux parties de cette structure. Étudiez le mouvement dans l'ensemble du poème.

2) Les sensations sont très fortes dans ce poème. Étudiez-les, en précisant le rôle de l'ouïe, de l'odorat, des couleurs, etc.

3) Déterminez le ton du poème. Montrez comment Baudelaire obtient les effets de surprise, d'étrangeté, d'ironie.

4) Discutez les thèmes d'*Une Charogne*. Montrez comment Baudelaire renouvelle les vieux thèmes, en traitant l'horreur de la mort et l'*Exegi monumentum*. L'art triomphe-t-il complètement de la nature et de la mort? Baudelaire ne laisse-t-il pas s'introduire un doute dans l'esprit de son lecteur?

5) Déterminez les sentiments du poème: chrétiens, épicuriens, païens?

3. *La mort, problème métaphysique*

Le thème de la mort se prête à une vision plus large et plus générale que les aspects étudiés jusqu'ici.

✗ 72 ✗   SONNET
            Jean de Sponde (1557-1595)

Mais si faut-il mourir! et la vie orgueilleuse,
  Qui brave de la mort, sentira ses fureurs;

174

Les soleils hâleront ces journalières fleurs
Et le temps crèvera cette ampoule venteuse.

Ce beau flambeau qui lance une flamme fumeuse 5
Sur le vert de la cire éteindra ses ardeurs;
L'huile de ce tableau ternira ses couleurs,
Et ces flots se rompront à la rive écumeuse.

J'ai vu ces clairs éclairs passer devant mes yeux
Et le tonnerre encor qui gronde dans les cieux, 10
Où d'une ou d'autre part éclatera l'orage.

J'ai vu fondre la neige et ces torrents tarir;
Ces lions rugissants, je les ai vus sans rage.
Vivez, hommes, vivez; mais si faut-il mourir!   (1588)

EXERCICES

1) Pour Ronsard la rose symbolise la brièveté de la vie: quel est l'effet produit par la diversité des objets que Sponde prend pour symboles de la mortalité?

2) Ces symboles sont-ils disparates ou y a-t-il un rapport entre eux?

3) Le poète a-t-il vraiment vu des torrents tarir, des lions rugissants sans rage?

4) Commentez l'emploi des démonstratifs.

✖ 73 ✖   MORS

Victor Hugo (1802-1885)

Je vis cette faucheuse. Elle était dans son champ.
Elle allait à grands pas, moissonnant et fauchant,
Noir squelette laissant passer le crépuscule.
Dans l'ombre où l'on dirait que tout tremble et recule,
L'homme suivait des yeux les lueurs de la faux, 5
Et les triomphateurs sous les arcs triomphaux
Tombaient; elle changeait en désert Babylone,
Le trône en échafaud et l'échafaud en trône,
Les roses en fumier, les enfants en oiseaux,
L'or en cendre et les yeux des mères en ruisseaux. 10
Et les femmes criaient: «Rends-nous ce petit être:
Pour le faire mourir, pourquoi l'avoir fait naître?»

Ce n'était qu'un sanglot sur terre, en haut, en bas;
Des mains aux doigts osseux sortaient des noirs grabats;
Un vent froid bruissait dans les linceuls sans nombre;   15
Les peuples éperdus semblaient sous la faux sombre
Un troupeau frissonnant qui dans l'ombre s'enfuit;
Tout était sous ses pieds deuil, épouvante et nuit.

Derrière elle, le front baigné de douces flammes,
Un ange souriant portait la gerbe d'âmes.   (1854)   20

Hugo a composé *Mors* onze ans après la mort de sa fille. Sa douleur est apaisée, et il peut interroger la tombe sur le côté métaphysique de la mort.

CHAPITRE QUATRE

Le poète, écho sonore

> Tout souffle, tout rayon, ou propice ou fatal,
> Fait reluire et vibrer mon âme de cristal,
> Mon âme aux mille voix, que le Dieu que j'adore
> Mit au centre de tout comme un écho sonore!
>
> Victor Hugo, *Ce siècle avait deux ans* (1830)

Le poète romantique, le poète d'expression directe, manifeste non seulement ses émotions, ses sentiments personnels, mais, par le don de sympathie qui lui a été accordé et qui le rend apte à comprendre et à exprimer toute émotion humaine, il devient une sorte d'*écho sonore* de l'humanité entière. Les vers de Victor Hugo cités en épigraphe caractérisent bien ce rôle du poète d'expression directe.

En se faisant *écho sonore*, le poète devient tantôt le porte-parole de souffrances qu'il connaît seulement par ouï-dire (*Oceano nox*, No. 74), tantôt le critique acerbe de l'injustice et de l'ineptie des conflits civils (*Souvenir de la nuit du quatre*, No. 75), tantôt le chantre d'un patriotisme exalté (*Hymne*, No. 76), tantôt enfin l'interprète subtil et discret d'une douleur nationale (*Zone libre*, No. 77).

OCEANO NOX

Victor Hugo (1802-1885)

Oh! combien de marins, combien de capitaines
Qui sont partis joyeux pour des courses lointaines,
Dans ce morne horizon se sont évanouis!
Combien ont disparu, dure et triste fortune!
Dans une mer sans fond, par une nuit sans lune,   5
Sous l'aveugle océan à jamais enfouis!

Combien de patrons morts avec leurs équipages!
L'ouragan de leur vie a pris toutes les pages,
Et d'un souffle il a tout dispersé sur les flots!
Nul ne saura leur fin dans l'abîme plongée.   10
Chaque vague en passant d'un butin s'est chargée;
L'une a saisi l'esquif, l'autre les matelots!

Nul ne sait votre sort, pauvres têtes perdues!
Vous roulez à travers les sombres étendues,
Heurtant de vos fronts morts des écueils inconnus.   15
Oh! que de vieux parents, qui n'avaient plus qu'un rêve,
Sont morts en attendant tous les jours sur la grève
        Ceux qui ne sont pas revenus!

On s'entretient de vous parfois dans les veillées.
Maint joyeux cercle, assis sur des ancres rouillées,   20
Mêle encor quelque temps vos noms d'ombre couverts
Aux rires, aux refrains, aux récits d'aventures,
Aux baisers qu'on dérobe à vos belles futures,
Tandis que vous dormez dans les goëmons verts!

On demande:—Où sont-ils? sont-ils rois dans quelque île?   25
Nous ont-ils délaissés pour un bord plus fertile?—
Puis votre souvenir même est enseveli.
Le corps se perd dans l'eau, le nom dans la mémoire.
Le temps, qui sur toute ombre en verse une plus noire,
Sur le sombre océan jette le sombre oubli.   30

Bientôt des yeux de tous votre ombre est disparue.
L'un n'a-t-il pas sa barque et l'autre sa charrue?
Seules, durant ces nuits où l'orage est vainqueur,

Vos veuves aux fronts blancs, lasses de vous attendre,
Parlent encore de vous en remuant la cendre   35
    De leur foyer et de leur cœur!

Et quand la tombe enfin a fermé leur paupière,
Rien ne sait plus vos noms, pas même une humble pierre
Dans l'étroit cimetière où l'écho nous répond,
Pas même un saule vert qui s'effeuille à l'automne,   40
Pas même la chanson naïve et monotone
Que chante un mendiant à l'angle d'un vieux pont!

Où sont-ils, les marins sombrés dans les nuits noires?
O flots, que vous savez de lugubres histoires!
Flots profonds, redoutés des mères à genoux!   45
Vous vous les racontez en montant les marées,
Et c'est ce qui vous fait ces voix désespérées
Que vous avez le soir quand vous venez vers nous!   (1836)

Ce poème fut inspiré par le spectacle d'une tempête à Saint-
Valery-en-Caux, petit port sur la Manche.

EXERCICES

1) Montrez comment une sensation (la vue d'une tempête sur la
mer) a suscité chez le poète une compréhension des souffrances des
marins et de leurs familles.

2) Étudiez la sincérité et l'authenticité des sentiments exprimés
ici par Victor Hugo. Le poète breton Tristan Corbière, qui descendait
d'une famille de marins et possédait une connaissance profonde de la
vie des marins, accusa Victor Hugo de s'être montré, dans ce poème,
un «terrien parvenu» qui traitait un sujet qu'il ignorait totalement. L'attitude et l'accusation de Corbière vous paraissent-elles justifiées?

✶ 75 ✶   SOUVENIR DE LA NUIT DU QUATRE
Victor Hugo (1802-1885)

L'enfant avait reçu deux balles dans la tête.
Le logis était propre, humble, paisible, honnête;
On voyait un rameau bénit sur un portrait.
Une vieille grand'mère était là qui pleurait.

Nous le déshabillions en silence. Sa bouche, 5
Pâle, s'ouvrait; la mort noyait son œil farouche;
Ses bras pendants semblaient demander des appuis.
Il avait dans sa poche une toupie en buis.
On pouvait mettre un doigt dans le trou de ses plaies.
Avez-vous vu saigner la mûre dans les haies? 10
Son crâne était ouvert comme un bois qui se fend.
L'aïeule regardait déshabiller l'enfant,
Disant:—Comme il est blanc! approchez donc la lampe.
Dieu! ses pauvres cheveux sont collés sur sa tempe!—
Et quand ce fut fini, le prit sur ses genoux. 15
La nuit était lugubre; on entendait des coups
De fusil dans la rue où l'on en tuait d'autres.
—Il faut ensevelir l'enfant, dirent les nôtres.
Et l'on prit un drap blanc dans l'armoire en noyer.
L'aïeule cependant l'approchait du foyer, 20
Comme pour réchauffer ses membres déjà roides.
Hélas! ce que la mort touche de ses mains froides
Ne se réchauffe plus aux foyers d'ici-bas!
Elle pencha la tête et lui tira ses bas,
Et dans ses vieilles mains prit les pieds du cadavre. 25
—Est-ce que ce n'est pas une chose qui navre!
Cria-t-elle; monsieur, il n'avait pas huit ans!
Ses maîtres, il allait en classe, étaient contents.
Monsieur, quand il fallait que je fisse une lettre,
C'est lui qui l'écrivait. Est-ce qu'on va se mettre 30
A tuer les enfants maintenant? Ah! mon Dieu!
On est donc des brigands? Je vous demande un peu,
Il jouait ce matin, là, devant la fenêtre!
Dire qu'ils m'ont tué ce pauvre petit être!
Il passait dans la rue, ils ont tiré dessus. 35
Monsieur, il était bon et doux comme un Jésus.
Moi je suis vieille, il est tout simple que je parte;
Cela n'aurait rien fait à monsieur Bonaparte
De me tuer au lieu de tuer mon enfant!—
Elle s'interrompit, les sanglots l'étouffant. 40
Puis elle dit, et tous pleuraient près de l'aïeule:
—Que vais-je devenir à présent toute seule?
Expliquez-moi cela, vous autres, aujourd'hui.
Hélas! je n'avais plus de sa mère que lui.
Pourquoi l'a-t-on tué? je veux que l'on m'explique. 45
L'enfant n'a pas crié: Vive la République.—

Nous nous taisions, debout et graves, chapeau bas,
Tremblant devant ce deuil qu'on ne console pas.

Vous ne compreniez point, mère, la politique.
Monsieur Napoléon, c'est son nom authentique,   50
Est pauvre, et même prince; il aime les palais;
Il lui convient d'avoir des chevaux, des valets,
De l'argent pour son jeu, sa table, son alcôve,
Ses chasses; par la même occasion, il sauve
La famille, l'église et la société;   55
Il veut avoir Saint-Cloud, plein de roses l'été,
Où viendront l'adorer les préfets et les maires;
C'est pour cela qu'il faut que les vieilles grand'mères,
De leurs pauvres doigts gris que fait trembler le temps,
Cousent dans le linceul des enfants de sept ans.   (1852)   60

v. 50. *son nom authentique.* Les mauvaises langues prétendaient que Louis-
Napoléon n'était pas le fils légitime de Louis, frère de Napoléon Ier, et
de sa femme, Hortense de Beauharnais, mais le fils adultérin d'Hortense.
v. 56. *Saint-Cloud.* Le palais préféré de Napoléon III se trouvait à Saint-
Cloud. Il fut détruit en 1871.

Pour ce poème Hugo s'est inspiré d'un incident arrivé pendant
la répression violente de la résistance qui avait suivi le coup d'État
du 2 décembre 1851, par lequel le président Louis-Napoléon prit le
pouvoir absolu pour devenir l'Empereur Napoléon III. Deux cents
personnes, dont beaucoup n'étaient que de simples promeneurs ou
passants, furent abattues par le feu des soldats, sur les boulevards,
les nuits du 3 et 4 décembre.

EXERCICES

1) Analysez la partie narrative du poème, montrant l'habileté avec
laquelle le poète soulève la pitié, puis l'indignation du lecteur. Notez
les détails qui accentuent cet effet.

2) Montrez le contraste entre la seconde partie et la première, et
comment, avec une ironie plutôt féroce, le poète suscite en nous le
mépris du tyran.

3) Ce poème aurait-il été supérieur sans la seconde partie? N'y
a-t-il pas des lecteurs qui trouveraient un peu injustes ces attaques?
(Notez que l'Empereur pourrait répondre: «Mais je trouve atroce la
mort de cet enfant! Je ne voulais pas cela; j'ai simplement donné l'ordre
à mes troupes de vider la rue de ceux qui s'étaient révoltés contre l'ordre
que j'avais établi.»)

HYMNE

Victor Hugo (1802-1885)

Ceux qui pieusement sont morts pour la patrie
Ont droit qu'à leur cercueil la foule vienne et prie.
Entre les plus beaux noms leur nom est le plus beau.
Toute gloire près d'eux passe et tombe éphémère;
      Et, comme ferait une mère,   5
La voix d'un peuple entier les berce en leur tombeau.

    Gloire à notre France éternelle!
    Gloire à ceux qui sont morts pour elle!
    Aux martyrs! aux vaillants! aux forts!
    A ceux qu'enflamme leur exemple,   10
    Qui veulent place dans le temple,
    Et qui mourront comme ils sont morts!

C'est pour ces morts, dont l'ombre est ici bienvenue,
Que le haut Panthéon élève dans la nue,
Au-dessus de Paris, la ville aux mille tours,   15
La reine de nos Tyrs et de nos Babylones,
      Cette couronne de colonnes
Que le soleil levant redore tous les jours!

    Gloire à notre France éternelle!
    Gloire à ceux qui sont morts pour elle!   20
    Aux martyrs! aux vaillants! aux forts!
    A ceux qu'enflamme leur exemple,
    Qui veulent place dans le temple,
    Et qui mourront comme ils sont morts!

Ainsi, quand de tels morts sont couchés dans la tombe,   25
En vain l'oubli, nuit sombre où va tout ce qui tombe,
Passe sur leur sépulcre où nous nous inclinons;
Chaque jour, pour eux seuls se levant plus fidèle,
      La gloire, aube toujours nouvelle,
Fait luire leur mémoire et redore leurs noms!   30

    Gloire à notre France éternelle!
    Gloire à ceux qui sont morts pour elle!
    Aux martyrs! aux vaillants! aux forts!
    A ceux qu'enflamme leur exemple,

Qui veulent place dans le temple,   ₃₅
Et qui mourront comme ils sont morts!   (1831)

Ce poème a été composé à la mémoire des morts de la Révolution de juillet 1830 (les journées qu'on appelle «Les Trois Glo-
rieuses») et, mis en musique par Herold, fut chanté au cours d'une
cérémonie commémorative au Panthéon, le 27 juillet 1831.

EXERCICE

André Gide a dit: «C'est avec les beaux sentiments qu'on fait de
la mauvaise littérature.» Appliquez ce jugement (et assurez-vous que
vous comprenez exactement ce que Gide voulait dire) à cet *Hymne*.
Vous pouvez prendre le pour ou le contre ou une position neutre, mais
avant de prendre une position, dégagez bien les sentiments exprimés
ici, leur nature, leur sincérité, l'effet qu'ils font sur nous actuellement,
la beauté de l'expression, etc.

� 77 ✗   ZONE LIBRE

Louis Aragon (1897-   )

Fading de la tristesse oubli
Le bruit du cœur brisé faiblit
Et la cendre blanchit la braise
J'ai bu l'été comme un vin doux
J'ai rêvé pendant ce mois d'août   5
Dans un château rose en Corrèze

Qu'était-ce qui faisait soudain
Un sanglot lourd dans le jardin
Un sourd reproche dans la brise
Ah ne m'éveillez pas trop tôt   10
Rien qu'un instant de bel canto
Le désespoir démobilise

Il m'avait un instant semblé
Entendre au milieu des blés
Confusément le bruit des armes   15
D'où me venait ce grand chagrin
Ni l'œillet ni le romarin
N'ont gardé le parfum des larmes

J'ai perdu je ne sais comment
Le noir secret de mon tourment   20
A son tour l'ombre se démembre
Je cherchais à n'en plus finir
Cette douleur sans souvenir
Quand parut l'aube de septembre

Mon amour j'étais dans tes bras   25
Au dehors quelqu'un murmura
Une vieille chanson de France
Mon mal enfin s'est reconnu
Et son refrain comme un pied nu
Troubla l'eau verte du silence   (1940)   30

Ce poème fut écrit en septembre 1940, moins de trois mois
après la défaite désastreuse et l'occupation de la France.

EXERCICE

La douleur discrète que cause au poète l'humiliation de son pays
est susceptible d'une expression poétique bien plus frappante que le
sentiment exprimé dans l'*Hymne* de Victor Hugo. Analysez comment
le poète dévoile sa douleur dans *Zone libre*, comment les images contribuent à l'impression que l'on reçoit. Diriez-vous que l'expression du
sentiment ici est directe ou *indirecte*?

QUATRIÈME PARTIE

Poésie d'expression indirecte

Les sentiments personnels du poète étaient pour le public cultivé du dix-neuvième siècle la matière lyrique par excellence. D'après Gustave Lanson, auteur d'une *Histoire de la Littérature française* qui fit autorité dans les écoles pendant près de cinquante ans (1895-1940, environ), le lyrisme se limitait, par définition même, à l'expression du tempérament individuel. Pourtant, dès 1850, une révolution poétique s'accomplit. Même si l'expression directe devait continuer, pendant longtemps encore, à satisfaire le public cultivé, les meilleurs poètes, s'inspirant de Gérard de Nerval, de Baudelaire, de Mallarmé, de Rimbaud, voulurent suivre des voies nouvelles.

Lamartine, en faisant *descendre la poésie du Parnasse*, réagissait avec raison contre la poésie artificielle et guindée des pseudo-classiques, et ouvrait la voie à un groupe de poètes de génie, mais il l'ouvrait aussi aux médiocres imitateurs des romantiques: Eugène Manuel, François Coppée, Anna de Noailles et Paul Géraldy, par exemple.[1] En même temps il allait à l'encontre d'une tradition française. Il n'y a jamais eu de grande poésie *populaire* en France. On ne trouve pas dans la littérature française l'équivalent de la *ballad* anglaise, du *romancero* espagnol et du *lied* allemand. A vrai dire, l'adjectif *populaire* contient, en français, une nuance péjorative; quand un poète devient *populaire*, les intellectuels se méfient de lui. C'est sa popularité même qui a nui à la réputation de Victor Hugo; pareillement le grand succès populaire de la poésie ironique et humoristique de l'ancien surréaliste, Jacques Prévert, a poussé récemment la critique à se poser cette question: «Est-ce un poète de valeur ou est-ce seulement un nouveau Géraldy?» Dès la Renaissance, les théoriciens français réclamèrent une poésie interdite au vulgaire profane; la poésie était pour eux *le langage des dieux*. Les luttes, les controverses poétiques si fréquentes depuis cette époque, les *réformes*, les *renaissances* périodiques de la poésie, la recherche constante de nouveaux moyens d'expression poétique—tout cela montre que les Français ont peine à créer un genre de

---

[1] Eugène Manuel (1823-1901), François Coppée (1842-1908), Anna de Noailles (1876-1933), et Paul Géraldy (1885-   ) ont trouvé beaucoup de lecteurs, et Mme de Noailles a joui pendant quelque temps d'une réputation considérable. Il faut se rappeler que la plupart des critiques en France sont des hommes, et des hommes polis.

poésie qui les satisfasse pleinement. Cette difficulté se révèle de façon caractéristique dans la définition plutôt négative de la poésie que Thierry Maulnier formula en 1939: «La poésie ne se conçoit que comme l'acte par lequel passe dans les formes du langage ce qui est par essence étranger à ces formes . . .»

C'est seulement vers le milieu du dix-neuvième siècle que certains poètes, ayant acquis de la poésie une conception aussi élevée mais moins vague que celle des théoriciens de la Renaissance, commencèrent à utiliser systématiquement des méthodes d'expression que nous appellerons *indirectes*.[2] Avant de s'imposer au public, la poésie qu'ils créèrent dut vaincre de longues résistances. A l'heure actuelle, cependant, les critiques lui accordent une attention sérieuse, ils l'expliquent, ils la dissèquent, et ils ont même recherché, dans les siècles passés, des poètes qui, consciemment ou non, ont fait usage de ces méthodes indirectes. Voici une comparaison très simple qui illustre ce que nous entendons par *méthodes d'expression indirecte*.

✷ 78 ✷   SONNET
                          A un poète mort
                  Leconte de Lisle (1818-1894)

Toi dont les yeux erraient, altérés de lumière,
De la couleur divine au contour immortel
Et de la chair vivante à la splendeur du ciel,
Dors en paix dans la nuit qui scelle ta paupière.

Voir, entendre, sentir? Vent, fumée et poussière.   5
Aimer? La coupe d'or ne contient que du fiel.
Comme un Dieu plein d'ennui qui déserte l'autel,
Rentre et disperse-toi dans l'immense matière.

Sur ton muet sépulcre et tes os consumés
Qu'un autre verse ou non les pleurs accoutumés,   10
Que ton siècle banal t'oublie ou te renomme;

Moi je t'envie, au fond du tombeau calme et noir
D'être affranchi de vivre et de ne plus savoir
La honte de penser et l'horreur d'être un homme!   (1873)

---

[2] Remarquons tout de suite que presque toute poésie a toujours, dans un sens, été indirecte. Dès qu'il y a métaphore, il y a expression indirecte.

UN RÊVE DE MALDOROR

Comte de Lautréamont (1846-1870)

Je rêvais que j'étais entré dans le corps d'un pourceau, qu'il ne m'était pas facile d'en sortir, et que je vautrais mes poils dans les marécages les plus fangeux. Était-ce comme une récompense? Objet de mes vœux, je n'appartenais plus à l'humanité! Pour moi, j'entendis l'interprétation ainsi, et j'en éprouvai une joie plus que 5 profonde. Cependant, je recherchais activement quel acte de vertu j'avais accompli pour mériter, de la part de la Providence, cette insigne faveur. Maintenant que j'ai repassé dans ma mémoire les diverses phases de cet aplatissement épouvantable contre le ventre du granit, pendant lequel la marée, sans que je m'en aperçusse, 10 passa, deux fois, sur ce mélange irréductible de matière morte et de chair vivante, il n'est peut-être pas sans utilité de proclamer que cette dégradation n'était probablement qu'une punition, réalisée sur moi par la justice divine. Mais, qui connaît ses besoins intimes ou la cause de ses joies pestilentielles? La métamorphose ne parut 15 jamais à mes yeux que comme le haut et magnanime retentissement d'un bonheur parfait, que j'attendais depuis longtemps. Il était enfin venu, le jour où je fus un pourceau! J'essayais mes dents sur l'écorce des arbres; mon groin, je le contemplais avec délice. Il ne restait plus la moindre parcelle de divinité: je sus élever mon âme 20 jusqu'à l'excessive hauteur de cette volupté ineffable. Écoutez-moi donc, et ne rougissez pas, inépuisables caricatures du beau, qui prenez au sérieux le braiement risible de votre âme, souverainement méprisable; et qui ne comprenez pas pourquoi le Tout-Puissant, dans un rare moment de bouffonnerie excellente, qui certainement, 25 ne dépasse pas les grandes lois générales du grotesque, prit, un jour, le mirifique plaisir de faire habiter une planète par des êtres singuliers et microscopiques, qu'on appelle *humains,* et dont la matière ressemble à celle du corail vermeil. Certes, vous avez raison de rougir, os et graisse, mais écoutez-moi. Je n'invoque pas votre 30 intelligence; vous la feriez rejeter du sang par l'horreur qu'elle vous témoigne: oubliez-la, et soyez conséquents avec vous-mêmes. . . . Là, plus de contrainte. Quand je voulais tuer, je tuais; cela, même, m'arrivait souvent, et personne ne m'en empêchait. Les lois humaines me poursuivaient encore de leur vengeance, quoique je n'attaquasse 35 pas la race que j'avais abandonnée si tranquillement; mais ma conscience ne me faisait aucun reproche. Pendant la journée, je me battais avec mes nouveaux semblables, et le sol était parsemé de nombreuses couches de sang caillé. J'étais le plus fort, et je remportais toutes les victoires. Des blessures cuisantes couvraient mon corps; 40

je faisais semblant de ne pas m'en apercevoir. Les animaux terrestres s'éloignaient de moi, et je restais seul dans ma resplendissante grandeur. Quel ne fut pas mon étonnement, quand après avoir traversé un fleuve à la nage, pour m'éloigner des contrées que ma rage avait dépeuplées, et gagner d'autres campagnes pour y planter mes 45 coutumes de meurtre et de carnage, j'essayai de marcher sur cette rive fleurie! Mes pieds étaient paralysés; aucun mouvement ne venait trahir la vérité de cette immobilité forcée. Au milieu d'efforts surnaturels, pour continuer mon chemin, ce fut alors que je me réveillai, et que je sentis que je redevenais homme. La Providence me faisait 50 ainsi comprendre, d'une manière qui n'est pas inexplicable, qu'elle ne voulait pas que, même en rêve, mes projets sublimes s'accomplissent. Revenir à ma forme primitive fut pour moi une douleur si grande, que, pendant les nuits, j'en pleure encore. Mes draps sont constamment mouillés, comme s'ils avaient été passés dans l'eau, et, chaque 55 jour, je les fais changer. Si vous ne le croyez pas, venez me voir; vous contrôlerez, par votre propre expérience, non pas la vraisemblance, mais, en outre, la vérité même de mon assertion. Combien de fois, depuis cette nuit passée à la belle étoile, sur une falaise, ne me suis-je pas mêlé à des troupeaux de pourceaux, pour reprendre, 60 comme un droit, ma métamorphose détruite! Il est temps de quitter ces souvenirs glorieux, qui ne laissent, après leur suite, que la pâle voie lactée des regrets éternels.   (1869)

A qui ne connaît pas *les Chants de Maldoror,* l'extrait qu'on vient de lire peut, par son éloquence verbale et son emphase ironique, paraître assez déroutant. Il n'est pas difficile pourtant d'y trouver la même attitude sombrement pessimiste que dans le sonnet de Leconte de Lisle: la vie est mauvaise et les hommes ignobles. Le poète parnassien présente son sujet simplement et directement. En des images nettes et vigoureuses, il atteint sa conclusion: les morts sont heureux, parce que la vie est atroce; la pensée (selon quelques-uns l'élément divin dans l'homme) est infâme; il est horrible d'être un homme. Tout cela est exprimé directement; ce thème ne paraît pourtant ni rebattu ni banal. Pour la majorité des lecteurs ce sonnet représenterait l'expression poétique de la noble amertume d'un idéaliste désabusé. (Et certaines contradictions passeraient sans doute inaperçues: si la couleur est *divine* et le contour *immortel,* comment se fait-il que les sensations au moyen desquelles on aperçoit ces choses ne soient que *vent, fumée* et *poussière?*)

Dans l'autre extrait, l'idéaliste désabusé qui parle (Maldoror), au lieu de dire que la pensée est infâme et qu'il est horrible d'être un homme, trouve un bonheur indicible à être, dans ses rêves, métamorphosé en cochon, en pourceau, animal qui théoriquement ne possède aucune des qualités considérées comme nobles chez l'homme. Ce pessimisme est bien plus amer que celui de Leconte de Lisle, parce que Maldoror, se vautrant avec délices dans son nouveau corps, nie la valeur de toute vertu humaine. Le texte de Lautréamont constitue un exemple d'expression indirecte assez simple. La louange exaltée de la matière nie doublement les valeurs spirituelles. On peut même y voir, plutôt qu'une expression indirecte, une double négation. Pour être compris, les poèmes du genre indirect exigent du lecteur plus d'effort que les poèmes d'expression directe. S'il fait cet effort, le lecteur peut dire qu'il a, dans une certaine mesure, participé à l'acte poétique. Les arts poétiques contemporains soutiennent en effet que la poésie est surtout un acte créateur; apprécier la poésie c'est prendre part à cet acte. La poésie d'expression indirecte fait donc de la lecture une création active plutôt qu'une réception passive.

Charles Baudelaire vise à cet effet créateur également. Il transpose ses états d'âme en images puissantes et complexes et entraîne le lecteur dans ses visions (*Rêve Parisien,* No. 26). Ses principes d'esthétique et sa théorie des *Correspondances* (No. 35) ont non seulement joué un rôle important dans la formation de l'école symboliste mais ont ouvert aussi des voies nouvelles à l'expression indirecte.

En France, le véritable créateur de la poésie d'expression indirecte fut Gérard de Nerval. Le sonnet suivant, publié pour la première fois en 1853, est l'une des œuvres les mieux connues de Nerval. Il appartient au recueil de sonnets intitulé *Chimères.* L'auteur observe, à propos de ces sonnets, *qu'ils perdraient de leur charme à être expliqués, si la chose était possible.* Cette remarque est peut-être la première justification de l'obscurité dans ce genre de poésie française.

✖ 80 ✖   EL DESDICHADO

Gérard de Nerval (1808-1855)

Je suis le Ténébreux,—le Veuf,—l'Inconsolé,
Le Prince d'Aquitaine à la Tour abolie:
Ma seule *Étoile* est morte,—et mon luth constellé
Porte le *Soleil noir* de la *Mélancolie.*

Dans la nuit du Tombeau, Toi qui m'as consolé,   5
Rends-moi le Pausilippe et la mer d'Italie,
La *fleur* qui plaisait tant à mon cœur désolé,
Et la treille où le Pampre à la Rose s'allie.

Suis-je Amour ou Phébus? . . . Lusignan ou Biron?
Mon front est rouge encor du baiser de la Reine;   10
J'ai rêvé dans la Grotte où nage la Sirène . . .

Et j'ai deux fois vainqueur traversé l'Achéron:
Modulant tour à tour sur la lyre d'Orphée
Les soupirs de la Sainte et les cris de la Fée.   (1853)

Comme nous allons voir, on peut expliquer *El Desdichado sans qu'il perde trop de son charme,* car ces symboles mystérieux et qui font rêver sont la quintessence d'une biographie poétique de l'auteur. Résumons cette biographie.

La vie de Gérard de Nerval fut étrange et malheureuse. Il avait 47 ans quand on le trouva, le 26 janvier 1855, pendu à une grille dans une rue sordide de Paris. L'enquête de la police conclut formellement au suicide. Les quinze dernières années de sa vie avaient été dominées par une maladie nerveuse marquée tantôt par des états d'exaltation, tantôt par de profonds abattements. Cette maladie l'avait mené deux fois à une folie complète (en 1841, et en août 1853); il avait dû être enfermé au moins cinq fois dans une maison de santé. Ces crises de folie s'accompagnaient la plupart du temps d'une lucidité qui le rendait capable d'écrire des fantaisies semi-autobiographiques où s'entremêlent les rêves, les hallucinations et la réalité. La plus intéressante de ces œuvres, *les Filles du Feu,* avait été publiée une année avant la mort de l'auteur dans le même volume que les sonnets parmi lesquels se trouve *El Desdichado.* Et ce dernier a jusqu'à un certain point l'air d'être un résumé symbolique d'incidents relatés dans *les Filles du Feu.* Voyons maintenant dans quelle mesure ce sonnet e prime la destinée du poète. En le lisant on est frappé par la densité de l'expression; on dirait que Nerval a voulu faire de chaque vers un poème complet. Et chaque vers succède à un autre non pas comme une suite logique d'idées, mais de la même manière qu'une vision se succède à une autre vision. Le titre veut dire, en espagnol, *le malheureux, l'infortuné,* et par extension, *le déshérité.* Nerval l'a trouvé dans *Ivanhoë,* célèbre roman de Walter Scott. Dans ce roman, *El Desdichado* est le *nom de guerre* d'un chevalier mystérieux, vêtu d'une armure noire, qui prend part à un tournoi. Ce chevalier déguisé—on apprend plus tard que c'est Ivanhoë lui-même—est malheureux parce qu'il a perdu la dame qu'il aime, et *déshérité* parce que son père l'a privé du château ancestral. Dans le deuxième vers les figures quasi-allégoriques du premier vers disparaissent devant l'évocation du Prince d'Aquitaine, dont le château a été détruit. Son deuil est précisé au troisième vers par la mort de sa *seule Étoile*, symbole de sa religion comme de son amour. Fidèle disciple de Goethe, Nerval n'a jamais aimé qu'une seule femme, sorte d'éternel féminin qui, tout en changeant de forme, incarne toujours ses aspirations religieuses et érotiques. Privé de son *Étoile*, le poète compare sa destinée à celle du monde, qui, selon une ancienne croyance, touchera à sa fin quand le feu du soleil s'éteindra. C'est là l'explication du *Soleil noir de la Mélancolie*, image inspirée sans doute par une gravure célèbre de Dürer intitulée *Melancholia*.

Cette mélancolie noire est remplacée au deuxième quatrain par le splendide soleil d'Italie. Le poète supplie sa *seule Étoile* de mettre fin à ses soucis (Pausilippe veut dire, selon certains étymologistes, *la fin des chagrins*); de lui rendre le calme ensoleillé de la mer d'Italie, une certaine *fleur*, qui avait pour lui une signification toute particulière, et une puissance qu'il a perdue, symbolisée par l'union de Bacchus (*le Pampre*) et Vénus (*la Rose*).

Essayant de découvrir à quel dieu ou quel héros son sort est lié, le poète demande s'il est Amour ou Phébus . . . Lusignan ou Biron. Amour-Lusignan s'oppose à Phébus-Biron. Amour (Eros) et Lusignan ont ceci en commun qu'ils ont tous deux perdu leurs amantes. Amour a perdu Psyché quand celle-ci, malgré l'interdiction de son amant, a allumé une lampe pour le contempler. Selon une légende poitevine du Moyen Age, un seigneur de Lusignan avait épousé la fée Mélusine. Celle-ci avait une forme humaine tous les jours de la semaine sauf le samedi, et elle avait interdit à son amant de venir la voir ce jour-là. Malgré cette interdiction formelle, Lusignan la surprit un samedi, et elle le quitta, le laissant au désespoir. Phébus, dieu de lumière et de poésie, est associé au héros périgourdin Biron, immortalisé dans la chanson *Quand Biron voulut danser*. Le sens du neuvième vers est donc: *Suis-je au fond poète (Phébus) ou amant (Amour)? Et si je suis amant, est-ce que j'ai été un amant heureux (Biron) ou un malheureux amant de nymphes (Lusignan)?*

Le poète répond à ces deux questions dans les deux vers suivants. Puisque *son front est rouge encore du baiser de la Reine,* il est Amour, pas Phébus. Puisqu'il a *rêvé dans la Grotte où nage la Sirène,* il est Lusignan, pas Biron.

D'autre part, il est Phébus-Biron, le dieu-héros, car il a survécu à la mort *(deux fois traversé l'Achéron)*—et comme Orphée avait chanté son Eurydice perdue, il a célébré dans ses vers les diverses formes que la Femme-Aimée a prises: l'Étoile, la Reine, la Sirène, la Sainte, et la Fée.[3]

L'analyse qu'on vient de lire, tout en dissipant une grande partie de l'obscurité du poème, nous permet d'apprécier ce que Gérard de Nerval a réussi à faire par cette méthode d'expression indirecte. Il a esquissé le portrait d'un poète qui est mélancolique parce que la vie a blessé sa sensibilité délicate, mais exalté parce qu'il sait créer un monde enchanté de rêves. Au lieu d'exiger de nous des recherches biographiques, ce qui pourrait trop limiter la portée du poème, au lieu de nous faire admirer sa virtuosité et par cela même distraire notre attention du sujet, il nous invite à participer à sa douloureuse mélancolie, aux aspects féeriques du monde de ses rêves.

EXERCICES

1) La concision d'*El Desdichado:*
   a) Comparez le premier vers à celui de Victor Hugo:

> Je suis seul, je suis veuf et sur moi le soir tombe . . .
>> *(Booz endormi)*

Montrez l'originalité et la supériorité de Nerval.

   b) La première version de ce sonnet démontre quelques différences avec la version définitive:

> Et la treille où le pampre à la *vigne* s'allie . . .
> J'ai rêvé dans la grotte où *verdit* la sirène
> Et j'ai deux fois *vivant* traversé l'Achéron
> Modulant *et chantant* sur la lyre d'Orphée . . .

Justifiez les corrections de Nerval.

2) Faites une explication du poème, en essayant de dégager la beauté des images et de la langue de Nerval.

---

[3] Pour une analyse plus détaillée de ce sonnet voir: J. W. Kneller, "The Poet and his Moira: *El Desdichado,*" *PMLA,* Vol. LXXV (September, 1960), pp. 402-9.

CHAPITRE PREMIER

Mallarmé l'obscur

� 81 ✗   « TOUTE L'AME RÉSUMÉE . . . »
                Stéphane Mallarmé (1842-1898)

Toute l'âme résumée
Quand lente nous l'expirons
Dans plusieurs ronds de fumée
Abolis en autres ronds

Atteste quelque cigare   5
Brûlant savamment pour peu
Que la cendre se sépare
De son clair baiser de feu

Ainsi le chœur des romances
A la lèvre vole-t-il   10
Exclus-en si tu commences
Le réel parce que vil

Le sens trop précis rature
Ta vague littérature   (1895)

Quand ces vers parurent dans le journal *Le Figaro*, ils s'accompagnaient de la note suivante: «Voici des vers que *par jeu* le poète voulut bien écrire à notre intention pour cette enquête.» [1] C'était

---

[1] C'etait une enquête sur *le Vers libre et les poètes*.

peut-être par jeu, mais néanmoins, dans ce petit sonnet, Stéphane Mallarmé a exprimé, au moyen d'un symbole gracieux, sa théorie originale et très significative de l'expression poétique. Pour le non-initié ce sonnet à première vue semblera obscur. Nous y reviendrons plus loin quand nous étudierons de près l'évolution poétique de Mallarmé.

C'est Mallarmé qui a fait l'effort le plus conscient pour créer une poésie d'expression indirecte. De l'âge de vingt ans (1862) jusqu'à sa mort (1898), il a consacré sa vie poétique (la seule qui comptait pour lui) à cette tâche. Il a laissé une œuvre peu volumineuse—quatre ou cinq poèmes de longueur moyenne et une cinquantaine de sonnets et de petits poèmes divers. Bon nombre de ces poèmes sont très obscurs, mais à travers cette obscurité perce la plus pure beauté poétique, et l'on voit aujourd'hui en Mallarmé l'un des plus grands poètes de tous les temps.

A vingt ans Stéphane Mallarmé regrettait déjà que la poésie ne fût pas enveloppée de mystère comme la musique et que les poètes fussent obligés de se servir de mots souillés, profanés, par l'usage vulgaire. Mais il n'arriva pas immédiatement à l'expression indirecte.

✻ 82 ✻   APPARITION

Stéphane Mallarmé (1842-1898)

La lune s'attristait. Des séraphins en pleurs
Rêvant, l'archet aux doigts, dans le calme des fleurs
Vaporeuses, tiraient de mourantes violes
De blancs sanglots glissant sur l'azur des corolles.
—C'était le jour béni de ton premier baiser.   5
Ma songerie, aimant à me martyriser,
S'enivrait savamment du parfum de tristesse
Que même sans regret et sans déboire laisse
La cueillaison d'un Rêve au cœur qui l'a cueilli.
J'errais donc, l'œil rivé sur le pavé vieilli,   10
Quand avec du soleil aux cheveux, dans la rue
Et dans le soir, tu m'es en riant apparue
Et j'ai cru voir la fée au chapeau de clarté
Qui jadis sur mes beaux sommeils d'enfant gâté
Passait, laissant toujours de ses mains mal fermées   15
Neiger de blancs bouquets d'étoiles parfumées.   (1863?)

Ce poème ne fut publié qu'en 1883, mais on croit aujourd'hui qu'il fut écrit en 1863 pendant un séjour que le jeune poète fit à Londres. (Les critiques croient y retrouver des réminiscences de la poésie préraphaëlite de D. G. Rossetti, et même de la peinture préraphaëlite de Rossetti et de Burne-Jones.) C'est le plus simple des premiers poèmes de Mallarmé (nous laisserons de côté ses juvenilia qu'il n'a jamais publiés); il est à peu près certain qu'en le publiant en 1883 le poète ne l'a pas changé. Comme nous savons qu'il a apporté des remaniements importants à d'autres poèmes de cette époque (voir, par exemple, le Pitre châtié, No. 85), le fait qu'il n'a pas corrigé celui-ci confirmerait peut-être l'hypothèse selon laquelle il s'agirait d'une pièce de circonstance. Cela veut dire que ce n'est pas un poème adressé à une femme que le poète aime (par exemple, à Marie Gerhard, la jeune gouvernante allemande, qu'il a épousée le 10 août 1863, à Londres), mais qu'il a été écrit pour un ami dont le poète se fait le porte-parole.[2]

EXERCICES

1) Dégagez le sens du poème (faites attention à l'absence de virgule à la fin du vers 3), en montrant qu'un fil logique simple et clair parcourt le poème d'un bout à l'autre. C'est une rencontre analogue à deux autres rencontres que vous avez déjà étudiées: Une Allée du Luxembourg de Nerval (No. 52) et A une Passante de Baudelaire (No. 53). Comparez Apparition avec ces deux autres poèmes. On sait que Mallarmé a été influencé par Baudelaire. Voyez-vous des traces de cette influence ici? Quelles sont les qualités (ou défauts?) qu'on remarque ici et qui ne se trouvent ni chez Nerval ni chez Baudelaire.

2) Étudiez les deux longues images (vers 1-4, vers 13-16). Comment interpréter la première? A-t-elle un sens littéral ou n'a-t-elle qu'une signification symbolique ou allégorique?

3) Étudiez la forme: rythme, emploi des rejets, sonorités.

A son retour en France, Mallarmé fut nommé professeur d'anglais au lycée de Tournon. Il passa trois années dans cette ville

---

[2] Le docteur Mondor, biographe de Mallarmé, croit (et des lettres échangées par Mallarmé et son ami Henri Cazalis, citées par Mondor, justifient cette allégation sans la confirmer complètement) qu'Apparition fut écrit pour Henri Cazalis comme hommage à une jeune Anglaise aimée par Cazalis, Ettie Yapp, dont Mallarmé avait fait la connaissance. Par une curieuse coïncidence, cette même femme, devenue plus tard Mme Maspero, allait inspirer un second poème à Mallarmé. Sa mort, survenue environ douze ans après, fait le sujet du beau sonnet Pour votre chère morte, son ami.

située sur le Rhône, entre Lyon et Avignon. Au cours de ces trois années, sa conception de la poésie évolua rapidement.

Déjà en 1864 il avait, en partie sous l'influence de Poe (*The Philosophy of Composition*), commencé la mise au point d'une méthode originale de création poétique. Dans une lettre à son ami Henri Cazalis, il observe (avec ironie?) que ses théories de composition poétique sont bien éloignées de celles d'un autre ami, Emmanuel des Essarts, qui était *le poète lyrique dans tout son admirable épanchement.* Les *admirables épanchements* pouvaient convenir aux poètes d'expression directe, mais non pas à Mallarmé! En 1864 déjà ses poèmes commençaient à être difficiles par endroits, sans être vraiment obscurs, comme en témoigne le poème suivant, dont nous avons une précieuse explication écrite par Mallarmé lui-même.

✷ 83 ✷   L'AZUR

Stéphane Mallarmé (1842-1898)

De l'éternel Azur la sereine ironie
Accable, belle indolemment comme les fleurs,
Le poète impuissant qui maudit son génie
A travers un désert stérile de Douleurs.

Fuyant, les yeux fermés, je le sens qui regarde   5
Avec l'intensité d'un remords atterrant,
Mon âme vide. Où fuir? Et quelle nuit hagarde
Jeter, lambeaux, jeter sur ce mépris navrant?

Brouillards, montez! Versez vos cendres monotones
Avec de longs haillons de brume dans les cieux   10
Qui noiera le marais livide des automnes
Et bâtissez un grand plafond silencieux!

Et toi, sors des étangs léthéens et ramasse
En t'en venant la vase et les pâles roseaux,
Cher Ennui, pour boucher d'une main jamais lasse   15
Les grands trous bleus que font méchamment les oiseaux.

Encor! que sans répit les tristes cheminées
Fument, et que de suie une errante prison

Éteigne dans l'horreur de ses noires traînées
Le soleil se mourant jaunâtre à l'horizon!   20

—Le Ciel est mort.—Vers toi, j'accours! donne, ô matière,
L'oubli de l'Idéal cruel et du Péché
A ce martyr qui vient partager la litière
Où le bétail heureux des hommes est couché,

Car j'y veux, puisque enfin ma cervelle, vidée   25
Comme le pot de fard gisant au pied d'un mur,
N'a plus l'art d'attifer la sanglotante idée,
Lugubrement bâiller vers un trépas obscur . . .

En vain! l'Azur triomphe, et je l'entends qui chante
Dans les cloches. Mon âme, il se fait voix pour plus   30
Nous faire peur avec sa victoire méchante,
Et du métal vivant sort en bleus angélus!

Il roule par la brume, ancien et traverse
Ta native agonie ainsi qu'un glaive sûr;
Où fuir dans la révolte inutile et perverse?   35
Je suis hanté. L'Azur! L'Azur! L'Azur! L'Azur!   (1866)

Il suffit d'une lecture rapide de ce poème pour remarquer
l'absence d'expression simple et directe. Le poète ne nous raconte
pas directement ce qu'il a fait, ce qu'il sent, ce qu'il pense. Il a
quelque chose à dire et un effet à produire, mais pour exprimer ce
qu'il a à dire et pour produire cet effet, il nous conte une aventure
allégorique où le thème est exprimé par des symboles, des symboles
dont il faut *deviner* le sens qui n'est pas expliqué. Et la langue est
devenue beaucoup plus compliquée: considérons, par exemple, les
raccourcis audacieux (mais pas du tout obscurs) du vers 8, et la
construction de la septième strophe, où le complément du verbe
j'y veux du vers 25 ne se trouve qu'au vers 28.

En 1864, quand Mallarmé écrivit la première version de ce
poème, il n'était pas encore, comme nous venons de le dire, arrivé
à l'hermétisme. Il n'est pas trop difficile de comprendre ici que
l'azur qui hante et tourmente le poète symbolise la beauté idéale
qu'il voulait atteindre par la création artistique, et qu'à cause de
son impuissance dans ce domaine il désespérait de réaliser ce but.

On pourrait, sans trop de difficulté, faire une paraphrase de ce poème, mais Mallarmé lui-même l'a déjà donnée dans une admirable lettre de 1864 que nous citons en entier:

Je t'envoie enfin ce poème de *l'Azur* que tu semblais si désireux de posséder. Je l'ai travaillé ces derniers jours, et je ne te cacherai pas qu'il m'a donné infiniment de mal—outre qu'avant de prendre la plume, il fallait, pour conquérir un moment de lucidité parfaite, terrasser ma navrante impuissance. Il m'a donné beaucoup de mal, parce que bannissant mille gracieusetés lyriques et beaux vers qui hantaient incessamment ma cervelle, j'ai voulu rester implacablement dans mon sujet. Je te jure qu'il n'y a pas un mot qui ne m'ait coûté plusieurs heures de recherche, et que le premier mot, qui revêt la première idée, outre qu'il tend lui-même à *l'effet* général du poème, sert encore à préparer le dernier.

L'effet produit, sans une dissonance, sans une fioriture, même adorable, qui distrait—voilà ce que je cherche. Je suis sûr, m'étant lu ces vers à moi-même, deux cents fois peut-être, qu'il est atteint. Reste maintenant l'autre côte à envisager, le côté esthétique. Est-ce beau? Y a-t-il un reflet de la Beauté? Ici, commencerait mon immodestie si je parlais, et c'est à toi de décider, Henri; [3] qu'il y a loin de ces théories de composition littéraire à la façon dont notre glorieux Emmanuel [4] prend une poignée d'étoiles dans la voie lactée pour la semer sur le papier et les laisser se former au hasard en constellations imprévues! Et comme son âme enthousiaste, ivre d'inspiration, reculerait d'horreur, devant ma façon de travailler! Il est le poète lyrique dans tout son admirable épanchement. Toutefois, plus j'irai, plus je serai fidèle à ces sévères idées que m'a léguées mon grand maître Edgar Poe.

Le poème inouï du *Corbeau* a été ainsi fait. [5] Et l'âme du lecteur jouit absolument comme le poète a voulu qu'elle jouisse . . .

. . . Ainsi suis ma pensée dans mon poème et vois si c'est là ce que tu as senti en me lisant. Pour débuter d'une façon plus large, et approfondir l'ensemble, je ne parais pas dans la première strophe. L'azur

[3] Henri Cazalis, poète aussi, et correspondant régulier de Mallarmé à cette époque.

[4] Le poète Emmanuel des Essarts, mentionné plus haut, ancien professeur de Mallarmé au lycée de Sens, quoique son aîné de 4 ans seulement. En lui, Mallarmé méprisait le poète, mais aimait beaucoup l'homme.

[5] Mallarmé ne savait pas à ce moment-là que le récit de la composition de *The Raven,* donné dans *The Philosophy of Composition,* n'était qu'une mystification. Quand il l'a su plus tard, il a continué à insister que la méthode préconisée par Poe était la seule bonne.

torture l'impuissant en général. Dans la seconde, on commence à se douter, par ma fuite devant le ciel possesseur, que je souffre de cette cruelle maladie. Je prépare dans cette strophe encore, par une for-fanterie blasphématoire, *Et quelle nuit hagarde*, l'idée étrange d'évoquer les brouillards. La prière au «cher ennui» confirme mon impuissance. Dans la troisième strophe, je suis forcené comme l'homme qui voit réussir son vœu acharné.

La quatrième [6] commence par une exclamation grotesque d'écolier délivré: «le ciel est mort!» Et tout de suite, muni de cette admirable certitude, j'implore la Matière. Voilà bien la joie de l'Impuissant. Las du mal qui me ronge, je veux goûter au bonheur commun de la foule, et attendre la mort obscure . . . Je dis «je veux». Mais l'ennemi est un spectre, le ciel mort revient, et je l'entends qui chante dans les cloches bleues. Il passe indolent et vainqueur, sans se salir à cette brume et me transperce simplement. A quoi, je m'écrie, plein d'orgueil et ne voyant pas là un juste châtiment à ma lâcheté, que j'ai une *immense agonie*. Je veux fuir encore, mais je sens mon tort et avoue *que je suis hanté*. Il fallait toute cette poignante révélation pour motiver le cri sincère et bizarre de la fin, l'«azur».

. . . Tu le vois pour ceux qui, comme Emmanuel et comme toi, cherchent dans un poème autre chose que la musique des vers, il y a là un vrai drame. Et ç'a été une terrible difficulté de combiner, dans une juste harmonie, l'élément dramatique hostile à l'idée de poésie pure et subjective avec la sérénité et le calme de lignes nécessaires à la Beauté.

Mais tu vas me dire que voilà beaucoup d'embarras pour des vers qui en sont peu dignes. Je le sais. Cela, toutefois, m'a amusé de t'indiquer comment je juge et conçois un poème. Abstrais de ces lignes toute al-lusion à moi, et tout ce qui a rapport à mes vers, et lis ces pages, froide-ment, comme l'ébauche fort mal écrite et informe d'un article d'art.

EXERCICE

Expliquez l'idée du poème, *«l'effet produit»*, en suivant l'exégèse donnée par l'auteur. (Comme nous l'avons indiqué dans une note, la version connue, publiée dans *le Parnasse contemporain* de 1866, est différente de celle dont parle Mallarmé.) Cette exégèse explique-t-elle tout? Êtes-vous ou non de l'avis de certains critiques qui ont trouvé ridicule le *cri sincère et bizarre de la fin?* (On dit que les élèves de Mallarmé au lycée de Tournon se moquaient de leur professeur en

---

[6] Dans le texte remanié du poème publié en 1866 (que nous avons donné) la strophe dont il parle ici est devenue la sixième.

écrivant sur le tableau noir de sa salle de classe: «L'Azur! L'Azur! L'Azur! L'Azur!» Mais on sait aussi que les lycéens de Tournon étaient par tradition très durs pour leurs professeurs.) Et enfin que répondriez-vous à la question de Mallarmé: «Est-ce beau? Y a-t-il un reflet de la Beauté?»

Avec *l'Azur* Mallarmé était déjà arrivé à l'expression indirecte, mais non à l'obscurité, car dès qu'on connaît le sens des symboles du poème (comme Mallarmé lui-même les a expliqués), le poème devient assez clair. La même année (1864) Mallarmé écrivit un autre beau poème d'expression indirecte, où se trouvent quatre vers vraiment difficiles: les vers 8-10 et le vers 21.

✷ 84 ✷   « LAS DE L'AMER REPOS . . . »
Stéphane Mallarmé (1842-1898)

Las de l'amer repos où ma paresse offense
Une gloire pour qui jadis j'ai fui l'enfance
Adorable des bois de roses sous l'azur
Naturel, et plus las sept fois du pacte dur
De creuser par veillée une fosse nouvelle   5
Dans le terrain avare et froid de ma cervelle,
Fossoyeur sans pitié pour la stérilité,
—Que dire à cette Aurore, ô Rêves, visité
Par les roses, quand, peur de ses roses livides,
Le vaste cimetière unira les trous vides?—   10
Je veux délaisser l'Art vorace d'un pays
Cruel, et, souriant aux reproches vieillis
Que me font mes amis, le passé, le génie,
Et ma lampe qui sait pourtant mon agonie,
Imiter le Chinois au cœur limpide et fin   15
De qui l'extase pure est de peindre la fin
Sur ses tasses de neige à la lune ravie
D'une bizarre fleur qui parfume sa vie
Transparente, la fleur qu'il a sentie, enfant,
Au filigrane bleu de l'âme se greffant.   20
Et, la mort telle avec le seul rêve du sage,
Serein, je vais choisir un jeune paysage
Que je peindrais encor sur les tasses, distrait.
Une ligne d'azur mince et pâle serait
Un lac, parmi le ciel de porcelaine nue,   25

202

Un clair croissant perdu par une blanche nue
Trempe sa corne calme en la glace des eaux,
Non loin de trois grands cils d'émeraude, roseaux. (1866)

La version que vous venez de lire a été publiée dans *le Parnasse contemporain* de 1866. On sait que, juste avant la publication, Mallarmé a remanié plusieurs des poèmes qui allaient paraître, et s'est plaint de ne pas avoir le temps de faire tous les changements qu'il voulait. Le docteur Mondor a découvert récemment la version originale de *Las de l'amer repos* et l'a publiée (*La Nouvelle Revue Française,* décembre 1955). La plupart des changements sont des améliorations de détails, et ils montrent la maturation rapide du génie de Mallarmé entre 1864 et 1866. Mais ce qui est le plus frappant c'est que dans la version originale les vers 8-10 et le vers 21 *ne sont pas obscurs.* Les voici:

Variantes de la première version (1864)

Que dire à l'heure froide où par tous déserté,   *v.* 8-10
Ce cimetière, ennui triste du ciel livide,
Ne sera plus qu'un trou ridiculement vide? . . .

Et, sachant qu'un divin rêve suffit au sage . . .   *v.* 21

Exercices

1) Voyez-vous une similitude entre le thème de ce poème et celui de *l'Azur?* Précisez les ressemblances et les différences.

2) Le fil logique qui parcourt le poème est facile à suivre; on n'a pas de mal à comprendre ce que *dit* Mallarmé. Ce qui est indirect ici, c'est l'expression du thème par l'allégorie du paysagiste chinois. Analysez ce qu'implique la décision d'*imiter le Chinois* exprimée au vers 15. La carrière littéraire du poète indique-t-elle qu'il maintint cette décision?

3) Comparez les vers obscurs avec les variantes que nous avons données. Mallarmé dit-il la même chose, d'une façon plus obscure évidemment, dans la version finale que dans la première? Ou a-t-il changé le sens par son procédé d'*obscurcissement?*

4) Étudiez en détail les images du poème. Notez que la longue métaphore dans les vers 5-7 se prolonge dans les vers obscurs, 8-10. Cela devrait vous aider à comprendre, au moins un peu, cette ellipse étrange. Remarquez que pour comprendre la jolie image du vers 17 il faut lire *neige ravie* (c'est-à-dire *volée*) *à la lune.* Pour comprendre la grâce délicate du *jeune paysage* dépeint à la fin il faut noter que le mot

cils veut dire *cils des yeux.* (Comparez avec la première version du
Pitre châtié, No. 85, vers 2.)

Nous venons de voir que la méthode de composition poétique
de Mallarmé avait évolué entre 1864 et 1866. Déjà, dans une lettre
d'octobre 1864, à propos de son projet ambitieux d'un drame,
Hérodiade, il avait essayé d'expliquer cette nouvelle poétique:

. . . j'invente une langue qui doit nécessairement jaillir d'une
poétique très nouvelle, que je pourrais définir en ces deux mots: *Peindre
non la chose, mais l'effet qu'elle produit.* Le vers ne doit donc pas, là,
se composer de mots, mais d'intentions, et toutes les paroles s'effacer
devant les sensations . . .

Près de trente ans plus tard, à l'occasion d'une enquête sur le symbolisme, il exprima la même théorie d'une façon un peu différente
et un peu plus détaillée:

Un poème est un mystère dont le lecteur doit chercher la clef . . .
Nommer un objet, c'est supprimer les trois-quarts de la jouissance du
poème, qui est faite de deviner peu à peu; le *suggérer,* voilà le rêve . . .
Il doit y avoir toujours énigme en poésie, et c'est le but de la littérature
—il n'y en a pas d'autres—d'évoquer les objets . . .

Ce que l'application de cette poétique donna comme résultat
se révèle très nettement si on compare un sonnet du printemps de
1864, *le Pitre châtié,* avec la version complètement remaniée
publiée en 1887.

✳ 85 ✳   LE PITRE CHÂTIÉ
Stéphane Mallarmé (1842-1898)

Pour ses yeux—pour nager dans ces lacs, dont les quais
Sont plantés de beaux cils qu'un matin bleu pénètre,
J'ai, Muse,—moi, ton pitre—enjambé la fenêtre
Et fui notre baraque où fument tes quinquets.

Et d'herbes enivré, j'ai plongé comme un traître   5
Dans ces lacs défendus et, quand tu m'appelais,
Baigné mes membres nus dans l'onde aux blancs galets,
Oubliant mon habit de pitre au tronc d'un hêtre.

Le soleil du matin séchait mon corps nouveau
Et je sentais fraîchir loin de la tyrannie   10
La neige des glaciers dans ma chair assainie,

Ne sachant pas, hélas! quand s'en allait sur l'eau
Le suif de mes cheveux et le fard de ma peau,
Muse, que cette crasse était tout le génie!   (1864)

LE PITRE CHÂTIÉ
(version finale)

Yeux, lacs avec ma simple ivresse de renaître
Autre que l'histrion qui du geste évoquais
Comme plume la suie ignoble des quinquets,
J'ai troué dans le mur de toile une fenêtre.

De ma jambe et des bras limpide nageur traître,   5
A bonds multipliés, reniant le mauvais
Hamlet! c'est comme si dans l'onde j'innovais
Mille sépulcres pour y vierge disparaître.

Hilare or de cymbale à des poings irrité,
Tout à coup le soleil frappe la nudité   10
Qui pure s'exhala de ma fraîcheur de nacre,

Rance nuit de la peau quand sur moi vous passiez,
Ne sachant pas, ingrat! que c'était tout mon sacre,
Ce fard noyé dans l'eau perfide des glaciers.   (1887)

La comparaison des deux versions du *Pitre châtié* ne fournit pas seulement d'utiles indications pour l'interprétation de la version finale, elle illustre aussi la façon dont Mallarmé élaborait les œuvres énigmatiques de sa dernière période. La première version est l'expression indirecte d'un thème assez étrange. Les symboles employés sont curieux: le clown abandonne la baraque où il exerce sa profession pour se baigner dans des lacs, qui sont les yeux d'une femme aimée; en se baignant il perd sa *crasse*, c'est-à-dire son maquillage de clown, et ensuite il s'aperçoit avec tristesse qu'il a ainsi perdu tout son génie.

205

Notez pourtant que les intentions de l'auteur sont plus complexes. Le schéma que nous venons de donner ne tient pas compte du fait que deux autres personnages sont superposés au pitre qui les symbolise: il y a d'abord le clown qui fuit sa baraque pour se baigner, ensuite l'amoureux fasciné par les yeux de sa bien-aimée qui lui semblent des lacs, et enfin le poète qui a le désir d'abandonner (comme un *traître*) les techniques ordinaires de la poésie (le *suif* et le *fard*) pour se plonger dans la beauté absolue [7] (voyez l'analogie avec l'*Azur*) et qui aboutit à l'échec.

Dans la version finale, le même thème, les mêmes symboles, sont devenus énigmatiques, difficiles à pénétrer, mais le poème est beaucoup plus beau. Mallarmé l'a rendu plus dense, plus concentré, plus évocateur.

Certaines parties ont été condensées; dans la version finale, les deux mots *yeux, lacs* remplacent deux vers de la première version. La jolie image *dont les quais sont plantés de beaux cils qu'un matin bleu pénètre* est sacrifiée; apparemment Mallarmé a décidé de réduire au minimum le symbole de l'inspiration féminine. Il élimine des vers qui n'ajoutent pas grand'chose au poème (vers 7, 8, 9) au profit d'images puissantes, sinon claires. Dans la première version, le clown se borne à *dire* qu'il plonge, qu'il se baigne; dans la version finale il se *montre* à nous en train de nager; nous pouvons entendre les clapotements et voir les ronds qu'il fait dans l'eau quand il y plonge. Dans la version de 1864, il nous *dit* assez prosaïquement que le soleil du matin sèche son corps; dans la version de 1887, il nous *montre,* par une synesthésie audacieuse, le soleil qui verse soudain sur lui un torrent de lumière dorée.

La syntaxe de la version finale apparaît d'autant plus audacieuse que, dans la première version, la syntaxe demeure plutôt conventionnelle. Les rapports syntactiques sont particulièrement obscurs dans le premier quatrain: les deux premiers mots n'ont pas de rapport visible avec ce qui suit; on s'attendrait, au second vers, à trouver un *que* au lieu d'un *qui.*[8]

---

[7] Un critique récent pense que la *trahison* du poète ici est la même que dans *Las de l'amer repos*—abandon de la poésie difficile pour un lyrisme facile.

[8] Le sens n'est pas *autre que l'histrion que j'évoquais,* mais plutôt *autre que l'histrion que je suis, moi qui évoquais du geste comme plume la suie ignoble.*

1) Discutez le thème du poème et les symboles qui l'expriment. (Voir l'excellente analyse de ce sonnet dans Guy Michaud, *Mallarmé, l'homme et l'œuvre*, Paris, Hatier-Boivin, 1953, pp. 28-30.)

2) Étudiez les images du poème qui n'ont pas déjà été étudiées en les comparant (s'il y a lieu) aux images de la première version; par exemple: *troué dans le mur de toile une fenêtre, traître, le mauvais Hamlet, pour y vierge disparaître, tout mon sacre, l'eau perfide*, etc.

Nous avons vu avec *Apparition*, le premier poème de Mallarmé étudié dans ce chapitre, que l'inspiration du poète avait un côté gracieux, léger, un peu mièvre même, d'une exquise délicatesse. En voici un autre exemple. Plus de vingt ans ont passé et l'expression, maintenant très indirecte, peut se prêter à des interprétations subtiles et profondes.

�֍ 86 �֍   AUTRE ÉVENTAIL
                de Mademoiselle Mallarmé

             Stéphane Mallarmé (1842-1898)

           O rêveuse, pour que je plonge
           Au pur délice sans chemin,
           Sache, par un subtil mensonge,
           Garder mon aile dans ta main.

           Une fraîcheur de crépuscule   5
           Te vient à chaque battement
           Dont le coup prisonnier recule
           L'horizon délicatement.

           Vertige! voici que frissonne
           L'espace comme un grand baiser   10
           Qui, fou de naître pour personne,
           Ne peut jaillir ni s'apaiser.

           Sens-tu le paradis farouche
           Ainsi qu'un rire enseveli
           Se couler du coin de ta bouche   15
           Au fond de l'unanime pli!

Le sceptre des rivages roses
Stagnants sur les soirs d'or, ce l'est,
Ce blanc vol fermé que tu poses
Contre le feu d'un bracelet. (1884)

Ce poème s'intitule *Autre Éventail, de Mademoiselle Mallarmé* parce que dans l'édition des *Œuvres* de Mallarmé préparée par l'auteur lui-même, il était précédé par *Éventail, de Madame Mallarmé*. Dans la dernière partie de sa vie, hanté par son impuissance à créer le grand chef-d'œuvre dont il rêvait, Mallarmé se rabattait le plus souvent sur de petits poèmes de circonstance: hommages à des amis morts, remerciements, politesses diverses. A cette époque l'éventail était un accessoire très important dans la toilette d'une femme habillée pour le soir, et des vers galants inscrits sur un joli éventail constituaient pour elle un hommage exquis. Mais chez Mallarmé même un petit poème de circonstance pouvait servir de prétexte à une expression indirecte originale. Pour Charles Mauron, un des meilleurs commentateurs de Mallarmé, l'éventail —qui parle dans ce poème, s'adressant à la fille du poète—«connaît peut-être le secret de toute rêverie et de toute esthétique: se refuser à la vie, mentir au réel, ne pas répondre aux excitations extérieures par le réflexe approprié vulgaire, mais, parvenu au seuil de l'action s'arrêter et soudain, non sans quelque rire devant la déception universelle, jouer, contempler, plutôt que faire.»

EXERCICE

Analysez ce que *dit* l'éventail à Mademoiselle Mallarmé, et ensuite essayez de justifier le commentaire de Mauron.

Nous sommes maintenant arrivés au point où nous pouvons reprendre le petit sonnet que nous avons mis au début de ce chapitre (page 195). Relisez maintenant *Toute l'âme résumée*.

EXERCICE

Analysez ce sonnet, en essayant de montrer qu'il exprime, indirectement par le symbole du cigare, la théorie littéraire qu'on trouve dans les phrases suivantes: «Peindre non la chose, mais l'effet qu'elle produit . . . Le Réel a à son service la prose qui suffit amplement à nous le montrer;—les vers, sans nulle parenté avec elle, ne doivent servir que le Rêve et lui seul.» (Notez, pour vous aider dans votre analyse, l'emploi très spécial—dans un sens plus ou moins étymologique—de certains mots: *âme* veut dire *souffle; résumée—reprise; atteste* dont le sujet est *toute l'âme,* veut dire *indique la présence de; vague* ne s'emploie pas ici dans un sens péjoratif, loin de là; le mot veut dire *voilée* ou *mystérieuse;* pour Mallarmé c'était une des qualités de la véritable poésie.)

Pour terminer notre étude de Mallarmé nous allons examiner deux chefs-d'œuvre de sa maturité, un sonnet d'une rare perfection, *Le vierge, le vivace et le bel aujourd'hui,* et le plus célèbre de ses poèmes, *l'Après-midi d'un Faune.*

✳ 87 ✳   SONNET

Stéphane Mallarmé (1842-1898)

Le vierge, le vivace et le bel aujourd'hui
Va-t-il nous déchirer avec un coup d'aile ivre
Ce lac dur oublié que hante sous le givre
Le transparent glacier des vols qui n'ont pas fui!

Un cygne d'autrefois se souvient que c'est lui   5
Magnifique mais qui sans espoir se délivre
Pour n'avoir pas chanté la région où vivre
Quand du stérile hiver a resplendi l'ennui.

Tout son col secouera cette blanche agonie
Par l'espace infligée à l'oiseau qui le nie,   10
Mais non l'horreur du sol où le plumage est pris.

Fantôme qu'à ce lieu son pur éclat assigne,
Il s'immobilise au songe froid de mépris
Que vêt parmi l'exil inutile le Cygne.   (1885)

Étudions d'abord quelques aspects techniques de ce sonnet. Quelles observations peut-on faire sur les rimes? Que toutes les rimes contiennent la voyelle *i.* (Notons du reste que ce son se retrouve avec la plus grande fréquence dans le poème, renforçant la stérilité, suggérant quelque chose d'aigu, de froid.) Mais l'arrangement de ces rimes, parfait pour l'œil, ne l'est pas pour l'oreille dans les tercets. La même rime reprise trois fois de suite serait un défaut dans un sonnet; or, du point de vue technique, *pris* rime

209

avec *mépris* et ne rime pas avec *agonie* et *nie;* malheureusement l'oreille n'entend pas cette distinction. C'est un petit défaut dans un beau sonnet.

Quant au rythme, deux détails sont surtout à noter. Au vers 13, où le cygne s'immobilise, le rythme semble immobiliser aussi le lecteur, du moins pendant un moment. Le dernier mot du poème se détache très curieusement. De toute façon il porterait un accent; la majuscule insolite encourage le lecteur à l'accentuer encore plus, et les deux *le* qui précèdent produisent un effet de ralentissement; pour prononcer clairement il faut un petit arrêt non seulement après la syllabe accentuée d'*inutile,* mais aussi après le *le* qui suit ce mot.

Examinons ensuite le fond. Comme le sonnet précédent, ce poème *dit* quelque chose; un fil logique relie les images. Il faut d'abord déterminer ce que *dit* le poème (le sens syntactique), et ensuite rechercher le sens symbolique de ce fil logique. Il est évident que, dans tout le poème, il est question d'un cygne. Bien qu'il ne soit pas mentionné dans le premier quatrain, la scène est présentée de son point de vue. C'est ainsi qu'au lieu de se demander si la chaleur d'aujourd'hui va fondre la glace du lac, cet oiseau se demande si *aujourd'hui va déchirer la glace avec un coup d'aile.* Lui, ce cygne d'autrefois, est apparemment emprisonné dans la glace d'un lac gelé; le lac est *hanté,* sous la glace, par les vols qu'il n'a pas faits. Est-ce que cela veut dire qu'il a essayé de s'envoler et n'a pas pu, ou qu'il se sent coupable parce qu'il n'a pas volé? Il désespère de se libérer parce qu'il se sent en faute à cause de quelque péché d'omission (il n'a pas chanté *la région où vivre* pendant l'hiver), mais en même temps il envisage l'éventualité que la pureté, la force et la beauté du moment présent puissent déchirer la glace. Il peut se débarrasser de la *blanche agonie* (l'hiver? aujourd'hui?), mais il ne peut pas se dégager du sol. Destiné à cette punition à cause de sa pure blancheur, il accepte son *exil inutile* avec un fier mépris.

Le cygne c'est le poète lui-même, on ne peut pas en douter, car le sonnet est une représentation symbolique de la stérilité poétique dont Mallarmé se plaignait souvent. Le présent, malgré sa beauté, ne pourra pas le libérer de son passé, alourdi comme il l'est par les poèmes qu'il n'a pas écrits, et qu'il aurait dû écrire. Son don poétique (*son pur éclat*) le condamne à l'exil loin de la foule des hommes; cet exil sera inutile à cause de son impuissance à s'exprimer; il l'acceptera avec un froid mépris.

Cette paraphrase, qui paraît bien sèche auprès des somptueuses images de Mallarmé, démontre bien la vérité de l'observation de Paul Valéry: «Un poème ne peut pas se penser en prose sans périr.» La beauté du poème ne tient pas au choix du thème (la stérilité, l'impuissance, l'échec) exprimé par des symboles, elle se trouve dans les symboles eux-mêmes et dans les images qui les expriment. Quelques-unes de ces images sont très belles; celle du premier et celle du huitième vers sont surtout à remarquer.

✸ 88 ✸   L'APRÈS-MIDI D'UN FAUNE

Églogue

Stéphane Mallarmé (1842-1898)

Le Faune

Ces nymphes, je les veux perpétuer.
                                    Si clair,
Leur incarnat léger, qu'il voltige dans l'air
Assoupi de sommeils touffus.
                        Aimai-je un rêve?
Mon doute, amas de nuit ancienne, s'achève
En maint rameau subtil, qui, demeuré les vrais   5
Bois mêmes, prouve, hélas! que bien seul je m'offrais
Pour triomphe la faute idéale de roses.
Réfléchissons . . .

                    ou si les femmes dont tu gloses
Figurent un souhait de tes sens fabuleux!
Faune, l'illusion s'échappe des yeux bleus   10
Et froids, comme une source en pleurs, de la plus chaste:
Mais, l'autre tout soupirs, dis-tu qu'elle contraste
Comme brise du jour chaude dans ta toison?
Que non! par l'immobile et lasse pâmoison
Suffoquant de chaleurs le matin frais s'il lutte,   15
Ne murmure point d'eau que ne verse ma flûte
Au bosquet arrosé d'accords; et le seul vent
Hors des deux tuyaux prompt à s'exhaler avant
Qu'il disperse le son dans une pluie aride,
C'est, à l'horizon pas remué d'une ride,   20

211

Le visible et serein souffle artificiel
De l'inspiration, qui regagne le ciel.

O bords siciliens d'un calme marécage
Qu'à l'envi des soleils ma vanité saccage,
Tacite sous les fleurs d'étincelles, CONTEZ   25
«Que je coupais ici les creux roseaux domptés
»Par le talent; quand, sur l'or glauque de lointaines
»Verdures dédiant leur vigne à des fontaines,
»Ondoie une blancheur animale au repos:
»Et qu'au prélude lent où naissent les pipeaux   30
»Ce vol de cygnes, non! de naïades se sauve
»Ou plonge . . . »

                    Inerte, tout brûle dans l'heure fauve
Sans marquer par quel art ensemble détala
Trop d'hymen souhaité de qui cherche le *la:*
Alors m'éveillerai-je à la ferveur première,   35
Droit et seul, sous un flot antique de lumière,
Lys! et l'un de vous tous pour l'ingénuité.

Autre que ce doux rien par leur lèvre ébruité,
Le baiser, qui tout bas des perfides assure,
Mon sein, vierge de preuve, atteste une morsure   40
Mystérieuse, due à quelque auguste dent;
Mais, bast! arcane tel élut pour confident
Le jonc vaste et jumeau dont sous l'azur on joue:
Qui, détournant à soi le trouble de la joue
Rêve, dans un solo long, que nous amusions   45
La beauté d'alentour par des confusions
Fausses entre elle-même et notre chant crédule;
Et de faire aussi haut que l'amour se module
Évanouir du songe ordinaire de dos
Ou de flanc pur suivis avec mes regards clos,   50
Une sonore, vaine et monotone ligne.

Tâche donc, instrument des fuites, ô maligne
Syrinx, de refleurir aux lacs où tu m'attends!
Moi, de ma rumeur fier, je vais parler longtemps
Des déesses; et par d'idolâtres peintures,   55
A leur ombre enlever encore des ceintures:
Ainsi, quand des raisins j'ai sucé la clarté,

Pour bannir un regret par ma feinte écarté,
Rieur, j'élève au ciel d'été la grappe vide
Et, soufflant dans ses peaux lumineuses, avide
D'ivresse, jusqu'au soir je regarde au travers.

O nymphes, regonflons des SOUVENIRS divers.
«*Mon œil, trouant les joncs, dardait chaque encolure*
»*Immortelle, qui noie en l'onde sa brûlure*
»*Avec un cri de rage au ciel de la forêt;*
»*Et le splendide bain de cheveux disparaît*
»*Dans les clartés et les frissons, o pierreries!*
»*J'accours; quand, à mes pieds, s'entrejoignent (meurtries*
»*De la langueur goûtée à ce mal d'être deux)*
»*Des dormeuses parmi leurs seuls bras hasardeux;*
»*Je les ravis, sans les désenlacer, et vole*
»*A ce massif, haï par l'ombrage frivole,*
»*De roses tarissant tout parfum au soleil,*
»*Où notre ébat au jour consumé soit pareil.*»
Je t'adore, courroux des vierges, ô délice
Farouche du sacré fardeau nu qui se glisse
Pour fuir ma lèvre en feu buvant, comme un éclair
Tressaille! la frayeur secrète de la chair:
Des pieds de l'inhumaine au cœur de la timide
Que délaisse à la fois une innocence, humide
De larmes folles ou de moins tristes vapeurs.
«*Mon crime, c'est d'avoir, gai de vaincre ces peurs*
»*Traîtresses, divisé la touffe échevelée*
»*De baisers que les dieux gardaient si bien mêlée;*
»*Car, à peine j'allais cacher un rire ardent*
»*Sous les replis heureux d'une seule (gardant*
»*Par un doigt simple, afin que sa candeur de plume*
»*Se teignît à l'émoi de sa sœur qui s'allume,*
»*La petite, naïve et ne rougissant pas:)*
»*Que de mes bras, défaits par de vagues trépas,*
»*Cette proie, à jamais ingrate se délivre*
»*Sans pitié du sanglot dont j'étais encore ivre.*»

Tant pis! vers le bonheur d'autres m'entraîneront
Par leur tresse nouée aux cornes de mon front:
Tu sais, ma passion, que, pourpre et déjà mûre,
Chaque grenade éclate et d'abeilles murmure;
Et notre sang, épris de qui le va saisir,
Coule pour tout l'essaim éternel du désir.

A l'heure où ce bois d'or et de cendres se teinte
Une fête s'exalte en la feuillée éteinte: 100
Etna! c'est parmi toi visité de Vénus
Sur ta lave posant ses talons ingénus,
Quand tonne un somme triste ou s'épuise la flamme.
Je tiens la reine!

       O sûr châtiment . . .

               Non, mais l'âme
De paroles vacante et ce corps alourdi   105
Tard succombent au fier silence de midi:
Sans plus il faut dormir en l'oubli du blasphème,
Sur le sable altéré gisant et comme j'aime
Ouvrir ma bouche à l'astre efficace des vins!

Couple, adieu; je vais voir l'ombre que tu devins.   (1865-1876) 110

Notre étude de l'expression indirecte dans la poésie de Mallarmé se terminera par *l'Après-midi d'un Faune,* le plus connu, un des plus longs, et un de ses meilleurs poèmes. L'ouvrage a été commencé pendant l'été de 1865. Au début c'était un monologue dramatique, intitulé *Monologue du Faune.* A ce moment-là les monologues dramatiques étaient assez à la mode à la Comédie Française, et avant la fin d'été, par l'intermédiaire du poète Théodore de Banville, Mallarmé proposa le sien au grand acteur Coquelin aîné. Un peu plus tard, Banville, plein de tact, expliqua à l'auteur que ses vers *plurent* beaucoup, mais que l'*anecdote* nécessaire manquait.

On ignore en quelles circonstances Mallarmé remania ce poème, mais on sait qu'en 1875 il offrit à la troisième série du *Parnasse contemporain* la version finale, infiniment supérieure à la première version (et bien plus obscure). Mallarmé avait eu beau contribuer aux deux autres *Parnasse,* il avait beau être connu et admiré (sinon compris) par les poètes qui dirigeaient *le Parnasse* et qui lui avaient même demandé une contribution pour cette série, son œuvre fut refusée. Il paraît que le responsable de ce refus fut Anatole France. Homme très doux d'ordinaire, Mallarmé menaça de gifler les membres du comité ou de leur *flanquer son pied quelque part;* toutefois il finit par prendre son parti de leur décision. L'année suivante *l'Après-midi d'un Faune* parut en édition de luxe, illustré de gravures sur bois par Édouard Manet. *Le Parnasse* avait paru sans le *Faune*, mais truffé de poèmes de Blanchecotte, Bourotte, Delthil, Dussolier, Gineste, Grandmougin, Milhen, Ringal et Seifert.

Malgré son obscurité—obscurité très relative aujourd'hui, puisque de nombreux commentateurs ont éclairé le poème—cette églogue a inspiré des peintres et des compositeurs. Manet, Matisse et Picasso l'illustrèrent, et en 1894 Debussy, grand admirateur de Mallarmé, fit de son *Prélude à l'Après-midi d'un Faune* une sorte d'illustration en musique du poème, et en 1912 Nijinsky s'en inspira pour un ballet.

Le meilleur moyen de présenter ce poème si important et si riche est d'en donner un commentaire détaillé qui guide le lecteur à travers cette dense forêt d'images et de symboles. Cette première exploration en permettra d'autres qui produiront chacune de nouvelles et éblouissantes découvertes.

Le Faune parle. Le sens très général de ses expériences réelles ou imaginaires n'est pas difficile à dégager: A-t-il rêvé ou a-t-il vraiment vu un groupe de nymphes qui se baignaient aux bords d'un étang? A-t-il enlevé deux d'entre elles qui étaient endormies? S'accompagnant de sa flûte, il évoque ses souvenirs, tantôt doutant de leur réalité, tantôt les rappelant avec précision. Mais cette expérience, si elle était réelle, a été manquée: les deux nymphes ont fini par s'échapper. Il se console en pensant à l'orgie—moins tentante mais plus sûre—qui aura lieu le soir et, assoupi par la chaleur du torride après-midi sicilien, il se rendort, se promettant de revoir les nymphes dans son rêve.

Commentaire détaillé

vers 1-7

La première phrase donne une indication de la façon dont Mallarmé, même pour des détails simples en apparence, préfère le vague, le mystérieux, au précis. La phrase est simple (la tournure archaïque *je les veux perpétuer* au lieu de *je veux les perpétuer* permet de ne pas placer le pronom *les* à la césure) et annonce le thème de la méditation du Faune. Mais que veut-il dire? Veut-il perpétuer le souvenir de ces nymphes ou veut-il renouveler et perpétuer l'expérience qu'il pense avoir eue avec les nymphes? Peut-être les deux. *Si clair / leur incarnat léger, qu'il voltige dans l'air*—dans la première version on trouve *le clair rubis des seins levés embrase encore l'air;* le détail matériel s'est dématérialisé, et a gagné ainsi en puissance poétique: en partant, les nymphes ont laissé comme une trace de couleur rose dans l'air. *Assoupi de sommeils touffus*—les adjectifs *assoupi* et *touffus* ne suggèrent pas seulement le calme de l'air ou l'épaisseur des sous-bois; ils s'appliquent également à l'état subjectif du Faune encore à moitié endormi (et peut-être aussi à celui des nymphes; le mot *sommeils* est au pluriel, et nous apprenons plus tard que le Faune a surpris les nymphes endormies). *Aimai-je un rêve*—notez le temps, qui indique une action plutôt qu'une condition dans le passé. Les vers 4 à 7 sont obscurs, et les commentateurs ne sont pas d'accord sur leur sens. Le doute du Faune, l'incertitude qui le trouble, est dû à un reste de sommeil incomplètement dissipé. Mais ce doute, cet *amas de nuit ancienne,* est-il dû aux *souvenirs* de nuits passées, ou aux *désirs* qui ont peuplé ses rêves? Quant à *s'achève . . . bois mêmes,* l'interprétation généralement donnée est la suivante: les minces rameaux que voit le Faune lui indiquent l'existence réelle des bois, et lui suggèrent au contraire que les nymphes n'ont pas vraiment existé, puisque nul détail matériel ne prouve qu'elles ont été là. *La faute idéale de roses* présente un exemple du va-et-vient constant qui se produit chez Mallarmé entre l'objet et son symbole; ces échanges, si clairs pour le poète, sont quasi indéchiffrables pour le non-initié. *Idéale* veut dire imaginée, irréelle; *roses* veut dire chairs de femmes. Il s'agit donc de chairs de femmes qui ne se seraient pas données (une *faute idéale,* c'est-à-dire imaginée, irréelle, non-commise).

vers 8-22

Le Faune se pose la question: Est-ce que les femmes dont tu parles auraient pu n'être que la création imaginaire de ton désir? (*Fabuleux* a ici le sens étymologique: *qui crée des fables, des choses imaginaires.*) Dans les vers 10-22, il essaie de trouver autour de lui ce qui aurait pu, dans son rêve, lui faire imaginer des nymphes, deux nymphes, très différentes l'une de l'autre. *La plus chaste,* aux *yeux bleus / et froids*—le bruit d'une source toute proche n'aurait-il pas pu lui inspirer un tel rêve? Et l'autre, soupirant sensuellement, la brise chaude qu'il aurait sentie dans le poil épais de sa poitrine, n'aurait-elle pas pu lui suggérer cela?

Non! (vers 14) Dans cette journée dont la chaleur immobile accable la vaine fraîcheur du matin, le seul murmure d'eau vient des accords que *verse* la flûte du Faune, et le seul vent est le souffle du Faune dans les tuyaux de la flûte ou le souffle de son inspiration qui regagne le ciel d'où elle était venue.

vers 23-34

L'hypothèse énoncée aux vers 10-13 ayant été rejetée, le Faune se met à raconter son rêve, qui n'en était peut-être pas un, en s'accompagnant de son chalumeau. Les vers en italiques sont ce qu'il raconte. Les seules difficultés des vers 23-26 viennent du mot *vanité* (qui veut dire ici vain désir; dans la version originale, le poète avait employé le mot *passion*), et de l'image *fleurs d'étincelles,* qui veut dire que les rayons du soleil, étincelants, sont comme des fleurs. Le récit est assez simple: le Faune coupe des roseaux pour en faire sa flûte; il voit des formes blanches dans un étang, ou peut-être dans un ruisseau qui tombe dans un bassin (le texte contient le mot *fontaines*), où des vignes reflétées dans l'eau font l'effet d'un or glauque. Au moment où il commence à jouer de sa flûte, ces formes se sauvent et plongent dans l'eau—sont-elles des cygnes? non, des naïades! Le vers 34 contient des périphrases plus artificielles que poétiques: *trop d'hymen* veut simplement dire beaucoup, même trop, d'objets pour le désir du Faune; il ne pourrait jamais les avoir tous! L'ingéniosité trop calculée de l'expression *qui cherche le la* (le Faune cherche des notes sur sa flûte) devient plus acceptable si on y voit l'indication que le Faune (comme le poète) cherche une perfection jamais atteinte.

vers 35-61

Ici le Faune arrête son récit et recommence à méditer. Puisqu'il est seul, il se mettra à chanter, avec la ferveur d'un poète, ingénu comme un lys pur. Mais a-t-il reçu un baiser, ou a-t-il même sur sa poitrine une morsure, une vraie preuve de réalité? Non; sa poitrine est *vierge de preuve.* Il décide donc (vers 42) de confier ses expériences à sa flûte, et se perdant dans sa musique, transformant ses désirs sensuels en musique, il rêve que son long solo imite si bien la beauté qu'il a cru voir qu'elle pourrait être la dupe de cette ressemblance et que lui-même pourrait croire à sa réalité. Mais il rêve aussi de dépasser la vision érotique d'un dos ou d'un flanc, et de tirer de cette vision, de ce *songe ordinaire,* quelque chose d'immatériel et de bien plus beau, une modulation sonore, transposition esthétique idéale de sa vision (*une sonore, vaine et monotone ligne*). Voilà sans doute ce que veulent dire ces vers 44-51, mais les images en sont si compliquées et si enchevêtrées que leur beauté poétique est aussi difficile à dégager que leur sens. L'effet est bien plus réussi dans les vers suivants. Les vers 52-53 se rapportent à la flûte du Faune (c'est *l'instrument des fuites,* parce que, d'après la légende, la nymphe Syrinx, fuyant les caresses de Pan, se changea en roseaux dont Pan fit sa flûte); ils suggèrent qu'elle peut redevenir nymphe si elle veut, et attendre le Faune dans l'eau, tandis que lui, fier de sa musique, va parler longtemps de ces déesses (les nymphes), imaginant des ébats amoureux avec elles. Les vers 57-61 font une comparaison très évocatrice et parfaitement claire.

vers 62-74

Dans les vers en italiques, le Faune revient au récit de ce qu'il croit avoir rêvé. Les seules obscurités ici viennent de certaines images; notez aussi l'emploi de verbes dérivés de substantifs: *trouait* (faisait un trou à travers), *dardait* (volait comme un dard contre). *Encolure immortelle* veut dire les épaules des nymphes, qui sont immortelles. Les vers 64-65 indiquent que chaque nymphe, brûlée par le regard ardent du Faune, se jette dans l'eau comme pour éteindre le feu, en poussant un *cri de rage. Le splendide bain de cheveux disparaît* parce qu'on ne voit plus ces corps qui naguère étaient en partie baignés (cachés) par leurs splendides cheveux. Le vers 67 s'explique par le fait que l'eau agitée et jetée en l'air par ces soudains plongeons étincelle comme des *pierreries.* Peu de difficultés aussi dans les vers 68-73: *bras hasardeux* signifie bras étendus au hasard, et *ravis,* saisis pour les enlever. Expliquons pourtant la parenthèse aux vers 68-69: *le mal d'être deux* est une image suggérée par l'idée que deux corps étroitement enlacés donnent parfois l'impression de vouloir n'être qu'un seul corps; ils souffrent donc du mal d'être deux. Le vers 72 est typique de la façon détournée dont s'exprime Mallarmé pour qui toute expression est indirecte: le massif est *haï par l'ombrage frivole,* il est donc aimé par le soleil, dont la chaleur est l'opposé de *frivole.* Le souhait manifesté par le Faune au vers 74 est que ses ébats avec les nymphes soient aussi chauds que l'air brûlant.

Les vers 75-81, non en italiques, expriment les réflexions sensuelles du Faune sur ces expériences amoureuses. On n'a aucun mal à suivre le fil de ses réminiscences, et l'expression de la joie lascive du Faune à la pensée de la conquête de ces vierges qui allaient perdre leur *innocence,* est assez claire. Mais, comme dit le proverbe français, *qui trop embrasse mal étreint:* aux vers 82-92, le Faune raconte qu'il a commis un *crime* en séparant (pour s'occuper, d'abord de l'une, puis de l'autre) ces deux nymphes que les dieux avaient unies. Ses bras, tout à coup affaiblis (*défaits par de vagues trépas*), laissent échapper les deux nymphes, et il ne peut pas les rattraper.

vers 92-110

Ayant fini son récit, le Faune accepte philosophiquement son échec, tout en rêvant à l'orgie qui l'attend dans les bois ce soir-là. Les *autres* qui l'*entraîneront vers le bonheur* sont peut-être les ardentes bacchantes, moins intéressantes que les naïades parce qu'il les connaît déjà trop. Se contentant de son sort, le Faune décrit en images chaudes les fruits mûrs, prêts à éclater, et le soir (*l'heure où ce bois d'or et de cendres se teinte*). Sa passion (prête à éclater, comme les fruits) le fait penser à l'éruption d'un volcan (l'Etna est un volcan sicilien, et c'est également le pays de Vénus). Le Faune ensuite imagine Vénus, reine des nymphes, marchant sur les pentes de l'Etna, sur la lave à peine refroidie (vers 102-103). Peut-être pourra-t-il la saisir! Mais ce blasphème l'arrête; il a peur du *sûr châtiment.* A la fin du poème, le Faune succombe au sommeil. Oubliant le blasphème qu'il a proféré, il va dormir sur le sable, bouche ouverte au soleil (*l'astre efficace des vins* parce qu'il mûrit le raisin). Dans son rêve il reverra les deux nymphes.

EXERCICE

Peut-on considérer le sujet, c'est-à-dire le récit du Faune et ses expériences, comme symbolique? Prenant l'aventure du Faune comme un symbole de l'expérience poétique, comparez l'*Après-midi d'un Faune* à d'autres poèmes de Mallarmé qui représentent symboliquement l'expérience poétique, surtout le sonnet du *Cygne, Las de l'amer repos* et le *Pitre châtié.*

CHAPITRE DEUX

Rimbaud le voyant

Il existe en France deux grandes œuvres poétiques d'expression indirecte, toutes deux issues de Baudelaire: celle de Mallarmé, que l'on vient d'étudier, et celle de Rimbaud, que nous allons à présent examiner.

Au commencement de sa carrière météorique[1] Rimbaud écrivit des poèmes plus ou moins semblables à ceux des poètes en vogue vers 1865: Musset, Hugo, Banville, Leconte de Lisle . . . et même Coppée. Il dépassa bientôt cette étape et se mit à composer des vers d'expression indirecte; les premiers sont brillants sans être trop déroutants. Le poème suivant en est un exemple:

✖ 89 ✖   LES CHERCHEUSES DE POUX
Arthur Rimbaud (1854-1891)

Quand le front de l'enfant, plein de rouges tourmentes,
Implore l'essaim blanc des rêves indistincts,
Il vient près de son lit deux grandes sœurs charmantes
Avec de frêles doigts aux ongles argentins.

---

[1] Nous disons *météorique* parce que dans le court espace de cinq ans, entre l'âge de quinze et de vingt ans (1869-1874), Rimbaud franchit toutes les étapes parcourues par la poésie française au cours du dix-neuvième siècle tout entier.

Elles asseoient l'enfant auprès d'une croisée 5
Grande ouverte où l'air bleu baigne un fouillis de fleurs,
Et dans ses lourds cheveux où tombe la rosée
Promènent leurs doigts fins, terribles et charmeurs.

Il écoute chanter leurs haleines craintives
Qui fleurent de longs miels végétaux et rosés, 10
Et qu'interrompt parfois un sifflement, salives
Reprises sur la lèvre ou désirs de baisers.

Il entend leurs cils noirs battant sous les silences
Parfumés; et leurs doigts électriques et doux
Font crépiter, parmi ses grises indolences, 15
Sous leurs ongles royaux la mort des petits poux.

Voilà que monte en lui le vin de la Paresse,
Soupir d'harmonica qui pourrait délirer;
L'enfant se sent, selon la lenteur des caresses,
Sourdre et mourir sans cesse un désir de pleurer.   (1871) 20

On ne saurait trouver de meilleur exemple de l'expression indirecte par l'emploi de l'ironie et du paradoxe. Le réalisme quelque
peu choquant ou rugueux du titre ne doit pas détourner le lecteur
de ce poème plein de charme. Voici une explication plausible de
la genèse de ces vers. Ils auraient pour source un incident survenu
l'année qui précéda leur composition. En septembre 1870, Rimbaud
avait voyagé dans le train, sans billet, de Charleville, où habitait
sa famille, jusqu'à Paris. Arrêté pour ce motif, il fut enfermé
pendant huit jours dans la prison de Mazas. Son ami, le jeune
professeur Izambard, le fit relâcher et l'emmena chez lui, à Douai,
ou plutôt chez ses tantes, deux vieilles filles, les demoiselles Gindre.
Fraîchement sorti de prison, Rimbaud devait être sale; peut-être
ses cheveux étaient-ils pleins de vermine; les deux tantes étaient
douces et gentilles. Le poème serait donc la transposition imagina-
tive des soins hygiéniques offerts par ces deux vieilles filles.

On ne songe pas ordinairement qu'un incident de ce genre
puisse constituer un bon thème poétique. Il est vrai que Baudelaire
le premier (voir *Une Charogne*, No. 71) et Rimbaud lui-même
dans des œuvres de la même année (*Les Assis, Accroupissements*)
avaient utilisé le dégoût comme émotion poétique. Mais ce poème

est plus proche d'*Une Charogne* que des *Assis* ou des *Accroupisse-ments*. Comme Baudelaire, Rimbaud veut dégager de ce sujet étrange une impression de beauté, de charme, de grâce délicate. Et il y réussit! Créer dans un poème sur la chasse aux poux une atmosphère pénétrée d'une charmante délicatesse, d'une bienveillance discrète et élégante—sans négliger pour autant des impressions sensorielles pleines de volupté—voilà une gageure, une réussite originale de l'expression indirecte.

EXERCICE

Analysez *les Chercheuses de poux*, en montrant (a) comment le poème maintient fidèlement le point de vue d'un enfant; (b) comment les images produisent en même temps un effet de charme délicat et des impressions sensuelles assez fortes; (c) pourquoi le vers 16 est nécessaire.

Une année après avoir écrit des poèmes tels que *les Chercheuses de poux*, *Voyelles* (No. 39) et *le Bateau ivre* (No. 40), Rimbaud s'engagea dans des voies poétiques restées jusqu'alors inexplorées. Une lettre du printemps de 1871, où il exprime ses idées sur la vocation du poète, aide à expliquer certains aspects de la poésie très originale qu'il écrivit en 1872 et dans les années suivantes. En voici quelques extraits:

Je dis qu'il faut être *voyant*, se faire *voyant*.

Le Poète se fait *voyant* par un long, immense et raisonné *dérègle-ment* de *tous les sens*. Toutes les formes d'amour, de souffrance, de folie; il cherche lui-même, il épuise en lui tous les poisons, pour n'en garder que les quintessences. Ineffable torture où il a besoin de toute la foi, de toute la force surhumaine, où il devient entre tous le grand malade, le grand criminel, le grand maudit,—et le suprême Savant!—Car il arrive à l'inconnu! . . .

Donc le poète est vraiment voleur de feu.

Il est chargé de l'humanité, des *animaux* même; il devra faire sentir, palper, écouter ses inventions; si ce qu'il rapporte de *là-bas* a forme, il donne forme; si c'est informe, il donne de l'informe. Trouver une langue . . .

Cette langue sera de l'âme pour l'âme, résumant tout, parfums, sons, couleurs, de la pensée accrochant la pensée et tirant. Le poète définirait la quantité d'inconnu s'éveillant en son temps dans l'âme universelle: il donnerait plus—que la formule de sa pensée, que l'annotation *de sa marche au Progrès!* Énormité devenant norme, absorbée par tous, il serait vraiment *un multiplicateur de progrès!*

En simplifiant beaucoup, on pourrait résumer ainsi l'essentiel de ces extraits: Le poète est un voyant; il peut voir, sentir, connaître l'inconnu. Si ce qu'il découvre a une forme, le poète donne une forme à la poésie où il l'exprime; si l'inconnu qu'il trouve n'a pas de forme, la poésie qui exprime cet inconnu sera informe. Pour exprimer cet inconnu, le poète doit inventer une nouvelle langue.

Le critique Rolland de Renéville voit dans le poème suivant une interprétation poétique de l'effort de Rimbaud pour se faire voyant: [2]

✷ 90 ✷   COMÉDIE DE LA SOIF
                Arthur Rimbaud (1854-1891)

                1. Les Parents

          Nous sommes tes Grands-Parents,
              Les Grands!
          Couverts des froides sueurs
          De la lune et des verdures.
          Nos vins secs avaient du cœur!   5
          Au soleil sans imposture
          Que faut-il à l'homme? boire.

    MOI. — Mourir aux fleuves barbares.

          Nous sommes tes Grands-Parents
              Des champs.   10
          L'eau est au fond des osiers:
          Vois le courant du fossé
          Autour du château mouillé.
          Descendons dans nos celliers;
          Après, le cidre et le lait.   15

---

[2] Il faut remarquer que les dates de la lettre citée et du poème ne sont pas très rapprochées. La lettre est de mai 1871, le poème de mai 1872.

MOI. — Aller où boivent les vaches.

> Nous sommes tes Grands-Parents;
> Tiens, prends
> Les liqueurs dans nos armoires;
> Le Thé, le Café, si rares,   20
> Frémissent dans les bouilloires.
> —Vois les images, les fleurs.
> Nous rentrons du cimetière.

MOI. — Ah! tarir toutes les urnes!

2. L'Esprit

> Éternelles Ondines,   25
> Divisez l'eau fine.
> Vénus, sœur de l'azur,
> Emeus le flot pur.

> Juifs errants de Norwège,
> Dites-moi la neige.   30
> Anciens exilés chers,
> Dites-moi la mer.

MOI. — Non, plus ces boissons pures,
> Ces fleurs d'eau pour verres;
> Légendes ni figures   35
> Ne me désaltèrent;
> Chansonnier, ta filleule
> C'est ma soif si folle
> Hydre intime sans gueules
> Qui mine et désole.   40

3. Les Amis

> Viens, les Vins vont aux plages,
> Et les flots par millions!
> Vois le Bitter sauvage
> Rouler du haut des monts!

> Gagnons, pèlerins sages,   45
> L'Absinthe aux verts piliers . . .

MOI. — Plus ces paysages.
         Qu'est l'ivresse, Amis?

         J'aime autant, mieux, même,
         Pourrir dans l'étang,   50
         Sous l'affreuse crème,
         Près des bois flottants.

              4. Le Pauvre Songe

         Peut-être un Soir m'attend
         Où je boirai tranquille
         En quelque vieille Ville,   55
         Et mourrai plus content:
         Puisque je suis patient!

         Si mon mal se résigne,
         Si j'ai jamais quelque or,
         Choisirai-je le Nord   60
         Ou le Pays des Vignes? . . .
         —Ah! songer est indigne

         Puisque c'est pure perte!
         Et si je redeviens
         Le voyageur ancien,   65
         Jamais l'auberge verte
         Ne peut bien m'être ouverte.

              5. Conclusion

    Les pigeons qui tremblent dans la prairie,
    Le gibier, qui court et qui voit la nuit,
    Les bêtes des eaux, la bête asservie,   70
    Les derniers papillons! . . . ont soif aussi.

    Mais fondre où fond ce nuage sans guide,
    —Oh! favorisé de ce qui est frais!
    Expirer en ces violettes humides
    Dont les aurores chargent ces forêts? (1872)   75

    Une explication très vague et très générale du sujet, du *fil
logique*, de ce poème n'est pas difficile. Dans la première partie,

les Grands-Parents du poète, qui représentent sans doute les vieilles traditions, l'attachement au passé, lui offrent les moyens habituels d'étancher sa soif: des boissons traditionnelles, ordinaires, saines. Il les refuse avec mépris. Dans la seconde partie, *l'Esprit* (ses tendances vers la spiritualité?) lui suggère des boissons fines et éthérées, qui représentent peut-être une nourriture purement intellectuelle; il ne les accepte pas non plus. Après cela, *les Amis* essaient de l'entraîner dans la débauche (ils lui offrent des boissons fortes et frelatées: le bitter, l'absinthe); il répond qu'il préfère la mort et la putréfaction. La quatrième partie exprime une sorte de nostalgie pour les plaisirs simples (il y a sans doute ici un souvenir des vagabondages du poète en 1870 et 1871, quand il était *jeune*), mais il se reprend vite en se rendant compte que désormais ces plaisirs simples n'existent plus pour lui. La conclusion, vague et assez peu concluante, semble exprimer une idée mystique: le poète paraît souhaiter se fondre et s'absorber dans la Nature.

Évidemment la soif a servi de thème à beaucoup de poètes et elle s'emploie presque toujours comme symbole en général du désir, et plus précisément du désir de la connaissance. Selon R. de Renéville, la soif de Rimbaud serait son désir de se faire voyant. Une telle soif ne saurait être étanchée ni par la vie traditionnelle (première partie), ni par une vie purement spirituelle (deuxième partie), ni par la débauche (troisième partie), ni par un retour aux simples plaisirs déjà connus (quatrième partie). Mais il n'est pas très évident que la conclusion du poème corresponde au dérèglement systématique des sens que Rimbaud avait préconisé dans la lettre citée plus haut (et dont l'année suivante, dans *Une Saison en Enfer,* il devait parler avec mépris comme une de ses *folies*). A tout prendre il est permis de douter de l'interprétation de Renéville.

EXERCICE

Étudiez en détail les images du poème, en essayant de les rapporter au *fil logique*. Suggestions: Dans la première partie, Rimbaud différencie-t-il entre ses *Grands-Parents?* Dans la seconde partie, qui seraient les *exilés chers?* Expliquez la métaphore par laquelle la soif du poète est une *hydre sans gueules*. Comparez la troisième strophe de la troisième partie du poème au poème de jeunesse de Rimbaud, *Ophélie*.

Auquel de ses poèmes de 1870 fait-il allusion dans les vers 66-67? Comparez les deux derniers vers du poème au sonnet *le Dormeur du val* (No. 20). Rimbaud s'en souvient-il ici?

MÉMOIRE

Arthur Rimbaud (1854-1891)

1

L'eau claire; comme le sel des larmes d'enfance,
L'assaut au soleil des blancheurs des corps de femmes;
la soie, en foule et de lys pur, des oriflammes
sous les murs dont quelque pucelle eut la défense;

l'ébat des anges;—Non . . . le courant d'or en marche,   5
meut ses bras, noirs, et lourds, et frais surtout, d'herbe. Elle
sombre, ayant le Ciel bleu pour ciel-de-lit, appelle
pour rideaux l'ombre de la colline et de l'arche.

2

Eh! l'humide carreau tend ses bouillons limpides!
L'eau meuble d'or pâle et sans fond les couches prêtes.   10
Les robes vertes et déteintes des fillettes
font les saules, d'où sautent les oiseaux sans brides.

Plus pure qu'un louis, jaune et chaude paupière
le souci d'eau—ta foi conjugale, ô l'Épouse!—
au midi prompt, de son terne miroir, jalouse   15
au ciel gris de chaleur la Sphère rose et chère.

3

Madame se tient trop debout dans la prairie
prochaine où neigent les fils du travail; l'ombrelle
aux doigts; foulant l'ombelle; trop fière pour elle;
des enfants lisant dans la verdure fleurie   20

leur livre de maroquin rouge! Hélas, Lui, comme
mille anges blancs qui se séparent sur la route,
s'éloigne par-delà la montagne! Elle, toute
froide, et noire, court! après le départ de l'homme!

Regret des bras épais et jeunes d'herbe pure! 25
Or des lunes d'avril au cœur du saint lit! Joie
des chantiers riverains à l'abandon, en proie
aux soirs d'août qui faisaient germer ces pourritures!

Qu'elle pleure à présent sous les remparts! l'haleine
des peupliers d'en haut est pour la seule brise. 30
Puis, c'est la nappe, sans reflets, sans source, grise:
un vieux, dragueur, dans sa barque immobile, peine.

5

Jouet de cet œil d'eau morne, je n'y puis prendre,
ô canot immobile! oh! bras trop courts! ni l'une
ni l'autre fleur: ni la jaune qui m'importune, 35
là; ni la bleue, amie à l'eau couleur de cendre.

Ah! la poudre des saules qu'une aile secoue!
Les roses des roseaux dès longtemps dévorées!
Mon canot, toujours fixe; et sa chaîne tirée
Au fond de cet œil d'eau sans bords—à quelle boue? (1872) 40

Mémoire est un poème d'expression indirecte où la méthode
de Rimbaud rejoint en quelque sorte celle de Mallarmé. Il a suscité
les commentaires les plus divers. Les uns y ont vu le souvenir d'un
incident de l'enfance du poète: le départ de son père, qui aban-
donna sa famille. D'autres y ont vu le portrait symbolique d'une
rivière. Un critique américain, Wallace Fowlie, a fait ressortir le
drame spirituel de *Mémoire*. Voici les grandes lignes de son interprétation.[3]

Il faut noter que le titre du poème est *Mémoire* et non pas
Souvenir. Il s'agit de la *mémoire* du passé du poète (peut-être une
mémoire analogue à la mémoire involontaire de Proust), plutôt
qu'un *souvenir* ou des *souvenirs* évoqués consciemment et avec
précision. Parmi un nombre considérable de détails de paysage,
trois dominent: une rivière (la Meuse, qui passe à côté de Charle-

[3] Wallace Fowlie, *Rimbaud* (New York, New Directions, 1946), pp. 73-83.
Au milieu de cette analyse si intéressante, il faut noter une erreur: Fowlie
traduit *souci d'eau* «care of the water». Or Rimbaud voulait sûrement parler
d'une fleur jaune (voir vers 14 et 34-35)—la fleur qui s'appelle en français
souci d'eau (en anglais *marsh marigold*).

ville, ville natale du poète), une prairie au bord de la rivière, un pont. Selon Fowlie, chacune des cinq divisions du poème serait un petit paysage montrant un aspect de la rivière et de la prairie, chacun avec un personnage qui domine, un protagoniste. Dans la première division, le protagoniste est la rivière, l'*eau claire,* qui bientôt devient *sombre.* Ce changement suggère peut-être la transformation de la vierge (*une pucelle*) en femme. Dans la seconde partie apparaît l'Épouse, et les images semblent suggérer l'union de l'homme et de la femme. Le protagoniste de la troisième division serait la Mère, la matrone sévère—et un membre de la famille s'en va vers la liberté. Dans la quatrième partie s'expriment les regrets de la femme abandonnée; l'image du vieillard dans son bateau suggère l'inutilité de ses peines et la futilité de ses efforts. Dans la cinquième partie, l'eau qui coule représenterait la continuité de la terre et de la vie; les vains efforts du poète, qui prend ici la forme du petit garçon, symboliseraient la vanité des désirs de l'homme.[4]

EXERCICES

1) Sans faire attention à l'interprétation du poème, essayez d'analyser les images, en indiquant leur rapport avec le paysage. Prenez comme point de départ l'idée que si chaque image (ou du moins la plupart des images) a un sens symbolique, elle a aussi un sens littéral.

2) Essayez de faire une paraphrase du poème.

[4] Pour une interprétation plus récente on se reportera avec profit à l'analyse de Henri Peyre, remarquable par sa concision, dans *The Poem Itself,* éd. par Stanley Burnshaw (New York, Holt-Rinehart-Winston, 1960), pp. 26-31.

CHAPITRE TROIS

Variétés d'expression indirecte

1. *Romances sans paroles*

Dans certains poèmes d'expression indirecte, la chose exprimée est réduite au minimum, devient très vague, quasi impalpable. Ces poèmes peuvent posséder beaucoup de charme, mais un charme assez inexplicable. A peu près à la même époque, Arthur Rimbaud et Paul Verlaine écrivirent des poèmes de ce genre. Dans son autobiographie poétique, la bizarre, ironique et méprisante *Alchimie du Verbe,* Rimbaud a écrit: «Je disais adieu au monde dans d'espèces de romances . . .» Verlaine a intitulé un volume de ses poésies *Romances sans Paroles,* et ce titre est bien trouvé, car ces poèmes, par leur charme impalpable, ont quelque analogie avec la musique. Avant et après Rimbaud et Verlaine, d'autres poètes ont composé de semblables *romances.*

Ces *romances sans paroles* sont toujours, quant à la forme, des chansons, et souvent elles empruntent certains de leurs traits à la chanson populaire: un refrain, un récit. Mais le plus souvent le récit est vague ou incomplet ou incompréhensible, et le refrain est mystérieux. Il est impossible d'analyser ces poèmes aussi rigoureusement qu'un sonnet hermétique de Mallarmé: il suffit d'en saisir la mélodie et d'en goûter le charme. Nous donnons ici un groupe de romances sans paroles, accompagnées de quelques commentaires et de quelques exercices.

Arthur Rimbaud (1854-1891)

Oisive jeunesse
A tout asservie,
Par délicatesse
J'ai perdu ma vie.
Ah! Que le temps vienne   5
Où les cœurs s'éprennent.

Je me suis dit: laisse,
Et qu'on ne te voie.
Et sans la promesse
De plus hautes joies.   10
Que rien ne t'arrête,
Auguste retraite.

J'ai tant fait patience
Qu'à jamais j'oublie;
Craintes et souffrances   15
Aux cieux sont parties.
Et la soif malsaine
Obscurcit mes veines.

Ainsi la Prairie
A l'oubli livrée,   20
Grandie, et fleurie
D'encens et d'ivraies
Au bourdon farouche
De cent sales mouches.

Ah! Mille veuvages   25
De la si pauvre âme
Qui n'a que l'image
De la Notre Dame!
Est-ce que l'on prie
La Vierge Marie?   30

Oisive jeunesse
A tout asservie,
Par délicatesse

231

J'ai perdu ma vie.
Ah! Que le temps vienne   35
Où les cœurs s'éprennent!   (1872)

EXERCICE

Comparez cette chanson aérienne à certains poèmes de la section
POÉSIE D'EXPRESSION DIRECTE dans lesquels le poète se plaint
d'avoir perdu sa jeunesse (Lamartine, *Le Vallon*, No. 59; Victor Hugo,
Paroles sur la dune, No. 60; et Musset, *Tristesse*, No. 61). Rimbaud se
prend-il au sérieux, comme les poètes romantiques?

✶ 93 ✶   « LE CIEL EST, PAR-DESSUS LE TOIT . . . »
Paul Verlaine (1844-1896)

Le ciel est, par-dessus le toit,
    Si bleu, si calme!
Un arbre, par-dessus le toit,
    Berce sa palme.

La cloche dans le ciel qu'on voit   5
    Doucement tinte.
Un oiseau sur l'arbre qu'on voit
    Chante sa plainte.

Mon Dieu, mon Dieu, la vie est là,
    Simple et tranquille.   10
Cette paisible rumeur-là
    Vient de la ville.

—Qu'as-tu fait, ô toi que voilà
    Pleurant sans cesse,
Dis, qu'as-tu fait, toi que voilà,   15
    De ta jeunesse?   (1874)

Ce poème a trait au séjour que le poète fit en prison (Verlaine
fut condamné à deux ans de prison pour avoir, au cours d'une
querelle, légèrement blessé son ami Rimbaud d'un coup de re-
volver). Les vers sont inspirés par ce que Verlaine peut voir du
monde par la petite fenêtre grillagée de sa cellule, et de ses sentiments de prisonnier repenti.

Expliquez comment les détails que Paul Verlaine a donnés du paysage font ressortir l'expression indirecte du sentiment dans ce poème. Comparez-le avec le traitement d'un thème analogue dans le poème No. 92 et dans les poèmes de Lamartine, Hugo et Musset mentionnés dans l'exercice précédent.

�֍ 94 �֍   CHANSON

Alfred de Musset (1810-1857)

A Saint-Blaise, à la Zuecca,
Vous étiez, vous étiez bien aise
      A Saint-Blaise.
A Saint-Blaise, à la Zuecca,
      Nous étions bien là.   5

Mais de vous en souvenir
      Prendrez-vous la peine?
Mais de vous en souvenir
      Et d'y revenir?

A Saint-Blaise, à la Zuecca,   10
Dans les prés fleuris cueillir la verveine,
A Saint-Blaise, à la Zuecca,
      Vivre et mourir là!   (1834)

Ce poème date du fameux séjour d'Alfred de Musset et de George Sand à Venise, mais nous n'allons pas essayer d'y voir un reflet de l'amour tourmenté des deux amants célèbres. Quand il se prenait au sérieux, Musset écrivait des poèmes d'expression bien directe. Certains lecteurs leur préfèrent aujourd'hui des chansons comme celle-ci, où s'exprime indirectement et légèrement un sentiment très délicat. Il n'est pas nécessaire de savoir que *la Zuecca* est une île à Venise (l'île de la Giudecca), ni que *Saint-Blaise* se rapporte au Jardin de Saint-Blaise, ni de chercher ces lieux sur un plan de la ville. Il suffit de lire et de relire les vers et de se laisser enchanter par l'expression indirecte et discrète d'un sentiment fuyant, dans un poème où les rimes et le rythme contribuent puissamment à l'effet total.

LES CYDALISES

Gérard de Nerval (1808-1855)

Où sont nos amoureuses?
Elles sont au tombeau!
Elles sont plus heureuses
Dans un séjour plus beau!

Elles sont près des anges,   5
Dans le fond du ciel bleu,
Et chantent les louanges
De la mère de Dieu!

O blanche fiancée!
O jeune vierge en fleur!   10
Amante délaissée,
Que flétrit la douleur!

L'éternité profonde,
Souriait dans vos yeux . . .
Flambeaux éteints du monde,   15
Rallumez-vous aux cieux!   (1853?)

Les Cydalises. Nom donné à plusieurs comédiennes et danseuses du XVIIIᵉ et du XIXᵉ siècle.

L'inspiration et, on pourrait dire, même le sujet général de cette petite chanson sont sans doute les mêmes que ceux de *El Desdichado* (voir No. 80). Mais alors que le sonnet s'exprime en symboles compliqués—et explicables—nous avons ici une *romance sans paroles,* une *immatérielle mélodie.* Il vaut mieux ne pas essayer d'approfondir et se contenter de goûter le charme de la mélodie.

LE PONT MIRABEAU

Guillaume Apollinaire (1880-1918)

Sous le pont Mirabeau coule la Seine
Et nos amours

234

Faut-il qu'il m'en souvienne
La joie venait toujours après la peine

Vienne la nuit sonne l'heure   5
Les jours s'en vont je demeure

Les mains dans les mains restons face à face
Tandis que sous
Le pont de nos bras passe
Des éternels regards l'onde si lasse   10

Vienne la nuit sonne l'heure
Les jours s'en vont je demeure

L'amour s'en va comme cette eau courante
L'amour s'en va
Comme la vie est lente   15
Et comme l'Espérance est violente

Vienne la nuit sonne l'heure
Les jours s'en vont je demeure

Passent les jours et passent les semaines
Ni temps passé   20
Ni les amours reviennent
Sous le pont Mirabeau coule la Seine

Vienne la nuit sonne l'heure
Les jours s'en vont je demeure   (1912)

✻ 97 ✻   CLOTILDE

Guillaume Apollinaire (1880-1918)

L'anémone et l'ancolie
Ont poussé dans le jardin
Où dort la mélancolie
Entre l'amour et le dédain

Il y vient aussi nos ombres   5
Que la nuit dissipera

235

Le soleil qui les rend sombres
Avec elles disparaîtra

Les déités des eaux vives
Laissent couler leurs cheveux   10
Passe il faut que tu poursuives
Cette belle ombre que tu veux   (1912)

EXERCICES

1) Le pont Mirabeau traverse la Seine à Auteuil, le quartier de
Paris où habita Apollinaire pendant quelques années. Quel est le rapport entre le pont, le fleuve qui passe en-dessous sans arrêt, et le thème
du poème? L'image de la deuxième strophe est-elle cohérente? est-elle
jolie? Quel est l'effet, dans ce poème, de l'absence de ponctuation?

2) Pouvez-vous trouver un fil logique dans *Clotilde?* Ce fil logique
se poursuit-il jusqu'à la fin?

✖ 98 ✖   CONTRERIMES

Paul-Jean Toulet (1867-1920)

XLVI

Douce plage où naquit mon âme;
    Et toi, savane en fleurs
Que l'Océan trempe de pleurs
    Et le soleil de flamme;

Douce aux ramiers, douce aux amants,   5
    Toi de qui la ramure
Nous charmait d'ombre et de murmure,
    Et de roucoulements;

Où j'écoute frémir encore
    Un aveu tendre et fier—   10
Tandis qu'au loin riait la mer
    Sur le corail sonore.

LXI

Pâle matin de février
    Couleur de tourterelle

236

Viens, apaise notre querelle,
       Je suis las de crier;

Las d'avoir fait saigner pour elle   5
       Plus d'un noir encrier . . .
Pâle matin de février
       Couleur de tourterelle.

LXIII

Toute allégresse a son défaut
       Et se brise elle-même.
Si vous voulez que je vous aime,
       Ne riez pas trop haut.

C'est à voix basse qu'on enchante   5
       Sous la cendre d'hiver
Ce cœur, pareil au feu couvert,
       Qui se consume et chante.   (1921)

Ces *romances sans paroles* d'un délicat poète mineur du début
du vingtième siècle sont à la frontière entre l'expression directe et
l'expression indirecte. Il y a du romantisme ici, des sentiments dis-
crets s'expriment de façon assez nette, mais un voile d'ironie rend
l'expression indirecte. (Il y a aussi de la préciosité—notez l'image
aux vers 5 et 6 du No. LXI.) La forme, que Toulet appelle *contrerimes* et qu'il a créée, contribue à l'effet ironique. La disposition des
rimes (*abba*) ne correspond pas à la disposition syllabique des vers
(8.6.8.6). Cette disparate produit une chute curieuse, une sorte
d'arrêt de l'envolée lyrique, à la fin de chaque strophe.

2. *Sortilèges, charmes et exorcismes*

On parle souvent—au sens figuré, bien entendu—du pouvoir
magique, incantatoire, de certains poèmes. Ce sont des termes qu'on
applique surtout à la poésie d'expression indirecte. Mais certains
poètes ont pris ces termes au sens littéral, et on peut vraiment dire
que leurs poèmes sont des sortilèges, des charmes.[1]

[1] Paul Valéry a intitulé le plus important de ses recueils de poésies,
Charmes «(C'est-à-dire: *Poèmes*)».

SONNET
Étienne Jodelle (1532-1573)

Des astres, des forêts et d'Achéron l'honneur,
Diane, au monde haut, moyen et bas préside,
Et ses chevaux, ses chiens, ses Euménides guide,
Pour éclairer, chasser, donner mort et horreur.

Tel est le lustre grand, la chasse et la frayeur   5
Qu'on sent sous ta beauté claire, prompte, homicide,
Que le haut Jupiter, Phébus et Pluton cuide
Son foudre moins pouvoir, son arc et sa terreur.

Ta beauté par ses rais, par son rets, par la crainte
Rend l'âme éprise, prise, et au martyre étreinte: 10
Luis-moi, prends-moi, tiens-moi, mais hélas ne me perds

De flambants forts et griefs, feux, filets et encombres,
Lune, Diane, Hécate, aux cieux, terre et enfers
Ornant, quêtant, gênant, nos Dieux, nous et nos ombres. (1574)

v. 1-2. Notez le parallélisme. Les *astres* correspondent au *monde haut,* les *forêts* au *monde moyen* et l'*Achéron* (fleuve de l'Enfer) au *monde bas.* *Diane* était déesse de la lune (les *astres*), et, comme chasseresse, des *forêts.* Elle était souvent assimilée à *Hécate* (voir vers 13), déesse du monde souterrain.

Nous avons ici une invocation à Diane, suivie d'une sorte de déclaration d'amour. Mais ce poème n'est nullement une déclaration directe, simple et conventionnelle. L'horreur et la crainte se mêlent à l'amour. Le poète essaie de fléchir la cruelle puissance de sa dame, et son poème est pour ainsi dire un sortilège pour exorciser une sorcière.

ODE
Théophile de Viau (1590-1626)

Un corbeau devant moi croasse,
Une ombre offusque mes regards;
Deux belettes et deux renards
Traversent l'endroit où je passe;

Les pieds faillent à mon cheval,   5
Mon laquais tombe du haut mal;
J'entends craqueter le tonnerre;
Un esprit se présente à moi;
J'oy Charon qui m'appelle à soi,
Je vois le centre de la terre.   10

Ce ruisseau remonte en sa source;
Un bœuf gravit sur un clocher;
Le sang coule de ce rocher;
Un aspic s'accouple d'une ourse;
Sur le haut d'une vieille tour   15
Un serpent déchire un vautour;
Le feu brûle dedans la glace;
Le Soleil est devenu noir;
Je vois la Lune qui va choir;
Cet arbre est sorti de sa place.   (1621)   20

v. 9. *J'oy.* J'entends.

Cette étrange petite *ode* ne ressemble ni au reste de l'œuvre
de son auteur ni à la poésie de son époque. Ici ce n'est pas le poète
qui crée un sortilège, lui-même est ensorcelé.

EXERCICE

Trouvez-vous ce poème fascinant ou tout simplement ridicule?
Si vous lui trouvez du charme, essayez de l'expliquer. Une partie du
charme vient-elle des archaïsmes?

✖ 101 ✖   ARTÉMIS

Gérard de Nerval (1808-1855)

La treizième revient . . . C'est encor la première;
Et c'est toujours la seule,—ou c'est le seul moment;
Car es-tu reine, ô toi; la première ou dernière?
Es-tu roi, toi le seul ou le dernier amant? . . .

Aimez qui vous aima du berceau dans la bière;   5
Celle que j'aimai seul m'aime encor tendrement:
C'est la mort—ou la morte . . . O délice! O tourment!
La rose qu'elle tient, c'est la *Rose trémière.*

239

Sainte napolitaine aux mains pleines de feux,
Rose au cœur violet, fleur de Sainte Gudule:
As-tu trouvé ta croix dans le désert des cieux? 10

Roses blanches, tombez! vous insultez nos dieux,
Tombez, fantômes blancs, de votre ciel qui brûle:
—La sainte de l'abîme est plus sainte à mes yeux!   (1854)

v. 10. *Sainte Gudule.* Sainte patronne de Bruxelles.

De tout le recueil des *Chimères* (voir No. 80) ce sonnet est
sans doute le plus mystérieux. En même temps qu'une incantation
c'est une sorte de litanie à la louange d'une sainte, mais c'est une
litanie païenne, car la sainte de Nerval est une femme aimée, la
femme unique qui, de façon mystique, incarne en elle plusieurs
femmes qu'il avait aimées. Dans le premier quatrain, le temps
disparaît; la treizième heure est la même que la première, et toutes
les femmes sont confondues en une seule, de même que tous les
Moi du poète sont réunis en un seul. Le second quatrain contient
une référence à la femme morte qu'il avait aimée (l'actrice Jenny
Colon) et qu'il voit, une rose mystique à la main. Cette strophe
suggère aussi la fascination que la mort exerçait sur lui. Dans les
tercets, le poète évoque des saintes chrétiennes, mais les repousse
ensuite, puisqu'il préfère sa sainte, *la sainte de l'abîme.*

Comme nous l'avons déjà dit (page 30), pour le poète contemporain Henri Michaux, la poésie est souvent un exorcisme.
Voici un poème qu'il écrivit en France occupée, pendant la dernière
guerre. Ce texte représente un effort pour exorciser le démon du
mal qui semblait régner partout à ce moment-là.

✳ 102 ✳   LAZARE, TU DORS?

Henri Michaux (1899-   )

Guerre de nerfs
de Terre
de rang
de race
de ruines   5
de fer
de laquais
de cocardes

240

de vent
de vent   10
de vent
de traces d'air, de mer, de faux
de frontières, de misères qui s'emmêlent
qui nous emmêlent
sous le cric, sous le mépris   15
sous hier, sous les débris de la statue tombée
sous d'immenses panneaux de «veto»
prisonniers dans le fumier
sous demain reins cassés, sous demain
sous demain   20
cependant millions et millions d'hommes
s'en vont entrant en mort
sans même un cri à eux
millions et millions
le thermomètre gèle comme une jambe   25
mais une voix d'une stridence extrême . . .
et millions et millions commandés du Nord au Sud
s'en vont entrant en mort.

Lazare, tu dors? dis?

Ils meurent, Lazare   30
Ils meurent
et pas de linceul
pas de Marthe ni de Marie
souvent même plus le cadavre
Comme un fou, qui pèle une huître, rit   35
je crie
je crie
je crie stupide vers toi
si quelque chose tu as appris
à ton tour, maintenant   40
à ton tour, Lazare!   (1944)

EXERCICE

Le manuscrit de ce poème montre qu'à l'origine il s'appelait
Cris. Quel titre préférez-vous? Pourquoi le poème est-il adressé à
Lazare? Expliquez les allusions contenues dans les vers suivants: 1, 16,
19, 25, 26, 32-34. Cet *exorcisme* est-il une prière à un saint ou un défi?
ou les deux à la fois?

241

Dans le poème suivant, Jacques Prévert, un ancien surréaliste, se sert de la méthode surréaliste des rapprochements inattendus, voire incongrus. Mais ce n'est pas de l'écriture automatique (voir à la page 127); les rapprochements sont incongrus, mais ils ne sont pas incohérents. Un critique (Georges Bataille) dit que dans ce poème *la dénigration de la poésie opère un effet poétique . . .* et il demande si on n'y trouve pas représenté *ce monde actuel, impossible et bête, impossible et cruel, impossible et faux?* Le sortilège ou l'exorcisme devient ici un simple catalogue, mais ce catalogue, par la merveille que peut produire la poésie d'expression indirecte, est aussi un portrait du *monde actuel.*

✷ 103 ✷ INVENTAIRE

Jacques Prévert (1900-   )

Une pierre
deux maisons
trois ruines
quatre fossoyeurs
un jardin
des fleurs   5

un raton laveur

une douzaine d'huîtres un citron un pain
un rayon de soleil
une lame de fond   10
six musiciens
une porte avec son paillasson
un monsieur décoré de la légion d'honneur

un autre raton laveur

un sculpteur qui sculpte des Napoléon   15
la fleur qu'on appelle souci
deux amoureux sur un grand lit
un receveur des contributions une chaise trois dindons
un ecclésiastique un furoncle
une guêpe   20
un rein flottant
une écurie de courses

un fils indigne deux frères dominicains trois sauterelles un strapontin
deux filles de joie un oncle Cyprien
une Mater dolorosa trois papas gâteau deux chèvres de Monsieur
    Seguin   25
un talon Louis XV
un fauteuil Louis XVI
un buffet Henri II deux buffets Henri III trois buffets Henri IV
un tiroir dépareillé
une pelote de ficelle deux épingles de sûreté un monsieur âgé   30
une Victoire de Samothrace un comptable deux aides-comptables
    un homme du monde deux chirurgiens trois végétariens
un cannibale
une expédition coloniale un cheval entier une demi-pinte de bon
    sang une mouche tsé-tsé
un homard à l'américaine un jardin à la française
deux pommes à l'anglaise   35
un face à main un valet de pied un orphelin un poumon d'acier
un jour de gloire
une semaine de bonté
un mois de Marie
une année terrible   40
une minute de silence
une seconde d'inattention
et . . .

cinq ou six ratons laveurs

un petit garçon qui entre à l'école en pleurant   45
un petit garçon qui sort de l'école en riant
une fourmi
deux pierres à briquet
dix-sept éléphants un juge d'instruction en vacances assis sur un
    pliant
un paysage avec beaucoup d'herbe verte dedans   50
une vache
un taureau
deux belles amours trois grandes orgues un veau marengo
un soleil d'Austerlitz
un siphon d'eau de Seltz   55
un vin blanc citron
un Petit Poucet un grand pardon un calvaire de pierre une échelle
    de corde

deux sœurs latines trois dimensions douze apôtres mille et une nuits
trente-deux positions six parties du monde cinq points cardinaux
dix ans de bons et loyaux services sept péchés capitaux deux doigts
de la main dix gouttes avant chaque repas trente jours de prison
dont quinze de cellule cinq minutes d'entr'acte

et . . .

plusieurs ratons laveurs. (1946) 60

v. 25. *une Mater dolorosa.* Représentation de la Vierge Marie au pied de la Croix. *papas gâteau.* Dans le langage des enfants, un monsieur qui est très généreux. *chèvres de Monsieur Seguin.* Conte de Daudet où la chèvre est mangée par le méchant loup.

v. 31. *une Victoire de Samothrace.* Sculpture grecque très célèbre, la statue d'une belle femme ailée sans tête qui se trouve en haut du grand escalier du Musée du Louvre à Paris.

v. 35. *deux pommes à l'anglaise.* Des pommes de terre bouillies.

v. 37. *un jour de gloire.* Allusion au deuxième vers de la *Marseillaise.*

v. 39. *un mois de Marie.* Le mois de mai, consacré dans le culte catholique à des offices spéciaux en l'honneur de la Vierge.

v. 40. *une année terrible.* 1871, l'année de la conquête de la France par la Prusse et de la terrible révolution de la commune à Paris.

v. 53. *un veau marengo.* Avant ou après la grande victoire de Marengo (1800), le cuisinier de Napoléon aurait créé ce plat connu—un ragoût de veau à la sauce tomate.

v. 54. *soleil d'Austerlitz.* La grande victoire de Napoléon (1805) fut facilitée par la complicité du soleil, qui dissipa le brouillard matinal.

v. 57. *Petit Poucet.* Héros d'un conte de Perrault, ainsi appelé parce que, lorsqu'il vint au monde, il n'était guère plus gros que le pouce.

v. 58. *deux sœurs latines.* Deux nations dont la langue vient du latin, comme la France, l'Italie.

EXERCICE

Étudiez l'organisation et la construction de ce poème: le refrain, l'effet produit par les longs vers où plusieurs objets sont associés. Pouvez-vous indiquer comment certains rapprochements ont pu être causés par des associations d'idées naturelles (vers 53-54, par exemple; pouvez-vous en trouver d'autres?), certains rapprochements en vue de créer un effet ironique ou satirique, d'autres simplement pour un effet d'absurdité?

3. *L'expression indirecte de l'amour*

L'amour semble demander une expression directe, et nous avons vu que c'était le sujet le plus fréquent dans les poésies de ce genre. Le sujet se prête pourtant aussi à la poésie d'expression indirecte; en voici quelques exemples:

SONNET

Joachim du Bellay (1522-1560)

Quand la fureur, qui bat les grands coupeaux,
Hors de mon cœur l'Olive arrachera,
Avec le chien le loup se couchera,
Fidèle garde aux timides troupeaux.

Le ciel, qui voit avec tant de flambeaux,   5
Le violent de son cours cessera,
Le feu sans chaud et sans clarté sera,
Obscur le rond des deux astres plus beaux.

Tous animaux changeront de séjour
L'un avec l'autre, et au plus clair du jour   10
Ressemblera la nuit humide et sombre,

Des prés seront semblables les couleurs,
La mer sans eau, et les forêts sans ombre,
Et sans odeur les roses et les fleurs.   (1549)

v. 1. *coupeaux*. Sommet d'une colline.

EXERCICE

Ce sonnet se trouve dans un recueil de sonnets intitulé *l'Olive*,
nom et en même temps symbole de la femme aimée. Analysez-le comme
un exemple d'expression indirecte simple: une simple allégorie, exprimée
par une série d'images. L'attitude devant la nature est-elle la même que
celle des poètes romantiques? (Voir *le Lac* et *Ischia* de Lamartine,
Nos. 51 et 52.)

SONNET

Philippe Desportes (1546-1606)

Autour des corps, qu'une mort avancée
Par violence a privés du beau jour,
Les ombres vont, et font maint et maint tour,
Aimant encor leur dépouille laissée.

Au lieu cruel, où j'eus l'âme blessée   5
Et fus meurtri par les flèches d'Amour,

J'erre, je tourne et retourne à l'entour,
Ombre maudite, errante et déchassée.

Légers esprits, plus que moi fortunés,
Comme il vous plaît vous allez et venez   10
Au lieu qui clôt votre dépouille aimée.

Vous la voyez, vous la pouvez toucher,
Où las! je crains seulement d'approcher
L'endroit qui tient ma richesse enfermée.   (1573)

Au lieu de dire directement qu'il souffre d'une passion violente
et désespérée, le poète exprime son sentiment indirectement, par
une comparaison prolongée, morbide peut-être, mais qui frappe
vivement l'imagination du lecteur.

EXERCICE

Étudiez en détail la comparaison sur laquelle ce sonnet est
fondé. La trouvez-vous cohérente? excessive? Ressemble-t-elle aux allégories ou aux symboles que l'on trouve dans la sculpture baroque?
Cette comparaison est-elle aussi importante, ou même plus importante,
que le thème qu'elle exprime?

� 106 ✺   DIZAIN

Maurice Scève (1510-1564)

Si le désir, image de la chose,
Que plus on aime, est du cœur le miroir,
Qui toujours fait par mémoire apparoir
Celle, où l'esprit de ma vie repose,
A quelle fin mon vain vouloir propose   5
De m'éloigner de ce, qui plus me suit?
Plus fuit le Cerf, et plus on le poursuit,
Pour mieux le rendre aux rets de servitude:
Plus je m'absente, et plus le mal s'ensuit
De ce doux bien, Dieu de l'amaritude.   (1544)   10

v. 3. *apparoir.* Apparaître.
v. 10. *amaritude.* Amertume.

LES VEILLEURS DE CHAGRIN
Paul Eluard (1895-1952)

Le front aux vitres comme font les veilleurs de chagrin
Ciel dont j'ai dépassé la nuit
Plaines toutes petites dans mes mains ouvertes
Dans leur double horizon inerte indifférent
Le front aux vitres comme font les veilleurs de chagrin   5
Je te cherche par delà l'attente
Par delà moi-même
Et je ne sais plus tant je t'aime
Lequel de nous deux est absent.   (1929)

Absente, et pourtant présente («Absent, yet present») est
un thème dont ont abusé de médiocres poètes d'expression directe
—comme le poète anglais Bulwer-Lytton, auteur d'un poème intitulé
Absent, yet present. Et pourtant c'est un thème qui, traité par les
méthodes d'expression indirecte, peut acquérir beaucoup d'intensité.
Si le poète veut nous indiquer que la violence de son désir rend
la femme aimée vraiment présente, il doit se servir de paradoxes.

EXERCICES

1) Dans les deux poèmes ci-dessus chaque poète emploie un moyen
différent pour exprimer le paradoxe, *absente, et pourtant présente.* Quel
est l'aspect du paradoxe mis en valeur par Scève? par Eluard?

2) La différence entre les aspects mis en valeur reflète-t-elle une
différence d'attitude devant l'amour? Lequel des deux poètes est le plus
conventionnel? lequel est le plus sincère? Quelle est la cause de cette
différence?

TRISTESSE D'ÉTÉ
Stéphane Mallarmé (1842-1898)

Le soleil sur le sable, ô lutteuse endormie,
En l'or de tes cheveux chauffe un bain langoureux
Et, consumant l'encens sur ta joue ennemie,
Il mêle avec les pleurs un breuvage amoureux.

De ce blanc flamboiement l'immuable accalmie 5
T'a fait dire, attristée, ô mes baisers peureux,
«Nous ne serons jamais une seule momie
Sous l'antique désert et les palmiers heureux!»

Mais ta chevelure est une rivière tiède,
Où noyer sans frissons l'âme qui nous obsède 10
Et trouver ce Néant que tu ne connais pas.

Je goûterai le fard pleuré par tes paupières,
Pour voir s'il sait donner au cœur que tu frappas
L'insensibilité de l'azur et des pierres.   (1866)

Exercice

Analysez ce sonnet comme exemple d'expression indirecte de
l'amour. Le lecteur peut voir immédiatement que le poète s'adresse à
une femme aimée. Pour comprendre les détails de ce poème, voici des
points à noter:

a) Pourquoi le poète appelle-t-il la femme une *lutteuse?* Les mots
joue ennemie suggèrent-ils la réponse? Les *pleurs* ont-ils quelque rapport avec cette expression?

b) L'expression *ô mes baisers peureux* s'applique-t-elle, comme
l'épithète *attristée*, à la femme?

c) Que signifie le vers *Nous ne serons jamais une seule momie* (le
mot «seule» est à souligner)?

d) Le thème des tercets est-il un thème baudelairien? (Cf. *La
Chevelure*, No. 34, et les poèmes de paysages imaginaires, Nos. 26-28.)
Ce thème constitue-t-il une variation sur le thème de l'évasion?

e) Y a-t-il un rapport entre la fin du sonnet et *l'Azur* (No. 83)?
(L'*azur* et aussi les *pierres*—voir *Hérodiade*—sont chez Mallarmé des
symboles de la pureté, de l'absolu.) Précisez.

✷ 109 ✷   LA DORMEUSE

Paul Valéry (1871-1945)

Quels secrets dans son cœur brûle ma jeune amie,
Ame par le doux masque aspirant une fleur?
De quels vains aliments sa naïve chaleur *ardeur*
Fait ce rayonnement d'une femme endormie?
radiance

248

Souffle, songes, silence, invincible accalmie,   5
Tu triomphes, ô paix plus puissante qu'un pleur,
Quand de ce plein sommeil l'onde grave et l'ampleur
Conspirent sur le sein d'une telle ennemie.

Dormeuse, amas doré d'ombres et d'abandons,
Ton repos redoutable est chargé de tels dons,   10
O biche avec langueur longue auprès d'une grappe,

Que malgré l'âme absente, occupée aux enfers,
Ta forme au ventre pur qu'un bras fluide drape,
Veille; ta forme veille, et mes yeux sont ouverts.   (1920)

Voici un autre sonnet sur une femme endormie. Y a-t-il un rapport entre les deux? Peut-être. Valéry connaissait très bien l'œuvre de Mallarmé. Effet du hasard ou dessein, on ne le saura jamais, mais la plupart des rimes des deux poèmes sont semblables, et trois de ces rimes sont identiques. L'effet général est pourtant bien différent. L'amertume et la suggestion du spleen baudelairien sont absentes du poème de Valéry.

EXERCICE

Analysez ce sonnet. Voici des suggestions:

a) La forme. Notez et étudiez les sonorités, surtout les allitérations. Notez les effets rythmiques, surtout le rejet, l'arrêt et la répétition dans le dernier vers.

b) Les images. Expliquez celles des vers 2 et 11. Pourquoi le vers 9 est-il vraiment remarquable? et le vers 7?

c) Le fond. Pourquoi le poète appelle-t-il la femme endormie une ennemie? Est-ce parce que sa beauté est en train de *conspirer* contre le repos du poète? Remarquez les mots *tu triomphes, conspirent, repos redoutable, occupée aux enfers.* (Son âme est *occupée aux enfers* peut-être parce qu'elle rêve d'un complot infernal contre la tranquillité du poète.)

d) Expliquez le contraste entre les expressions *l'âme absente* et *ta forme veille.*

e) Diriez-vous que, comme tout bon poète, Valéry, au lieu de décrire littéralement une belle femme, nous évoque l'effet produit par sa beauté?

4. L'expression indirecte du sentiment religieux

La poésie d'inspiration religieuse se sert volontiers de l'expression indirecte. La poésie des Hébreux—les Psaumes—n'est faite que de métaphores élaborées, d'allégories et de paraboles. Les paraphrases des Psaumes, qui étaient assez nombreuses dans la poésie française du seizième, dix-septième et dix-huitième siècle, ne réussirent pas à capter l'essence de cette poésie biblique parce que les poètes français s'efforçaient de donner une expression directe à une œuvre dont la beauté dépendait d'une langue toute en images et en symboles. Les poètes français qui ont créé la meilleure poésie religieuse sont ceux du seizième et du commencement du dix-septième siècle et ceux de la fin du dix-neuvième et du commencement du vingtième siècle.

✕ 110 ✕
SONNET
Jean de Sponde (1557-1595)

Tout s'enfle contre moi, tout m'assaut, tout me tente,
Et le Monde et la chair, et l'Ange révolté,
Dont l'onde, dont l'effort, dont le charme inventé,
Et m'abîme, Seigneur, et m'ébranle et m'enchante.

Quelle nef, quel appui, quelle oreille dormante,   5
Sans péril, sans tomber, et sans être enchanté,
Me donras-tu ton Temple où vit ta Sainteté,
Ton invincible main et ta voix si constante?

Et quoi? mon Dieu, je sens combattre maintes fois,
Encore avec ton Temple, et ta main, et ta voix,   10
Cet Ange révolté, cette chair et ce Monde.

Mais ton Temple, pourtant, ta main, ta voix sera
La nef, l'appui, l'oreille où ce charme perdra,
Où mourra cet effort, où se perdra cette onde.   (1588)

EXERCICE

Expliquez comment la lutte qui a lieu dans l'âme du poète entre le bien et le mal est exprimée par une série d'images qui représentent deux armées opposées dans une bataille, et comment le poète tire des effets puissants du parallélisme répété des images.

SONNET

Jean de La Ceppède (1545?-1622)

Blanc est le vêtement du grand Père sans âge,
Blancs sont les courtisans de sa blanche maison,
Blanc est de son esprit l'étincelant pennage,
Blanc est de son agneau la brillante toison.

Blanc est le crêpe saint, dont, pour son cher blason,   5
Aux noces de l'agneau l'épouse s'avantage.
Blanc est or le manteau dont par même raison
Cet innocent époux se pare en son noçage.

Blanc était l'ornement dont le pontife vieux
S'affublait pour dévot offrir ses vœux aux cieux.   10
Blanc est le parement de ce nouveau grand prêtre.

Blanche est la robe due au fort victorieux.
Ce vainqueur, bien qu'il aille à la mort se soumettre
Blanc sur la dure mort triomphe glorieux.   (1613)

v. 3. *pennage.* Plumage.
v. 8. *noçage.* Mariage.
v. 12. *la robe due au fort victorieux.* La robe mise sur les épaules de Jésus par les soldats d'Hérode.

EXERCICES

1) Ce poème n'est pas une simple liste ou suite d'images sans fil logique. Expliquez ce que veut exprimer le poète: c'est une vérité religieuse, suggérée par l'emploi symbolique de *blanc.*

2) Lesquelles de ces images sont tirées du symbolisme chrétien conventionnel? lesquelles sont de l'invention du poète?

3) Comparez ce poème au No. 33 (Gautier, *Symphonie en blanc majeur*), en montrant comment le poète du dix-neuvième siècle a une compréhension tout à fait différente de l'emploi des images.

PRÉSENTATION DE LA BEAUCE
A NOTRE-DAME DE CHARTRES
(extrait)

Charles Péguy (1873-1914)

Étoile de la mer, voici la lourde nappe
Et la profonde houle et l'océan des blés
Et la mouvante écume et nos greniers comblés,
Voici votre regard sur cette immense chape.

Et voici votre voix sur cette lourde plaine   5
Et nos amis absents et nos cœurs dépeuplés,
Voici le long de nous nos poings désassemblés
Et notre lassitude et notre force pleine.

Étoile du matin, inaccessible reine,
Voici que nous marchons vers votre illustre cour,   10
Et voici le plateau de notre pauvre amour,
Et voici l'océan de notre immense peine.

Un sanglot rôde et court par-delà l'horizon.
A peine quelques toits font comme un archipel.
Du vieux clocher retombe une sorte d'appel.   15
L'épaisse église semble une basse maison.

Ainsi nous naviguons vers votre cathédrale.
De loin en loin surnage un chapelet de meules,
Rondes comme des tours, opulentes et seules
Comme un rang de châteaux sur la barque amirale.   20

Deux mille ans de labeur ont fait de cette terre
Un réservoir sans fin pour les âges nouveaux.
Mille ans de votre grâce ont fait de ces travaux
Un reposoir sans fin pour l'âme solitaire.

Vous nous voyez marcher sur cette route droite,   25
Tout poudreux, tout crottés, la pluie entre les dents.
Sur ce large éventail ouvert à tous les vents
La route nationale est notre porte étroite.

Nous allons devant nous, les mains le long des poches,
Sans aucun appareil, sans fatras, sans discours,   30

D'un pas toujours égal, sans hâte ni recours,
Des champs les plus présents vers les champs les plus proches.

Vous nous voyez marcher, nous sommes la piétaille.
Nous n'avançons jamais que d'un pas à la fois.
Mais vingt siècles de peuple et vingt siècles de rois,   35
Et toute leur séquelle et toute leur volaille

Et leurs chapeaux à plumes avec leur valetaille
Ont appris ce que c'est que d'être familiers,
Et comme on peut marcher, les pieds dans ses souliers,
Vers un dernier carré le soir d'une bataille.   40

Nous sommes nés pour vous au bord de ce plateau,
Dans le recourbement de notre blonde Loire,
Et ce fleuve de sable et ce fleuve de gloire
N'est là que pour baiser votre auguste manteau.

Nous sommes nés au bord de ce vaste plateau,   45
Dans l'antique Orléans, sévère et sérieuse,
Et la Loire coulante et souvent limoneuse
N'est là que pour laver les pieds de ce coteau.

Nous sommes nés au bord de votre plate Beauce
Et nous avons connu dès nos plus jeunes ans   50
Le portail de la ferme et les durs paysans
Et l'enclos dans le bourg et la bêche et la fosse.

Nous sommes nés au bord de votre Beauce plate
Et nous avons connu dès nos premiers regrets
Ce que peut recéler de désespoirs secrets   55
Un soleil qui descend dans un ciel écarlate

Et qui se couche au ras d'un sol inévitable
Dur comme une justice, égal comme une barre,
Juste comme une loi, fermé comme une mare,
Ouvert comme un beau socle et plan comme une table.   60

Un homme de chez nous, de la glèbe féconde
A fait jaillir ici d'un seul enlèvement
Et d'une seule source et d'un seul portement,
Vers votre assomption la flèche unique au monde.

253

Tour de David, voici votre tour beauceronne.   65
C'est l'épi le plus dur qui soit jamais monté
Vers un ciel de clémence et de sérénité,
Et le plus beau fleuron dedans votre couronne.

Un homme de chez nous a fait ici jaillir,
Depuis le ras du sol jusqu'au pied de la croix,   70
Plus haut que tous les saints, plus haut que tous les rois,
La flèche irréprochable et qui ne peut faillir.

C'est la gerbe et le blé qui ne périra point,
Qui ne fanera point au soleil de septembre,
Qui ne gèlera point aux rigueurs de décembre,   75
C'est votre serviteur et c'est votre témoin.

C'est la tige et le blé qui ne pourrira pas,
Qui ne flétrira point aux ardeurs de l'été.
Qui ne moisira point dans un hiver gâté,
Qui ne transira point dans le commun trépas.   80

C'est la pierre sans tache et la pierre sans faute,
La plus haute oraison qu'on ait jamais portée,
La plus droite raison qu'on ait jamais jetée,
Et vers un ciel sans bord la ligne la plus haute.

Celle qui ne mourra le jour d'aucunes morts,   85
Le gage et le portrait de nos attachements,
L'image et le tracé de nos arrachements,
La laine et le fuseau des plus modestes sorts.

Nous arrivons vers vous du lointain Parisis.
Nous avons pour trois jours quitté notre boutique,   90
Et l'archéologie avec la sémantique,
Et la maigre Sorbonne et ses pauvres petits.

D'autres viendront vers vous du lointain Beauvaisis.
Nous avons pour trois jours laissé notre négoce,
Et la rumeur géante et la ville colosse,   95
D'autres viendront vers vous du lointain Cambrésis.

Nous arrivons vers vous de Paris capitale.
C'est là que nous avons notre gouvernement,

Et notre temps perdu dans le lanternement,
Et notre liberté décevante et totale.   100

Nous arrivons vers vous de l'autre Notre-Dame,
De celle qui s'élève au cœur de la cité,
Dans sa royale robe et dans sa majesté,
Dans sa magnificence et sa justesse d'âme.   (1913)

La Beauce. Plaine plate et fertile au sud-ouest de Paris.
v. 64. la flèche unique au monde. Expression difficile à interpréter. La cathé-
    drale de Chartres a deux flèches, de périodes et de styles très différents,
    mais toutes deux très belles. Peut-être Péguy fait-il allusion au fait que
    l'architecte de la flèche septentrionale est *un homme de chez nous,* Jean
    Texier, dit Jean de Beauce.
v. 90, 92. notre boutique . . . la maigre Sorbonne. Péguy avait une librairie,
    place de la Sorbonne, juste à côté de la Sorbonne que Péguy appelle
    maigre sans doute parce qu'il trouve aride et peu humaine l'érudition
    universitaire.
v. 101. l'autre Notre-Dame. La cathédrale de Notre-Dame de Paris. La
    cathédrale de Chartres s'appelle Notre-Dame aussi.

Ce poème, le plus célèbre et peut-être le plus beau de l'auteur,
fut inspiré par plusieurs *pèlerinages*—voyages à pied—faits par
Péguy de Paris à la cathédrale de Chartres, notamment celui qu'il
fit pour demander à la Vierge de guérir son troisième fils, grave-
ment malade. (L'enfant fut guéri.) C'est un exemple très simple
d'expression indirecte. Il n'y a ni récit direct du voyage, ni simple
prière à la Vierge; c'est plutôt une sorte de monologue intérieur en
vers, où se mêlent des expressions de dévotion à la Vierge, des
impressions de voyage, des réflexions sur le fait que l'auteur lui-
même est natif de cette région dont la cathédrale est le plus noble
produit.

EXERCICES

1) Trouvez des archaïsmes (voulus) dans ce poème: imitations des
vieilles litanies religieuses, mots archaïques, images désuètes, etc. Ces
archaïsmes vous semblent-ils appropriés à un poème religieux moderne
de ce genre?

2) Analysez le *monologue intérieur* de Péguy dans ce poème, en
montrant le rapport entre les thèmes développés et les incidents du
voyage.

5. *L'expression indirecte de la pensée philosophique*

Si le thème de l'amour se prête également à l'expression directe et indirecte, il n'en est pas ainsi pour la pensée philosophique. Pour le goût contemporain l'expression *directe* de la pensée philosophique—et encore moins celle d'un système philosophique—ne se prête pas à la poésie. En revanche, l'expression *indirecte* de la pensée philosophique, peut-être devrait-on dire des *pensées philosophiques,* a produit d'admirables réussites poétiques, comme l'exemple suivant:

❋ 113 ❋ LE CIMETIÈRE MARIN

Paul Valéry (1871-1945)

Ce toit tranquille, où marchent des colombes,
Entre les pins palpite, entre les tombes;
Midi le juste y compose de feux
La mer, la mer, toujours recommencée!
O récompense après une pensée   5
Qu'un long regard sur le calme des dieux!

Quel pur travail de fins éclairs consume
Maint diamant d'imperceptible écume,
Et quelle paix semble se concevoir!
Quand sur l'abîme un soleil se repose,   10
Ouvrages purs d'une éternelle cause,
Le Temps scintille et le Songe est savoir.

Stable trésor, temple simple à Minerve,
Masse de calme, et visible réserve,
Eau sourcilleuse, Œil qui gardes en toi   15
Tant de sommeil sous un voile de flamme,
O mon silence! . . . Édifice dans l'âme,
Mais comble d'or aux mille tuiles, Toit!

Temple du Temps, qu'un seul soupir résume,
A ce point pur je monte et m'accoutume,   20
Tout entouré de mon regard marin;
Et comme aux dieux mon offrande suprême,
La scintillation sereine sème
Sur l'altitude un dédain souverain.

Comme le fruit se fond en jouissance, 25
Comme en délice il change son absence
Dans une bouche où sa forme se meurt,
Je hume ici ma future fumée,
Et le ciel chante à l'âme consumée
Le changement des rives en rumeur. 30

Beau ciel, vrai ciel, regarde-moi qui change!
Après tant d'orgueil, après tant d'étrange
Oisiveté, mais pleine de pouvoir,
Je m'abandonne à ce brillant espace,
Sur les maisons des morts mon ombre passe 35
Qui m'apprivoise à son frêle mouvoir.

L'âme exposée aux torches du solstice,
Je te soutiens, admirable justice
De la lumière aux armes sans pitié!
Je te rends pure à ta place première: 40
Regarde-toi! . . . Mais rendre la lumière
Suppose d'ombre une morne moitié.

O pour moi seul, à moi seul, en moi-même,
Auprès d'un cœur, aux sources du poème,
Entre le vide et l'événement pur, 45
J'attends l'écho de ma grandeur interne,
Amère, sombre et sonore citerne,
Sonnant dans l'âme un creux toujours futur!

Sais-tu, fausse captive des feuillages,
Golfe mangeur de ces maigres grillages, 50
Sur mes yeux clos, secrets éblouissants,
Quel corps me traîne à sa fin paresseuse,
Quel front l'attire à cette terre osseuse?
Une étincelle y pense à mes absents.

Fermé, sacré, plein d'un feu sans matière, 55
Fragment terrestre offert à la lumière,
Ce lieu me plaît, dominé de flambeaux,
Composé d'or, de pierre et d'arbres sombres,
Où tant de marbre est tremblant sur tant d'ombres;
La mer fidèle y dort sur mes tombeaux! 60

257

Chienne splendide, écarte l'idolâtre!
Quand solitaire au sourire de pâtre,
Je pais longtemps, moutons mystérieux,
Le banc troupeau de mes tranquilles tombes,
Éloignes-en les prudentes colombes,   65
Les songes vains, les anges curieux!

Ici venu, l'avenir est paresse.
L'insecte net gratte la sécheresse;
Tout est brûlé, défait, reçu dans l'air
A je ne sais quelle sévère essence . . .   70
La vie est vaste, étant ivre d'absence,
Et l'amertume est douce, et l'esprit clair.

Les morts cachés sont bien dans cette terre
Qui les réchauffe et sèche leur mystère.
Midi là-haut, Midi sans mouvement   75
En soi se pense et convient à soi-même . . .
Tête complète et parfait diadème,
Je suis en toi le secret changement.

Tu n'as que moi pour contenir tes craintes!
Mes repentirs, mes doutes, mes contraintes   80
Sont le défaut de ton grand diamant . . .
Mais dans leur nuit toute lourde de marbres,
Un peuple vague aux racines des arbres
A pris déjà ton parti lentement.

Ils ont fondu dans une absence épaisse,   85
L'argile rouge a bu la blanche espèce,
Le don de vivre a passé dans les fleurs!
Où sont des morts les phrases familières,
L'art personnel, les âmes singulières?
La larve file où se formaient des pleurs.   90

Les cris aigus des filles chatouillées,
Les yeux, les dents, les paupières mouillées,
Le sein charmant qui joue avec le feu,
Le sang qui brille aux lèvres qui se rendent,
Les derniers dons, les doigts qui les défendent,   95
Tout va sous terre et rentre dans le jeu!

258

Et vous, grande âme, espérez-vous un songe
Qui n'aura plus ces couleurs de mensonge
Qu'aux yeux de chair l'onde et l'or font ici?
Chanterez-vous quand serez vaporeuse?   100
Allez! Tout fuit! Ma présence est poreuse,
La sainte impatience meurt aussi!

Maigre immortalité noire et dorée,
Consolatrice affreusement laurée,
Qui de la mort fais un sein maternel,   105
Le beau mensonge et la pieuse ruse!
Qui ne connaît, et qui ne les refuse,
Ce crâne vide et ce rire éternel!

Pères profonds, têtes inhabitées,
Qui sous le poids de tant de pelletées,   110
Êtes la terre et confondez nos pas,
Le vrai rongeur, le ver irréfutable
N'est point pour vous qui dormez sous la table,
Il vit de vie, il ne me quitte pas!

Amour, peut-être, ou de moi-même haine?   115
Sa dent secrète est de moi si prochaine
Que tous les noms lui peuvent convenir!
Qu'importe! Il voit, il veut, il songe, il touche!
Ma chair lui plaît, et jusque sur ma couche,
A ce vivant je vis d'appartenir!   120

Zénon! Cruel Zénon! Zénon d'Élée!
M'as-tu percé de cette flèche ailée
Qui vibre, vole, et qui ne vole pas!
Le son m'enfante et la flèche me tue!
Ah! le soleil . . . Quelle ombre de tortue   125
Pour l'âme, Achille immobile à grands pas!

Non, non! . . . Debout! Dans l'ère successive!
Brisez, mon corps, cette forme pensive!
Buvez, mon sein, la naissance du vent!
Une fraîcheur, de la mer exhalée,   130
Me rend mon âme . . . O puissance salée!
Courons à l'onde en rejaillir vivant!

Oui! Grande mer de délires douée,
Peau de panthère et chlamyde trouée
De mille et mille idoles du soleil,   135
Hydre absolue, ivre de ta chair bleue,
Qui te remords l'étincelante queue
Dans un tumulte au silence pareil,

Le vent se lève! . . . Il faut tenter de vivre!
L'air immense ouvre et referme mon livre,   140
La vague en poudre ose jaillir des rocs!
Envolez-vous, pages tout éblouies!
Rompez, vagues! Rompez d'eaux réjouies
Ce toit tranquille où picoraient des focs!   (1920)

L'obscurité de ce poème a donné lieu à de nombreuses discussions. Pour la première fois peut-être, le grand public français prit conscience du problème de l'obscurité en poésie. Valéry devint vite célèbre, et quelques années après la publication du poème, une enquête d'un journal populaire pour déterminer quel était le plus grand poète français actuel, révéla que pour le grand public c'était Paul Valéry. En 1928, un professeur de la Sorbonne, Gustave Cohen, fit une série de conférences intitulées *Essai d'interprétation du «Cimetière marin»*, devant une assistance nombreuse dans laquelle se trouvait Valéry lui-même. Ces conférences, réunies en un livre, furent préfacées par le poète. Quelques détails de cette préface sont d'un très grand intérêt, non seulement pour l'étude du *Cimetière marin*, mais aussi pour une bonne compréhension de la poésie moderne en général. Il est à noter que Valéry ne nie pas l'exactitude de l'interprétation de Cohen; il parle de son *contentement de voir que les intentions et les expressions d'un poème réputé fort obscur étaient ici parfaitement entendues et exposées* . . . Toutefois il déclare que la prose est la prose et la poésie la poésie, et que donner une paraphrase en prose d'un poème est en quelque sorte le trahir:

En somme, plus un poème est conforme à la poésie, moins il peut se penser en prose sans périr . . . Si donc l'on m'interroge, si l'on m'inquiète (comme il arrive et parfois assez vivement) de ce que j'ai «voulu dire» dans tel poème, je réponds que je n'ai pas *voulu dire*, mais *voulu faire,* et que ce fut l'intention de *faire* qui a voulu ce que j'ai dit.[2]

Quant à la genèse du poème, Valéry explique qu'il voulait faire l'essai d'une strophe qu'il n'avait jamais employée, le sixain de décasyllabes (le décasyllabe a été fort peu employé depuis le début du dix-huitième siècle). Il décida d'écrire un certain nombre de strophes, et de faire de son poème un monologue personnel, mais en même temps, universel. Des souvenirs de son adolescence mirent devant ses yeux le *cimetière marin* de Sète, sa ville natale,[3] et le poème devint une méditation sur la vie et la mort, sur la mobilité et l'immobilité, sur l'être et le non-être.

Un simple coup d'œil suffit à montrer que Valéry est un disciple de Mallarmé: même pureté de la forme, dislocations de syntaxe également subtiles, même emploi comme symboles d'images inattendues, nulle indication de ce que représente l'image. (Par exemple, dans la première strophe, le *toit* est la mer calme, qui, vue de la position où se place le poète—dans son imagination, bien entendu—apparaît comme un toit au-dessus du cimetière. Les *colombes* sont les voiles blanches des bateaux.)

Une explication détaillée du poème ne saurait être du ressort de ce livre: elle prendrait trop de place (l'interprétation de Cohen couvre 65 pages). Nous nous contenterons donc d'indiquer les lignes générales de la méditation de Valéry, en nous servant de l'interprétation de Cohen et de celle de Bernard Weinberg,[4] plus récente et plus concise.

Ces deux interprètes sont d'accord pour voir dans le poème un thème ou plutôt un complexe de thèmes exprimé par des symboles, le tout composé d'images aussi originales que somptueuses, aussi compliquées qu'obscures. Mais tandis que Cohen s'efforce de para-

[2] Toute cette préface est à lire et l'explication par Cohen également. Les deux furent publiées dans la *Nouvelle Revue Française* à des dates séparées: l'interprétation en 1929 et la préface en 1933—et ensuite rassemblées dans un seul volume: Gallimard, 1933.

[3] Les rives de la Méditerranée à Sète sont basses; une seule colline, le mont Saint-Clair, s'élève abruptement au bord de la mer, entre la mer et la lagune. Le cimetière, au flanc sud de cette colline, surplombe la mer. En 1945 Valéry fut enterré dans ce cimetière.

[4] "An Interpretation of Valéry's *Cimetière marin,*" *Romanic Review,* Vol. XXXVIII (April, 1947), pp. 133-158.

phraser la pensée philosophique exprimée indirectement dans le poème, Weinberg en souligne la structure; il montre notamment que tout le poème est une métaphore très compliquée à laquelle chaque image se rapporte.

Pour Cohen, le thème des quatre premières strophes est l'Immobilité du Non-être ou du Néant, éternel et inconscient. Le soleil de midi serait le symbole de l'éternité inexorable; la mer symboliserait la conscience humaine. Au commencement du poème, la mer est calme et le soleil brille inexorablement. Les quatre strophes suivantes (vers 25-48) présenteraient la Mobilité de l'Être éphémère et conscient. Remarquez l'introduction de l'idée du changement aux vers 29-30. Le milieu du poème (vers 49-108) est occupé par un groupe de strophes qui contiendraient une espèce de débat sur la mort et sur l'immortalité. Le poète repousse les consolations de la foi religieuse (vers 65-66); l'idée du Nirvana a des attraits pour lui (vers 67-72). Il continue en opposant Midi, le Non-être, qui est absolu (vers 75-77), à l'homme, le poète lui-même, un principe de changement (vers 78-82). Les morts sont du côté de l'absolu (vers 83-90); la mort triomphe (vers 91-96), tout périt (vers 97-102), et l'immortalité (promise soit par la philosophie, soit par la religion) n'est qu'une illusion (vers 103-108). Remarquons quelques-unes des images—originales, peut-être trop bizarres—dont Valéry revêt ses subtiles méditations. Dans les vers 49-50, le *golfe,* c'est-à-dire la mer, est *fausse captive des feuillages* parce qu'on peut imaginer que la mer, vue à travers les arbres (ce sont en réalité des cyprès, non pas des pins), est maintenue captive par leurs branches; le golfe est *mangeur de ces maigres grillages* parce que la mer, étincelant au soleil, fait presque disparaître les grilles du cimetière quand on la voit à travers ces grilles. Entre les vers 60 et 64 il y a une image élaborée. Le poète imagine qu'il est un berger, que les tombeaux sont ses moutons, et que la mer, sa chienne de garde, dort fidèlement à son côté. Il demande à sa *chienne* de faire peur aux *colombes* et aux *anges*, symboles de la foi chrétienne.

Dans la dernière partie du poème (vers 109-144), le Momentané, le Successif, le Changement, la Création poétique, tout cela triomphe. Dans les vers 121-126, le poète considère la possibilité que le Mouvement n'existe pas, que ce n'est qu'une illusion—d'où les références aux sophismes de Zénon, qui essayait de nier la réalité du Mouvement—mais il réagit (vers 127-132). La mer n'est plus calme, le soleil n'est plus inexorable; le vent se lève, tout est en mouvement. Et, après une série d'images éblouissantes pour décrire la Méditerranée qui commence à s'agiter sous le soleil qui étincelle toujours (vers 133-138), le poème se termine sur un mouvement allègre.

L'explication de Weinberg n'est aucunement une réfutation de celle de Cohen; elle la complète plutôt, en expliquant la technique par laquelle Valéry a exprimé des pensées philosophiques en termes purement poétiques: des images, des figures, des symboles. D'après Weinberg, la métaphore qui unifie la structure du poème établit un parallélisme ou une équivalence entre les trois éléments séparés: la mer, le cimetière et le poète qui regarde. Chacun de ces éléments a deux aspects, l'un de surface, l'autre intérieur. La surface de la mer est calme, sans une ride sous le soleil de midi, mais en-dessous il y a des eaux turbulentes qui, pour le moment seulement, restent tranquilles. Le poète spectateur a une attitude de dédain philosophique devant l'activité de la vie, mais à l'intérieur, caché par ce dédain, il y a un organisme vivant. Le cimetière contient l'immobilité des tombeaux et des pins, mais en-dessous se trouvent les restes des ancêtres du poète. L'analyse montre que, le long du poème, le rapport constant entre les trois éléments de la métaphore est menacé de plus en plus, et à la fin une équivalence définitive est établie entre la mer et le poète—dans les deux cas les éléments turbulents remontent à la surface et l'emportent—mais l'équivalence avec le cimetière est abolie, parce que le cimetière ne contient aucune turbulence; il ne contient que la mort.

1) Faites l'exégèse de plusieurs strophes de ce poème (par exemple, les vers 25-30, 103-108, 127-132, 133-138), en essayant de montrer comment des idées philosophiques se transforment en images et en symboles.

2) Les vers 131-132 contiennent-ils une réminiscence du *Pitre châtié* de Mallarmé (No. 85)? Comparez, et, s'il y a lieu, distinguez.

3) Valéry était passé maître dans l'emploi de sonorités subtiles. Examinez *le Cimetière marin* du point de vue de l'harmonie; trouvez les vers qui se distinguent par leurs sonorités; commentez les effets produits.

4) Justifiez l'expression poétique (indirecte) de la pensée philosophique. Comparez l'effet produit par (a) *le Cimetière marin* et (b) une excellente conférence sur les mêmes thèmes. Si le lecteur pouvait absorber totalement ce poème qu'aurait-il acquis que la conférence n'aurait-pu lui donner?

I. Glossaire

Binaire (adj.)—se dit d'un vers qui est divisé en deux parties ou d'une mesure qui a deux syllabes.

Carpe diem—les deux premiers mots d'un vers latin d'Horace: «Puisque la vie est courte, il faut se hâter d'en jouir.» (*Odes*, I, ii, 8)

Césure (f.)—repos marqué dans le vers de dix syllabes après la quatrième (quelquefois après la cinquième) syllabe, et dans l'alexandrin après la sixième syllabe.

Cheville (f.)—expression inutile à la pensée et qui n'est qu'un remplissage pour finir le vers.

Consonne (f.)—*Loi des trois consonnes*—principe de phonétique d'après lequel on évite de prononcer trois consonnes ensemble dans la même syllabe.—*Consonne d'appui*—à la fin d'un vers la consonne qui précède la voyelle rimée.

Décasyllabe (m.)—vers de dix syllabes.

Dissyllabique (adj.)—ayant deux syllabes.

Dizain (m.)—poème ou strophe de dix vers.

Églogue (f.)—petit poème pastoral.

Élégie (f.)—petit poème consacré au deuil ou à la tristesse.—*Élégiaque* (adj.)—qui se rapporte à une élégie.

Enjambement (m.)—on dit qu'un vers enjambe sur un autre quand, le sens n'étant pas fini, il faut rejeter au vers suivant un ou deux mots qui en rompent la cadence. (Voir *Rejet*.)

Épitre (f.)—lettre en vers.

Exegi monumentum—premiers mots d'un vers latin d'Horace (Exegi monumentum aere perennius) qui veut dire: «J'ai achevé un monument plus durable que l'airain.» C'est le premier vers de la dernière ode du troisième livre d'odes d'Horace, ode où le poète promet à son œuvre l'immortalité.

Fil logique—terme que nous employons pour désigner le contenu discursif d'un poème; ce qui en relie les diverses parties. Ce terme se distingue toujours des images d'un poème, car ces dernières peuvent n'avoir aucun rapport entre elles.

Hémistiche (m.)—la moitié d'un alexandrin. On parle du premier et du second hémistiche.

Hétérométrique (adj.)—se dit d'une strophe où le nombre des syllabes varie d'un vers à l'autre.

Homophonie (f.)—similitude exacte de son.

Isométrique (adj.)—se dit d'une strophe où les vers ont tous le même nombre de syllabes.

Liquide (adj.)—se dit des consonnes l, m, n, r, quand elles suivent une consonne occlusive, ou fermée (p, t, k).

Madrigal (m.)—pensée fine, tendre et galante renfermée dans un petit nombre de vers.

Mesure (f.)—1. mètre dans le sens de rythme qui domine dans un vers; 2. à l'intérieur d'un vers, division rythmique formée d'un certain nombre de syllabes.

Monosyllabique (adj.)—ayant une syllabe.

Octosyllabe (m.)—vers de huit syllabes.

Parnasse (m.)—groupe de poètes qui, suivant Gautier, se révoltèrent contre le lyrisme personnel des romantiques et épousèrent le culte de l'art pour l'art. La poésie parnassienne est surtout descriptive.

Pointe (f.)—un trait d'esprit trop recherché.

Quatrain (m.)—strophe ou poème de quatre vers.

Rejet (m.)—souvent confondu avec *enjambement;* quelquefois on distingue en appelant *rejet* le mot ou les mots qu'on «rejette» au vers suivant. (Voir *Enjambement.*)

Sixain (m.)—poème ou strophe de six vers.

Sonnet (m.)—ouvrage de poésie composé de quatorze vers distribués le plus souvent en deux quatrains suivis de deux tercets.

Sonore (adj.)—se dit des consonnes b, d, g, etc., où l'on fait vibrer les cordes vocales en les articulant; l'opposé de *sourd.*

Syllabe (f.)—voyelle ou combinaison de lettres qui se prononce par une seule émission de la voix.

Symbole (m.)—figure ou image employée comme signe d'une chose; fondé sur une correspondance entre deux objets dont l'un généralement appartient au monde physique et l'autre au monde moral.

Symbolisme (m.)—mouvement poétique français du dernier quart du dix-neuvième siècle; défini ainsi par Paul Valéry: «L'intention commune à plusieurs familles de poètes (d'ailleurs ennemies entre elles) de reprendre à la musique leur bien.» Des poètes compris dans ce livre, Mallarmé, Rimbaud, Verlaine, Laforgue, Merrill, Jammes et Valéry sont considérés comme des symbolistes.

Tercet (m.)—strophe de trois vers, usitée généralement dans le sonnet.

Ternaire (adj.)—se dit d'un vers qui est divisé en trois parties ou d'une mesure qui a trois syllabes.

Vers (m.)—assemblage de mots mesurés et rythmés d'après un nombre défini de syllabes; une ligne de poésie.—*Vers blancs*—vers non rimés dans les langues où la rime est d'usage.—*Vers libres*—vers de différentes mesures qui ne sont pas soumis à des retours réguliers (voir Nos. 11 et 12); chez les symbolistes, vers indépendants de toute règle traditionnelle.

Vers romantique—alexandrin de structure ternaire, appelé également *trimètre* ou *trimètre romantique*.

Voyelle (f.)—*Voyelles claires*—les voyelles [i, y, e, ɸ, ɛ]—*Voyelles graves* —les voyelles [o, u, a, ɔ, ɔe].

II. Résumé chronologique de la poésie lyrique française

A. *La poésie lyrique du Moyen Age*
1. Les troubadours (XIᵉ-XIIIᵉ siècles) Bernard de Ventadour.
2. Les trouvères (XIIᵉ-XIIIᵉ siècles) Colin de Muset.
3. Guillaume de Machaut (1300-1377).
4. Charles d'Orléans (1391-1465).
5. François Villon (1431-après 1463) *Ballades des dames du temps jadis; Lais; Le Testament.*

B. *La poésie de la Renaissance française* (XVIᵉ siècle)
1. Clément Marot (1496-1544).
2. L'École de Lyon
   a. Maurice Scève (1510-1564) *Délie, objet de la plus haute vertu.*
   b. Louise Labé (1526-1566).
3. La Pléiade
   a. Programme
   b. Poètes
      1) Pierre de Ronsard (1524-1585) *Odes; Amours; La Franciade.*
      2) Joachim du Bellay (1522-1560) *Défense et Illustration de la langue française; L'Olive; Antiquités de Rome; Regrets.*
      3) Jean Antoine de Baïf (1532-1589).
      4) Remy Belleau (1528-1577).
      5) Pontus de Tyard (1521-1605).
      6) Étienne Jodelle (1532-1573).
      7) Philippe Desportes (1546-1606).
4. Poètes protestants
   Agrippa d'Aubigné (1552-1630) *Les Tragiques.*

C. *La poésie «classique»* (XVIIᵉ et XVIIIᵉ siècles)
1. Théoriciens et critiques
   a. François de Malherbe (1555-1628) *Consolation à M. du Périer.*
   b. Boileau (Nicolas Boileau-Despréaux) (1636-1711) *Satires; Art poétique.*
2. JEAN DE LA FONTAINE (1621-1695) *Contes; Fables.*
3. Jean Racine (1639-1699) *Cantiques spirituels.*
4. ANDRÉ CHÉNIER (1762-1794) *Iambes.*

D. *La poésie romantique* (1820-1848)
1. ALPHONSE DE LAMARTINE (1790-1869) *Méditations poétiques* (1820); *Harmonies poétiques et religieuses* (1830); *Jocelyn* (1836).
2. ALFRED DE VIGNY (1797-1863) *Poèmes antiques et modernes* (1826); *Les Destinées* (1864).
3. VICTOR HUGO (1802-1885) *Odes et Ballades* (1826); *Les Orientales* (1829); *Les Feuilles d'Automne* (1831); *Les Chants du Crépuscule* (1835); *Les Voix intérieures* (1837); *Les Rayons et les Ombres* (1840); *Les Châtiments* (1853); *Les Contemplations* (1856); *La Légende des Siècles* (1859-1883).
4. Alfred de Musset (1810-1857) *Premières poésies* (1829-1835); *Poésies nouvelles* (1835-1852).
5. GÉRARD DE NERVAL (1808-1855) *Les Chimères* (1855).
6. Théophile Gautier (1811-1872) *Émaux et Camées* (1852).
7. Sainte-Beuve (1804-1869) *Poésies de Joseph Delorme* (1829).

E. *La poésie parnassienne—Le Parnasse* (1866-1880)
1. Leconte de Lisle (1818-1894) *Poèmes antiques* (1853); *Poèmes barbares* (1862); *Poèmes tragiques* (1884).
2. Théodore de Banville (1823-1891) *Odes funambulesques* (1857); *Petit Traité de la Versification française* (1872).
3. José-Maria de Heredia (1842-1905) *Les Trophées* (1893).
4. Sully-Prudhomme (1839-1907) *Stances et Poèmes* (1865).
5. Parnassiens: François Coppée (1842-1908); Léon Dierx (1838-1912); Catulle Mendès (1841-1909).

F. *La révolution symboliste* (1857-1895)
1. CHARLES BAUDELAIRE (1821-1867) *Les Fleurs du Mal* (1857).
2. Lautréamont (Isidore Ducasse) (1846-1870) *Les Chants de Maldoror* (1869).
3. STÉPHANE MALLARMÉ (1842-1898) *Poèmes*, 1866, 1871, 1875.
4. Paul Verlaine (1844-1896) *Sagesse* (1881).

5. Tristan Corbière (1845-1875) *Les Amours jaunes* (1873).
6. ARTHUR RIMBAUD (1854-1891) *Une Saison en Enfer* (1873).

G. *Le vingtième siècle*
1. Francis Jammes (1868-1938) *Géorgiques chrétiennes* (1912).
2. Paul Claudel (1868-1955) *Cinq grandes Odes* (1910).
3. PAUL VALÉRY (1871-1945) *Charmes* (1922).
4. Guillaume Apollinaire (1880-1918) *Alcools* (1913).
5. Saint-John Perse (1887-   ) *Anabase* (1924).
6. Poètes surréalistes: Paul Eluard (1895-1952); André Breton (1896-   ); Louis Aragon (1897-   ); Jacques Prévert (1900-   ).

III. Tableau chronologique de poètes et de poèmes

(Pour chaque poète nous donnons les poèmes par ordre chronologique)

Tristan Tzara (1896-   )
  Sur une ride du soleil, No. 48, p. 124
Louis Aragon (1897-   )
  Zone libre, No. 77, p. 183
Henri Michaux (1899-   )
  Dans la nuit, No. 10, p. 30
  Lazare, tu dors?, No. 102, p. 240
Robert Desnos (1900-1945)
  Le Gnou, No. 9, p. 29
Jacques Prévert (1900-   )
  Inventaire, No. 103, p. 242
  Barbara, No. 54, p. 142

IV. Note bibliographique

1. Histoire de la littérature française.
   Pour le débutant, voici le plus utile des manuels:
   P. Castex et P. Surer, *Manuel des études littéraires françaises*. Paris, Hachette, 1953, 6 vols. (souvent reliés ensemble).

2. La versification.
   Maurice Grammont, *Petit traité de versification française*. Paris, Armand Colin, 1916.
   Maurice Grammont, *Le Vers français*, 4e édition. Paris, Delagrave, 1937.

3. Études et explications de poésie.
   Stanley Burnshaw, et al., *The Poem Itself*. New York, Holt-Rinehart-Winston, 1960.
   René-Albert Gutmann, *Introduction à la lecture des poètes français*. Paris, Flammarion, 1946.
   Thierry Maulnier, *Introduction à la poésie française*. Paris, Gallimard, 1939.

A B C D E F G H I J   0 6 9 8 7 6 5 4 3 2

PRINTED IN THE UNITED STATES OF AMERICA